Książę i żebrak

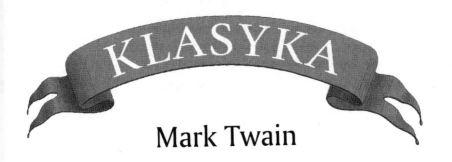

Mark Twain

Książę i żebrak

OFICYNA WYDAWNICZA RYTM
WYDAWNICTWO WAZA
WARSZAWA

Tytuł oryginału angielskiego
The Prince and the Pauper

Ilustracja na okładce
© M. Prieto
Represented by NORMA EDITORIAL S.A.

Okładka i strona tytułowa
Andrzej Zieliński

Redakcja
Wydawnictwo WAZA

Korekta
Oficyna Wydawnicza RYTM

Skład
Wydawnictwo WAZA s.c.
ul. Raszyńska 58 m. 50a, 02-033 Warszawa

Druk i oprawa
Łódzkie Zakłady Graficzne

ISBN 83-7399-065-8
ISBN 83-86426-40-3

Oficyna Wydawnicza RYTM prowadzi
sprzedaż wysyłkową książek z 25% rabatem.
Koszty wysyłki pokrywa zamawiający tylko w wysokości 7,00 zł.
Zamówienia można składać na adres:
Oficyna Wydawnicza RYTM
ul. Górczewska 8
01-180 Warszawa
tel./fax (0-22) 631-77-92, tel. (0-22) 632-02-21 w. 155
e-mail: dzial.handlowy@rytm-wydawnictwo.pl

KSIĘGARNIA INTERNETOWA
www.rytm-wydawnictwo.pl

Opowiem Wam historię, którą opowiadał mi ktoś, kto usłyszał ją od swojego ojca, ten od swojego ojca i tak dalej przez ponad trzysta lat przekazywali z pokolenia na pokolenie i w ten sposób została zachowana. Może jest to zdarzenie prawdziwe, a może tylko legenda. Może tak się wydarzyło, a może nie, ale **mogło** się wydarzyć. Może dawniej wierzyli w nią ludzie mądrzy i uczeni, a może tylko ludzie prości i nieuczeni.

Autor

ROZDZIAŁ I

Narodziny księcia i żebraka

Pewnego jesiennego dnia pod koniec pierwszej połowy szesnastego wieku w Londynie, w ubogiej rodzinie Canty urodził się chłopiec, na którego nikt nie czekał. Tego samego dnia w bogatej rodzinie Tudor* urodziło się inne angielskie dziecko, którego nadejście było niezwykle oczekiwane. Pragnęła go cała Anglia, a tak bardzo go pragnęła, takie w nim pokładała nadzieje, tak gorąco błagała o niego Boga, że gdy się wreszcie narodził, niemal wszyscy ludzie oszaleli z radości. Ludzie prawie sobie nieznani ściskali się i całowali roniąc łzy szczęścia. Dzień ten przez wszystkich został uznany za święto i czy wysoko urodzeni czy nisko, bogaci czy biedni, wszyscy bardzo wzruszeni ucztowali, tańczyli i śpiewali. I trwało to szaleństwo przez wiele dni i nocy.

Londyn przedstawiał wówczas wspaniały widok. Z każdego dachu i balkonu powiewały barwne chorągwie, a niekończące się kolorowe pochody ciągnęły ulicami. Wieczorami widowisko było nie mniej znakomite, gdyż na każdym rogu płonęły wielkie świąteczne ogniska, wokół których kłębił się rozbawiony tłum.

W całej Anglii nie mówiono o niczym innym jak o nowo narodzonym chłopcu, Edwardzie Tudorze, księciu Walii**, który leżąc spowity w jedwabie i atłasy nic nie

---

* Tudor – dynastia panująca w Anglii w latach 1485–1603 (przyp. red.).
** Książę Walli od roku 1284 jest tytułem przysługującym angielskim następcom tronu. Bohater powieści Edward VI Tudor jest synem króla Henryka VIII, drugiego króla dynastii (przyp. red.).

wiedział o tym wielkim poruszeniu. Nie wiedział też, że pielęgnowali go i czuwali nad nim dostojni panowie i panie, co zresztą było mu zupełnie obojętne.

Nikt jednak nie mówił o drugim dziecku, o Tomku Canty, owiniętym w nędzne szmaty i łachmany, nikt oprócz rodziny biedaków, dla której stał się nowym ciężarem.

ROZDZIAŁ II

Dzieciństwo Tomka

Minęło kilka lat. Londyn istniał już wówczas półtora tysiąca lat i był, jak na tamte czasy, wielkim miastem. Miał około stu tysięcy mieszkańców, albo jak inni twierdzą, nawet dwa razy tyle. Ulice były bardzo wąskie, kręte i brudne, zwłaszcza w okolicy, w której mieszkał Tomek Canty, niedaleko London Bridge*. Domy były drewniane i budowane w ten sposób, że pierwsze piętro było szersze od parteru, a drugie od pierwszego. Im domy były wyższe, tym szersze u góry. Krzyżowe konstrukcje domów były z belek, a przestrzeń między belkami wypełniano kamieniami bądź cegłami i pokrywano tynkiem**. Belki malowano na czerwono, niebiesko lub czarno, zależnie od upodobań właścicieli co nadawało domom bardzo malowniczy wygląd. Okna z kwadratowymi szybkami były małe i osadzone na zawiasach otwierały się na zewnątrz jak drzwi.

Dom, w którym mieszkał ojciec Tomka, znajdował się w cuchnącym zaułku zwanym Offal Court***, przecznicy uliczki Pudding Lane.

Był to mały, zmurszały, walący się domek, jednak gęsto zamieszkały przez największych nędzarzy.

Rodzina Cantych zajmowała izbę na drugim piętrze.

---

* Most Londyński – najstarszy most w Londynie.
** W Polsce taka konstrukcja ścian nosi nazwę muru pruskiego (przyp. red.).
*** Offal (ang.) – śmiecie, odpadki. Court – podwórko (przyp. red.)

Ojciec i matka mieli swoje legowisko w kącie, natomiast Tomek, jego babka i dwie siostry, Bet i Nan*, nie mieli ograniczeń i mogli spać gdzie chcieli, mając do dyspozycji całą podłogę. W izbie znajdowały się podarte koce, derki i nieco brudnej, starej słomy, ale trudno było nazwać to posłaniem. Wieczorem każdy zgarniał sobie ile zdołał, a rano rzucało się to wszystko na kupę do kąta.

Bet i Nan były bliźniaczkami i miały po piętnaście lat. Były to poczciwe dziewczęta, nie domyte, odziane w łachmany, głęboko nieokrzesane. Matka była jak one. Za to ojciec i babka byli parą potworów. Często upijali się bez okazji i wówczas tłukli się, a także okładali każdego, kto wszedł w zasięg ich ramion. A niezależnie czy byli pijani, czy trzeźwi, kłócili się bez przerwy i obrzucali wyzwiskami. Jan Canty był złodziejem, a jego matka żebraczką. Dzieci wykształcili na żebraków, ale do kradzieży nie dawały się namówić.

Pośród tego ohydnego zbiorowiska, ale nie należąc jednak do niego, mieszkał stary, dobry kapłan Andrew, kiedyś odprawiony przez króla z bardzo skromną parupensową pensyjką, a teraz potajemnie uczący dzieci jak żyć szlachetnie i godziwie.

Ojciec Andrew nauczył Tomka czytać i pisać, a także trochę łaciny. Tego samego mógłby nauczyć i dziewczęta, ale obawiały się drwin koleżanek, gdyby przyswoiły sobie zupełnie zbędne w życiu umiejętności.

W całym zaułku Offal Court życie toczyło się jak w domu Cantych. Całymi dniami aż do późna w nocy trwały pijaństwa, kłótnie, bijatyki. Zakrwawione czaszki były tam rzeczą równie powszednią jak głód.

Mały Tomek nie czuł się jednak nieszczęśliwy. Było mu źle, ale nie zdawał sobie z tego sprawy, ponieważ wszyscy chłopcy w Offal Court żyli podobnie i Tomek

---

* Bet i Nan – zdrobnienia od imion Elizabeth i Anne (przyp. red.).

myślał, że tak żyją wszyscy. Gdy wracał wieczorem do domu z pustymi rękami, wiedział, że ojciec zwymyśla go i zbije, a kiedy skończy, babka zacznie od nowa tylko jeszcze surowiej. Potem, późno w nocy, jego biedna, słaba matka zakradnie się do niego i wetknie mu do ręki kawałek suchej skórki. Wolała sama głodować, choć nieraz mąż przyłapywał ją na tej zdradzie, a wtedy dostawała za to zdrowe cięgi. Nie, Tomek nie uważał, że mu się źle żyje, zwłaszcza latem. Żebrał tyle tylko, aby nie narażać się na lanie w domu i nie podpaść pod surowe prawa przeciw żebractwu, które nakładały wysokie kary. Pozostawało mu więc dużo czasu na słuchanie pięknych historii i bajek o olbrzymach i wróżkach, krasnalach i duchach, zaczarowanych zamkach, potężnych królach i królewiczach, które opowiadał ojciec Andrew. Głowa chłopca nabita była tymi wspaniałościami i nieraz w nocy leżąc w ciemności na kłującej, cuchnącej słomie, zmęczony, głodny, obity i obolały, puszczał wodze fantazji i zapominał o swojej niedoli wyobrażając sobie niezwykłe życie rozpieszczonego księcia w królewskim pałacu. Tak więc powoli opanowała go jedna obsesja, która nie opuszczała go przez dnie i noce: marzył, aby ujrzeć na własne oczy prawdziwego królewicza. Kiedyś opowiedział o tym pragnieniu swoim kumplom z Offal Court, ale oni wydrwili go i wyszydzili tak nielitościwie, że odtąd wolał ukryć swoje marzenia tylko dla siebie.

Tomek często czytywał stare księgi kapłana i prosił o szczegółowe wyjaśnienia i tłumaczenia rzeczy niezrozumiałych. Czytanie i marzenia z czasem zmieniały chłopca. Bajkowe postacie podobały mu się tak bardzo, że zaczął się wstydzić swoich łachmanów i niechlujstwa, a pragnął być czysty i lepiej ubrany. Co prawda bawił się jeszcze na brudnej, zabłoconej ulicy, i to bardzo chętnie, ale gdy teraz pluskał się w Tamizie, robił to nie tylko dla zabawy, ale i ze względu na czystość.

Łatwo było Tomkowi o rozrywkę, czy to w okolicy Maypole w Cheapside*, czy na jarmarkach. Od czasu do czasu mógł, jak cała ludność Londynu, przyglądać się paradzie wojskowej przy prowadzeniu jakiegoś sławnego skazańca, lądem lub wodą, do więzienia Tower**. Pewnego letniego dnia widział, jak w Smithfield spalono na stosie biedną Anne Askew*** i trzech mężczyzn. Słyszał też, jak jakiś były biskup wygłaszał o tym kazanie, ale wcale go to nie zainteresowało. Tak! Życie Tomka było bardzo urozmaicone i nie brakowało w nim przyjemności.

Ciągłe czytanie i rozmyślanie o życiu królewiczów wywarło tak silny wpływ na Tomka, że nieświadomie zaczął odgrywać rolę królewicza. Jego słowa i zachowanie stały się niezwykle uprzejme i uroczyste ku wielkiemu zdziwieniu i zachwytowi towarzyszy zabaw. Z dnia na dzień wzrastało przy tym znaczenie Tomka wśród rówieśników, którzy patrzyli na niego z pełną podziwu obawą jak na istotę wyższą. Wydawał im się światły w tak wielu sprawach! Umiał mówić i robić rzeczy niezwykłe! Był taki mądry i uczony!

Dzieciaki opowiadały o zachowaniu Tomka rodzicom, którzy też zaczęli uważać Tomka Canty za chłopca mądrego i niezwykle uzdolnionego. Dorośli ludzie często zwracali się ze swymi wątpliwościami do Tomka i zdumiewali się jego dowcipnymi i błyskotliwymi radami. Powszechnie patrzono więc na niego jak na cudowne zjawisko. Jedyny wyjątek stanowiła jego wła-

---

* Maypole w Cheapside – słup ustawiony na najszerszej ulicy w starej, handlowej dzielnicy Londynu, przybierany wstążkami, kwiatami i girlandami w dniu 1 maja, tradycyjnym dniu święta wiosny, wokół którego tańczono i bawiono się (przyp. red.).

** Tower of London – średniowieczna twierdza królewska, przez wieki więzienie, obecnie muzeum (przyp. red.).

*** Anna Aksew – protestantka spalona w Anglii na stosie w 1546 r. (przyp. red.).

sna rodzina, która nie dostrzegała w nim nic nadzwyczajnego.

Wkrótce w zupełnej tajemnicy Tomek stworzył wokół siebie cały królewski dwór. Sam został księciem, a najbliższych swoich przyjaciół obwołał gwardią przyboczną, szambelanami, koniuszymi, damami dworu, dworzanami oraz rodziną królewską. Fałszywy książę otaczał się wyszukanym ceremoniałem, zaczerpniętym z romantycznych lektur. Codziennie rada królewska rozważała sprawy państwowe tego zmyślonego państwa, a książę wydawał rozkazy swej zmyślonej armii, flocie i namiestnikom.

Później Tomek w swoich łachmanach szedł zbierać jałmużnę, zjadał suchy chleb, znosił szturchańce i wyzwiska, a następnie kładł się na nędzne posłanie ze słomy, żeby we śnie znowu marzyć o godnościach.

I każdego dnia rosło jego pragnienie, żeby kiedyś choć raz ujrzeć prawdziwego księcia. Pragnienie to było tak silne, że przesłoniło wszystkie inne jego marzenia i stało się jedynym jego dążeniem.

Pewnego styczniowego dnia Tomek jak zwykle ruszył na żebry i całymi godzinami ponuro wałęsał się, zziębnięty i bosy, między Mincing Lane a Little East Cheap. Oglądał wystawione w oknach licznych jadłodajni obrzydliwe racuchy z wieprzowiną i inne koszmarne potrawy, które nawet nie zasługiwały na taką nazwę, ale jemu wydawały się smakołykami godnymi aniołów. Oceniał je tylko po zapachu, ponieważ nigdy nie miał sposobności spróbować czegoś podobnego.

Cały czas siekł zimny deszcz, powietrze było szare, dzień ponury. Wieczorem wrócił do domu tak przemoknięty, wyczerpany i głodny, że nawet ojciec i babka zwrócili uwagę na jego żałosny stan i na swój sposób wyrazili współczucie, dając mu tylko kilka szturchańców i każąc iść spać. Przez długi czas ból i głód, jak również przekleństwa i odgłosy bójek dochodzące z różnych części domu, nie dawały mu zasnąć. Wreszcie jednak myśli poszybowały w krainę marzeń. Zdawało mu się, że znajduje się u boku wystrojonych w złoto i klejnoty dzieci królewskich, mieszkających w ogromnych pałacach, otoczonych służbą, która słucha ich w uniżonych ukłonach i gotowa natychmiast spełnić każdy kaprys. A pod koniec śniło mu się jak zwykle, że sam jest księciem.

Przez całą noc świecił nad nim blask majestatu królewskiego. Przebywał w otoczeniu dostojnych panów i pań, w potokach światła, wdychał upojne zapachy, do jego uszu dochodziła cudowna, delikatna muzyka, uśmiechem lub łaskawym skinieniem książęcej głowy odpowiadał na pełne czci ukłony lśniącego tłumu rozstępującego się przed nim.

Gdy obudził się rano i ujrzał otaczającą go nędzę, skutek snu był taki jak zawsze – tym boleśniej odczuł ohydę rzeczywistego otoczenia. Ogarnęła go gorycz, serce ścisnęło się, a w oczach zabłysły łzy rozpaczy.

Rozdział III

Spotkanie Tomka z księciem

Tomek wstał głodny i głodny wyszedł na ulicę, z głową pełną jeszcze śnionych wspaniałości ze swych marzeń. Włóczył się tu i tam po mieście nie zważając dokąd idzie i co się dokoła niego dzieje. Przechodnie potrącali go, niejeden rzucił mu obelżywe wyzwisko, ale rozmarzony chłopiec nie zwracał na to uwagi. W ten sposób bezwiednie doszedł w okolice Temple Bar. Jeszcze nigdy tak daleko nie oddalił się od domu. Zatrzymał się na chwilę o czymś pomyślał, ale szybko popadł znowu w swoje marzenia i ruszył dalej, pozostawiając za sobą mury Londynu*.

Strand nie był już w tamtych czasach drogą wiejską, ale ulicą, choć o nieco dziwnej zabudowie. Z jednej strony ciągnął się nie przerwany prawie rząd domów, a po drugiej rzadko stały okazałe budowle, pałace bogatej szlachty, otoczone wielkimi, pięknymi ogrodami, ciągnącymi się aż do rzeki. Dzisiaj tereny te usiane są gęsto ponurymi domami z cegły i kamienia.

Tomek dotarł do wsi Charing** i wypoczął pod pięknym krzyżem, postawionym niegdyś przez pewnego pokutującego króla. Potem powlókł się odludną, piękną aleją obok wspaniałej siedziby wielkiego kardynała

---

* W czasach Henryka VIII Wielki Londyn (City) otoczony był murem (przyp. red.).

** Charing Cross obecnie jeden z placów w Londynie. Wystawiony tam krzyż był jednym z wielu, które kazał stawiać król Edward I dla uczczenia pamięci swej zmarłej żony (przyp. red.).

i skierował się ku jeszcze bardziej potężnemu i majestatycznemu pałacowi – Westminster.

Tomek z radosnym podziwem patrzył na olbrzymią budowlę, na rozległe pałacowe skrzydła, na ponure wieże i baszty, na wysoką, kamienną bramę ze złoconą kratą, na wspaniały szpaler potężnych, granitowych lwów i inne symbole angielskiej władzy królewskiej. Czyżby wreszcie miało się spełnić pragnienie jego duszy? Przecież to pałac królewski! Jeśli nieba będą łaskawe dla Tomka, może spodziewać się, że wreszcie tutaj ujrzy prawdziwego księcia!

Po każdej stronie złoconego parkanu stały żywe posągi w postaci wyprostowanych, uroczystych, nieruchomych gwardzistów, którzy od stóp do głów zakuci byli w lśniące stalowe zbroje. W stosownym oddaleniu stały grupy mieszczan i wieśniaków czekając na okazję ujrzenia czegoś z królewskiego przepychu. Wspaniałe karety ze wspaniałymi dostojnikami wewnątrz i nie mniej wspaniałą służbą na koźle wjeżdżały i wyjeżdżały przez liczne potężne bramy, wiodące na królewski dziedziniec.

Tomek, biedny, mały obszarpaniec nieśmiało i z bijącym sercem podszedł bliżej i z coraz bardziej rosnącą nadzieją wolno przekradł się obok wartowników. Nagle przez złote pręty ujrzał taki widok, że omal nie wydał głośnego okrzyku radości.

Za ogrodzeniem stał urodziwy chłopiec, rześki i mocno opalony od ćwiczeń na świeżym powietrzu. Ubrany był w piękne atłasy i jedwabie, które skrzyły się klejnotami. U boku miał mały miecz wysadzany drogimi kamieniami i sztylet. Na nogach miał zgrabne buciki z czerwonymi obcasami, a na głowie karmazynowy kapelusz z opadającymi piórami, spiętymi wielką błyszczącą zapinką.

W pobliżu tego chłopca stało kilku wspaniale odzianych panów, stanowiących bez wątpienia jego służbę.

To musiał być książę, żywy książę, prawdziwy książę! Nie było cienia wątpliwości – pragnienie małego żebraka nareszcie się spełniło.

Tomek ciężko dyszał z wrażenia, jego oczy rozszerzały się coraz bardziej ze zdumienia i zachwytu. Teraz miał już tylko jedne jedyne pragnienie: znaleźć się bliżej księcia i napatrzyć się na niego do syta. Nie zdając sobie sprawy z tego co robi, przywarł twarzą do prętów bramy. Ale niemal w tej samej chwili jeden z gwardzistów silną ręką brutalnie odciągnął go od bramy i rzucił ku gromadzie gapiących się wieśniaków i londyńskich próżniaków, krzycząc:

– Uważaj na siebie, mały żebraku!

Tłum roześmiał się szydząc z niepowodzenia chłopca, ale młody książę podbiegł do kraty i zawołał z błyszczącymi oczami i twarzą czerwoną z oburzenia:

– Jak śmiesz tak poniewierać tym biednym chłopcem! Jak śmiesz traktować w ten sposób choćby najbiedniejszego z poddanych króla, mego ojca! Otwórz bramę i wpuść go!

Warto było widzieć, jak zmienny tłum zerwał teraz kapelusze z głowy i ze wszystkich stron rozległy się entuzjastyczne okrzyki:

– Niech żyje książę Walii!

Wartownicy sprezentowali halabardy, otworzyli bramę i raz jeszcze sprezentowali broń, gdy mały Książę Ubóstwa w nędznych łachmanach podał rękę Księciu Bezgranicznego Bogactwa.

Edward Tudor rzekł:

– Wyglądasz na głodnego i zmęczonego. Bardzo źle cię tutaj potraktowano. Chodź ze mną.

Kilku dworzan szybko podbiegło chcąc się temu zapewne sprzeciwić. Ale książę skinął ręką ruchem prawdziwie królewskim i dostojnicy zastygli w miejscu.

Edward poprowadził Tomka do wspaniałej pałacowej komnaty, którą nazywał swoim gabinetem. Na jego rozkaz podano posiłek, o jakim dotychczas Tomek czytał tylko w książkach. Z książęcą delikatnością i taktem Edward odprawił służbę, aby biedny gość nie czuł się skrępowany drwiącymi minami. Potem siadł obok Tomka i kiedy chłopiec jadł, zaczął zadawać mu pytania:

– Jak się nazywasz?

– Tom Canty*, wasza wysokość.

– Dziwne nazwisko. A gdzie mieszkasz?

– W mieście, wasza wysokość. Na Offal Court, na „Śmietniku", koło Pudding Lane.

– Śmietnik! To jeszcze dziwniejsza nazwa. Masz rodziców?

– Mam rodziców, panie, i także babkę, która nic mnie nie obchodzi, niech mi Bóg wybaczy, jeżeli powiedziałem coś złego. Mam jeszcze dwie siostry bliźniaczki, Nan i Bet.

– Babka, jak sądzę, nie jest dla ciebie zbyt dobra?

– Zresztą dla nikogo, wasza wysokość. Ma złe serce i nigdy nie robi nic dobrego.

– Nie dobrze cię traktuje?

– Czasami, kiedy śpi albo jest zupełnie pijana, jej ręka odpoczywa, ale jak jest przytomna, zawsze dostaję mocno w skórę.

W oczach małego księcia zabłysły iskry gniewu.

– Co! Bije? – zawołał

– Oczywiście, wasza wysokość.

– Bije! Ciebie, takiego małego i słabego! Słuchaj: jeszcze dziś wieczorem zostanie zamknięta w Tower. Mój ojciec, król...

– Zdaje się, że Wasza Wysokość zapomina o jej niskim pochodzeniu. Więzienie Tower jest tylko dla możnych.

– Rzeczywiście to prawda. Nie pomyślałem o tym. Zastanowię się jak należy ją ukarać. Czy ojciec jest dla ciebie dobry?

---

* Canty – wesoły, rześki; forma rzadko używana (przyp. red.).

– Nie lepszy od babci, panie.
– Widocznie wszyscy ojcowie są tacy sami. Mój ojciec też nie ma anielskiego usposobienia. Ciężką ma rękę, ale mnie oszczędza. Jednak nieraz dostaje mi się kilka przykrych słów, łagodnie mówiąc. A jaka jest twoja matka?
– Dobra, panie, jeszcze nigdy mnie nie skrzywdziła. Nan i Bet są pod tym względem do niej podobne.
– Ile mają lat?
– Piętnaście, wasza wysokość.
– Moja Siostra, lady Elizabeth, ma czternaście lat, a moja kuzynka, lady Jane Gray, jest w tym wieku co ja, bardzo jest przy tym ładna i miła. Ale moja druga siostra, lady Mary, ma ponure spojrzenie i... Powiedz mi, czy twoje siostry też zabraniają śmiać się służbie, bo ich dusze nie będą zbawione?
– Moje siostry? Czy Wasza Wysokość przypuszcza, że one mają służbę?
Książę zastanowił się chwilę, patrząc na żebraka, a potem rzekł:
– Dlaczego by nie? A kto wieczorem pomaga im przy rozbieraniu? Kto je rano ubiera?
– Nikt, panie. Czy chcecie przez to powiedzieć, że powinny zdejmować suknie i spać gołe jak zwierzęta?
– Czy mają tylko po jednej sukni?
– A na co im więcej? Przecież człowiek ma tylko jedno ciało.
– To bardzo ciekawa i piękna myśl! Wybacz, nie chciałem się z ciebie śmiać. Ale twoje dobre siostry Nan i Bet będą miały wkrótce mnóstwo sukien i służbę. Mój skarbnik zatroszczy się o to. Nie, nie dziękuj mi. To drobnostka. Ładnie mówisz, wypowiadasz się lekko. Czy otrzymałeś dobre wykształcenie?
– Nie wiem, panie. Dobry kapłan, którego nazywają ojcem Andrew, był taki łaskawy, że uczył mnie trochę ze swoich książek.

– Czy znasz łacinę?

– Trochę, panie.

– Ucz się łaciny. Tylko na początku jest trudna. Grecki jest trudniejszy, ale ani ten język, ani żaden inny nie są trudne dla lady Elizabeth i mojej kuzynki. Powinieneś je usłyszeć, jak odpowiadają na lekcji! Ale lepiej opowiedz mi o Śmietniku. Czy przyjemnie spędzasz tam czas?

– Oczywiście, panie, gdyby tylko nie głód. Bywa tam teatr marionetek i małpki. Strasznie śmieszne stworzenia i zabawnie poubierane! Niekiedy przyjeżdża też prawdziwy teatr, kiedy aktorzy na scenie krzyczą i walczą, aż wszyscy padną martwi. To bardzo ładne przedstawienia i kosztują tylko ćwierć pensa, ale czasami trudno i o tą sumę, Wasza Wysokość.

– Opowiadaj dalej.

– Zdarza się, że my, chłopcy z Offal Court, walczymy ze sobą na kije, całkiem jak czeladnicy.

Oczy księcia zabłysły.

– To by mi się podobało – zawołał. – Opowiadaj dalej.

– Ścigamy się, żeby zobaczyć, który z nas jest najszybszy.

– To też by mi się podobało. Mów dalej.

– Latem brodzimy i pływamy po kanałach, panie, a także po rzece. Jeden na niby przytapia drugiego albo opryskuje wodą. Nurkujemy, krzyczymy, skaczemy do wody i...

– Oddałbym królestwo mojego ojca za to, żeby móc się tak kiedy pobawić! Mów dalej.

– Śpiewamy i tańczymy naokoło słupa w Cheapside, bawimy się w piasku, zasypujemy się nim nawzajem, albo kopiemy rowy. Z błota pieczemy piękne babki – nigdzie na świecie nie ma takiego wspaniałego błota! I za pozwoleniem waszej wysokości, po prostu tarzamy się w błocie.

– Już nic nie mów, to po prostu jest zachwycające!
Gdybym ja mógł się tak ubrać jak ty, gdybym mógł
zdjąć buciki i wytarzać się chociaż raz w błocie, żeby
mi tego nikt nie zabraniał i nikt mnie nie pilnował!
Dałbym za to koronę!

– A ja, dużo bym dał za to, dostojny panie, żeby
chociaż raz być tak ubrany jak wy, chociaż jeden raz...

– Co, chciałbyś naprawdę? To się zaraz może zdarzyć. Zdejmij te łachmany i włóż te moje wspaniałości.
Krótkie to będzie szczęście, ale zawsze coś. Będziemy
się tym napawać, póki czas. Potem z powrotem zamie-
nimy się ubraniami, zanim ktoś nadejdzie i zacznie
mnie nudzić.

W kilka minut mały książę Walii przebrał się w postrzępione łachmany Tomka, a ten przywdział barwny
strój królewski. Razem podeszli do wielkiego zwiercia-
dła i o dziwo... trudno było zauważyć zmianę! Spojrzeli
na siebie, potem na swoje odbicie w zwierciadle, potem
znowu w zmieszaniu na siebie.

Wreszcie książę rzekł zdumiony:

– Co o tym sądzisz?

– Niech mnie Wasza Wysokość o to nie pyta. Nie
wypada, żeby człowiek mojego stanu mówił o takich
rzeczach.

– Więc ja ci powiem. Masz takie same włosy, takie
same oczy, taki sam głos i ruchy, taki sam wzrost i postawę, taką samą twarz jak ja. Gdybyśmy stali obok
siebie nago, nikt by nie zgadł, który z nas jest kim.
I teraz, gdy jestem ubrany jak ty, tym łatwiej zdaję
sobie sprawę, co czułeś, gdy ten brutalny żołnierz... Ale
pokaż, masz siniaka na ręku?

– Tak, ale to drobiazg. Wasza Wysokość dobrze wie,
że ten biedny wartownik...

– Milcz! To było haniebne i okrutne! – zawołał mały
książę tupiąc nogą. – Gdyby król... Nie ruszaj się stąd
ani na krok, dopóki nie wrócę! Rozkazuję ci!

Mówiąc te słowa chwycił ze stołu jakiś przedmiot i schował go. Potem z iskrzącymi z gniewu oczami skoczył do drzwi i pobiegł, aż łachmany powiewały, przez zamkowy ogród.

Kiedy dopadł do głównej bramy, chwycił za rygiel, chciał go przesunąć i zaczął krzyczeć:

– Otwierać! Otworzyć bramę!

Wartownik, który tak niedelikatnie potraktował Tomka, natychmiast wykonał polecenie, a gdy książę, płonący jeszcze srogim, królewskim gniewem, wybiegł za bramę, gwardzista wytargał go za ucho i wypchnął daleko na drogę, wołając:

– Masz to z podziękowaniem, żebraczy pomiocie, za naganę jaką przez ciebie dostałem od Jego Wysokości!

Tłum wybuchnął głośnym śmiechem. Książę zerwał się z błota, wściekle rzucił się w stronę wartownika i zawołał:

– Jestem księciem Walii, moja osoba jest nietykalna. Będziesz wisiał za to, że poważyłeś się podnieść na mnie rękę!

Żołnierz sprezentował przed nim halabardę i zadrwił:

– Pozdrawiam Waszą Książęcą Wysokość – i dodał
– wynoś się, wariacki śmieciu!

Szydzący tłum otoczył biednego małego księcia i pognał go przez ulicę pokrzykując:

– Z drogi! Miejsce dla Jego Książęcej Wysokości! Miejsce dla księcia Walii!

ROZDZIAŁ IV

Kłopoty księcia

Przez kilka godzin motłoch dręczył i gonił księcia, wreszcie dał mu spokój i pozostawił samego sobie. Póki chłopiec miał jeszcze siły odpowiadać tłumowi, grozić mu swoją królewską postawą i wydawać dumnie rozkazy, z których ludzie mogli się śmiać na całe gardło, uważano go za zabawnego. Kiedy jednak zmęczenie wzięło górę i przestał odpowiadać na zaczepki, prześladowcy znudzili się i poszli szukać innej rozrywki. Książę rozejrzał się dokoła, ale zaraz przekonał się, że nie rozpoznaje miejsca, w którym się znalazł. Wiedział tylko, że był w obrębie murów starego Londynu. Bez celu ruszył przed siebie. Domy stawały się coraz rzadsze, a przechodniów coraz mniej. Opłukał pokrwawione stopy w strumyku płynącym tam, gdzie dzisiaj znajduje się ulica Farringdon, chwilę wypoczął i poszedł dalej. Niebawem doszedł na przestronny plac, przy którym stały nieliczne domy i wielki kościół. Poznał ten kościół. Otaczały go rusztowania, na których uwijały się chmary robotników. Właśnie finalizowano remont kościoła. Nadzieja księcia wzrosła – sądził, że tutaj kończy się jego niedola. Pomyślał sobie:

– To jest dawny kościół Szarych Braci, który król, mój ojciec, odebrał mnichom i zamienił w przytułek dla biednych i opuszczonych dzieci dając mu nową nazwę Kościoła Chrystusa. Ci, którzy się nim opiekują, na pewno okażą serce dla syna człowieka, który tak wspaniałomyślnie ich obdarował. Tym bardziej, że ten syn jest teraz równie biedny i opuszczony jak chłopcy, którzy teraz czy w przyszłości znajdą tu schronienie.

Wkrótce znalazł się otoczony gromadą chłopców, którzy gonili się, grali w piłkę, skakali jeden przez drugiego lub zabawiali się na różne inne sposoby, w każdym razie bardzo hałaśliwie. Wszyscy byli jednakowo ubrani, tak jak wówczas ubierała się służba i czeladnicy*. Każdy miał na głowie płaską, czarną czapeczkę wielkości spodka, za małą, aby mogła służyć za nakrycie głowy i na tyle brzydką, że nie mogła być ozdobą. Spod czapeczki do połowy czoła opadała prosto przycięta grzywka, a reszta włosów była krótko obcięta. Wokół szyi nosili sztywne kołnierze jak klerycy. Niebieska, obcisła sukmana sięgała kolan, miała szerokie rękawy i szeroki, skórzany czerwony pas. Ubiór uzupełniały jaskrawożółte pończochy, sięgające powyżej kolan i półbuty z wielkimi metalowymi sprzączkami. To był naprawdę obrzydliwy strój.

Chłopcy przerwali zabawę i otoczyli księcia, który zabrał głos z wrodzoną sobie godnością:

– Moi drodzy chłopcy, powiadomcie swojego przełożonego, że Edward, książę Walii, pragnie z nim mówić.

Na te słowa odezwały się donośne śmiechy, a najbardziej bezczelny z chłopców zawołał:

– Łachmyto, a może ty jesteś wysłannikiem Jego Wysokości, Króla?

Twarz księcia zrobiła się purpurowa z gniewu. Mimo woli sięgnął ręką po broń, ale nic nie znalazł. Nastąpił nowy wybuch wesołości, a jeden z chłopców zakpił:

– Widzieliście go? Zdawało mu się, że ma szpadę. A może to jednak sam książę?

Uwaga ta wywołała nową burzę śmiechu, a biedny Edward wyprostował się dumnie i rzekł:

– Jestem księciem. A wam, którzy żyjecie z łaski mego ojca, nie przystoi tak się zachowywać.

---

* Patrz 1. przypis autora na str. 245.

Wybuch głośnego śmiechu dowiódł, że dopiero to naprawdę ubawiło zgraję. Chłopak, który odezwał się pierwszy, zawołał do swoich kolegów:

– Hej, dzika hołoto, niewolnicy, dziady żyjące z datków jego królewskiego ojca, gdzie wasze maniery? Wszyscy na kolana, i oddajcie należny hołd jego królewskiej osobie i książęcym łachom!

Z dzikim wrzaskiem wszyscy rzucili się na kolana, składając szyderczy hołd. Książę trącił nogą najbliżej stojącego chłopca i zawołał gwałtownie:

– Masz! To na razie, póki jutro nie wybuduję dla ciebie szubienicy!

Ale to już nie było wesołe, to już było coś więcej niż dotychczasowe żarty. Śmiech nagle zamilkł, ustępując miejsca wściekłości. Kilka głosów krzyknęło jednocześnie:

– Łapać go! Do wody z nim, do sadzawki! Gdzie psy? Hej, Lew, chodź tu! Bierz go!

Teraz nastąpiła scena, jakiej Anglia jeszcze nie widziała – nietykalna osoba następcy tronu została brutalnie znieważona, poturbowana i pokąsana przez psy.

Gdy wreszcie zapadł wieczór, książę znalazł się znowu w gęściej zabudowanej części miasta. Cały był pokryty w sińcach, ręce pokrwawione, jego łachmany były utytłane w błocie. Szedł dalej i dalej, czując coraz większy zamęt w głowie, a tak był przy tym zmęczony i bezsilny, że z trudem powłóczył nogami. Nie pytał już nikogo o drogę, gdyż za każdym razem spotykał się tylko ze zniewagami. Zaczął powtarzać sobie półgłosem:

– Offal Court, tak się nazywała ta ulica. Mam nadzieję, że znajdę drogę, zanim zupełnie stracę siły i padnę. Kiedy tam trafię, będę uratowany. Ludzie ci zaprowadzą mnie do pałacu i łatwo dowiodą, że nie jestem jednym z nich, ale prawdziwym księciem. W ten sposób odzyskam należne mi miejsce.

Chwilami przypominał sobie jak brutalnie postąpili wobec niego chłopcy z Przytułku Chrystusa i myślał sobie:

– Kiedy zostanę królem, każę im dawać nie tylko jedzenie i schronienie, ale też wiedzę i książki. Pełny żołądek nie wiele jest wart, jeżeli serce i duch pozostają puste. Muszę sobie zapamiętać dzisiejsze doświadczenie, aby mój lud skorzystał z niego. Wykształcenie czyni serce łagodniejszym, uczy uprzejmości i miłosierdzia*.

Zapalono już latarnie, zaczął padać deszcz, silniej powiał wiatr. Noc zapowiadała się zimna i ponura. Bezdomny książę, błąkający się dziedzic tronu angielskiego, szedł coraz dalej, zapuszczał się w labirynt brudnych uliczek, które skupiały wokół siebie ubóstwo i nędzę.

Nagle jakiś wysoki, pijany drab chwycił go za kołnierz i warknął:

– Co tak późno kręcisz się po ulicy?! Jestem pewny, że znowu nie przynosisz do domu nawet ćwierć pensa! Jeżeli tak jest, połamię ci wszystkie gnaty. Niech się nie nazywam John Canty, jeżeli tego nie zrobię!

Książę wyrwał się, ze wstrętem otrzepał zbezczeszczone ramię i z zapałem powiedział:

– Pewnie jesteś jego ojcem? Oby nieba sprawiły, żeby tak było. W takim razie zabierz jego, a mnie odprowadź do pałacu!

– Jego ojcem? Nie wiem, o co ci chodzi. Wiem tylko, że jestem twoim ojcem, o czym się zaraz przekonasz...

– O, nie żartuj, nie mów dużo, nie trać czasu... Jestem zmęczony, obolały i dłużej już tego nie wytrzymam. Zaprowadź mnie do króla, mojego ojca, on cię hojnie wynagrodzi. Uwierz mi człowieku, uwierz mi!... Nie kłamię, mówię czystą prawdę!... Podaj mi rękę i pomóż mi! Ja naprawdę jestem księciem Walii!

---

* Patrz 2. przypis autora na str. 245.

Zdumiony typ spojrzał na chłopca z góry, potrząsnął głową i po chwili mruknął:

– Zwariował. Chyba zgłupiał do reszty!

Potem znowu chwycił księcia za ramię, głośno zaklął i śmiejąc się zawołał:

– Zwariowałeś czy nie, to nieważne. Ja i babka zaraz weźmiemy cię w obroty!

Z takimi słowami pociągnął za sobą zrozpaczonego i broniącego się księcia i zniknęli w jakimś brudnym podwórku, odprowadzani przez ubawioną i rozkrzyczaną chmarę robactwa ludzkiego.

ROZDZIAŁ V

Tomek jako dostojnik

Gdy Tomek został sam w pokoju księcia, skorzystał z okazji i stanął przed wielkim lustrem obracając się na wszystkie strony i podziwiając piękny strój. Potem zaczął przechadzać się po komnacie naśladując wytworne ruchy księcia cały czas obserwując swoje odbicie. Następnie wyciągnął piękną szpadę, skłonił się nisko, ucałował klingę i przycisnął ją do piersi, tak samo jak robił przed paru tygodniami pewien rycerz, którego widział, gdy oddawał wojskowe honory naczelnikowi więzienia Tower, przekazując mu dostojnych lordów Norfolk i Surrey'a* jako więźniów.

Tomek bawił się, wiszącym u boku, wysadzanym klejnotami sztyletem, oglądał kosztowne i piękne ornamentacje sali. Przysiadał na próbę na wszystkich wspaniałych fotelach i myślał jaki byłby dumny, gdyby jego koledzy z Offal Court mogli go podziwiać w tym przepychu. Zastanawiał się czy mu uwierzą, gdy po powrocie opowie im o tej dziwnej przygodzie, czy też będą kręcić niedowierzająco głowami i twierdzić, że wybujała wyobraźnia pozbawiła go wreszcie rozumu.

Gdy minęło pół godziny, uświadomił sobie, że księcia nie ma już zbyt długo. Poczuł się teraz dziwnie samotny. Zaczął nasłuchiwać, czy książę wraca. Przestała już go kusić zabawa pięknymi przedmiotami. Poczuł się nieswojo, ogarnął go niepokój i trwoga.

---

* Norfolk – porównaj przypisy 3, 5 i 7 na str. 243 i 244. Surrey – Henry Howard Surrey, książę, poeta, został stracony w 1547 r. z rozkazu Henryka VIII pod zarzutem zdrady stanu (przyp. red.).

Co by się stało, gdyby ktoś nadszedł i ujrzał go w szatach księcia, a księcia by nie było. Jak mógłby wyjaśnić powód przebrania? Może od razu go powieszą, a dopiero potem będą badać sprawę? Słyszał, że wielcy tego świata bardzo chętni są do karania. Jego niepokój rósł coraz bardziej i bardziej. Drżąc, lekko uchylił drzwi do przedpokoju postanawiając wymknąć się i odnaleźć księcia; poprosić go o opiekę i uwolnienie.

Sześciu wystrojonych służących i dwójka młodych paziów, ubranych barwnie jak motyle, natychmiast zerwało się składając głęboki ukłon. Tomek cofnął się szybko i zamknął drzwi.

– Oni chyba sobie ze mnie drwią! – pomyślał. – Zaraz pójdą mnie oskarżyć. Po co ja tu przyszedłem. Chyba żeby przepłacić to życiem?

Pełen trwogi, nerwowo chodził tam i z powrotem po komnacie wzdrygając się z przerażeniem przy najmniejszym szeleście.

Nagle drzwi szeroko otwarto i lśniący od jedwabi paź oznajmił:

– Lady Jane Gray.

Drzwi się zamknęły i urocza, pięknie ubrana dziewczyna podbiegła do Tomka. Nagle jednak zatrzymała się i spytała przerażona:

– Ach, co się stało Waszej Wysokości?

Tomka aż zatkało, zebrał się jednak na odwagę i wyjąkał:

– Zmiłuj się nade mną, pani! Ja nie jestem Waszą Wysokością, tylko biednym Tomkiem Canty z Offal Court. Błagam, zaprowadź mnie do księcia, który zlituje się nade mną, zwróci mi moje łachy i pozwoli spokojnie odejść. Zlituj się i uratuj mnie!

Mówiąc te słowa chłopiec padł na kolana, a wzniesione oczy i ręce złożone do modlitwy jeszcze bardziej były wymowne niż słowa. Panna patrzyła na niego skamieniała z przerażenia i zdziwiona zawołała:

– Książę, ty na kolanach? I to przede mną!
Potem wybiegła przerażona z sali, a Tomek padł w rozpaczy na podłogę, łkając:
– Nikt mi nie pomoże, nie ma już nadziei. Teraz przyjdą i zabiorą mnie.
Kiedy tak leżał skamieniały z trwogi, straszna wieść rozniosła się po pałacu. Szeptano, gdyż w takich przypadkach mówiło się tylko szeptem, i wieść szła od sługi do sługi, od dworzan do dam dworu, przez długie korytarze, z piętra na piętro, z sali do sali:
– Książę wpadł w obłęd! Książę oszalał!
Wkrótce w każdym salonie, w każdej marmurowej komnacie stały grupki bogato wystrojonych dostojników i dam dworu albo niższych dworzan z zapałem rozprawiających stłumionym głosem. Na wszystkich twarzach malowało się zaniepokojenie.
Wkrótce pojawił się wysoki urzędnik dworski, który idąc dostojnym krokiem od grupy do grupy oznajmiał uroczyście:
– W imieniu króla! Pod karą śmierci zabrania się dawać wiarę fałszywej i nierozumnej pogłosce, rozważać oraz rozpowszechniać ją poza pałacem. W imieniu króla!
Szepty natychmiast umilkły, jakby szepczący potracili języki. Niedługo potem zauważono ogólne poruszenie na korytarzach.
– Książę! Patrzcie, książę idzie!
Biedny Tomek kroczył wolno między nisko pochylonymi dworzanami, usiłował odpowiadać na ukłony i zdumionymi, smutnymi oczami obserwował obce mu otoczenie. Obok niego szli wysocy dostojnicy podtrzymując go pod ręce i pomagając zachować równowagę. Za nim postępowali nadworni medycy i kilka osób ze służby.
Po krótkim czasie Tomek znalazł się w wysokiej, wspaniałej komnacie i usłyszał jak zamykają się za nim

drzwi. Dokoła niego stali wszyscy towarzyszący mu po drodze. Tuż przed nim, w niewielkiej odległości spoczywał na łożu wielki, bardzo tęgi mężczyzna o szerokiej, nalanej twarzy i surowym spojrzeniu. Jego skłębione włosy były siwe, a równie siwe bokobrody okalały twarz na kształt ramy. Szaty jakie miał na sobie szyte były z kosztownej materii, ale już dosyć stare i miejscami powycierane. Jedna, bardzo spuchnięta noga owinięta bandażami wsparta była na poduszce. Panowała głęboka cisza i wszyscy z wyjątkiem owego męża pokornie pochylili głowy. Chorym o surowym wejrzeniu był groźny Henryk VIII. Król zaczął mówić, a jego rysy łagodniały z każdym słowem:

– Co to się stało, lordzie Edwardzie, mój księciu? Dlaczego chcesz mnie, dobrego króla, twego ojca, który tak cię kocha i stara ci się dogodzić, nastraszyć niewczesnym żartem?

Biedny Tomek starał się skupić, o ile mu na to pozwalało oszołomienie, i zrozumieć tę przemowę, ale gdy do jego świadomości dotarły słowa „mnie, dobrego króla", pobladł i padł na kolana, jakby trafiony kulą. Wznosząc ręce zawołał:

– Wy królem, panie? W takim razie jestem zgubiony!

Słowa te zdziwiły króla, który bezradnie przenosił spojrzenie z jednej twarzy na drugą, aż zatrzymał się na klęczącym chłopcu. Potem odparł tonem bolesnego rozczarowania:

– Niestety, dotychczas uważałem, że to przesadzona pogłoska, ale obawiam się, że to prawda. – Westchnął ciężko i ciągnął łagodnym głosem – podejdź do ojca, moje dziecko, jesteś niezdrowy.

Podniesiono Tomka z kolan, który pokornie i z drżeniem zbliżył się do władcy Anglii. Król ujął w dłonie lękliwie spoglądającą twarz, patrzył na nią przez chwilę poważnie i z miłością, jakby szukał upragnionych oznak powracającej świadomości. Potem przytulił kędzierzawą głowę do piersi i pogłaskał ją czule.

– Czy nie poznajesz ojca, moje dziecko? – rzekł. – Nie łam mego starego serca. Nie mów, że mnie nie znasz. Przecież mnie poznajesz, prawda?

– Tak! Jesteście, panie, moim dostojnym władcą i królem, którego niech Bóg zachowa!

– Dobrze, dobrze, to prawda. Uspokój się, nie drżyj. Nie ma tu nikogo, kto by chciał ci wyrządzić krzywdę. Wszyscy cię kochają. Czy ci lepiej teraz? Zły sen przemija, prawda? I wiesz już także, kim jesteś, prawda? Nie będziesz już sobie nadawał zmyślonych imion, jak to niedawno uczyniłeś?

– Błagam cię panie, okaż mi łaskę i uwierz, że mówiłem szczerą prawdę. Jestem najniższy z twoich poddanych, jestem żebrakiem, który przez nieszczęsny przypadek dostał się tutaj. Jestem jeszcze za młody, aby umierać, a wy, miłościwy panie, możecie mnie uratować jednym słowem. Powiedz je tylko, panie!

– Umierać? Nie mów o tym, mój kochany książę. Uspokój swe strwożone serce. Na pewno nie umrzesz!

Z okrzykiem radości Tomek padł na kolana, wołając:

– Niech Bóg nagrodzi waszą łaskawość, królu mój, niechaj cię zachowa długo przy życiu na chwałę tego kraju!

Potem zerwał się, zwrócił uradowaną twarz do dwóch dostojników i powiedział:

– Słyszeliście! Ja nie umrę! Król tak powiedział!

Nie wywołało to poruszenia, obecni skłonili się tylko ze czcią, ale nikt nie wyrzekł ani słowa. Tomek wahał się przez chwilę zmieszany, potem zwrócił się pokornie do króla:

– Czy mogę teraz odejść?

– Odejść? Oczywiście, jeżeli sobie tego życzysz. Ale

dlaczego nie chcesz zostać przy mnie dłużej? Dokąd chciałbyś pójść?

Tomek spuścił oczy i odparł nieśmiało:

– Widocznie źle zrozumiałem. Sądziłem, że zostałem zwolniony, więc chciałem powrócić na poddasze, gdzie się urodziłem i mieszkałem w nędzy. Tam przebywa moja matka i siostry, tam jest mój dom. Ten przepych i zaszczyty, do których nie przywykłem... Błagam cię, panie, pozwól mi odejść!

Król milczał spoglądając przed siebie z powagą, a jego twarz stawała się coraz bardziej posępna i zatroskana. Wreszcie przemówił tonem nieco ufniejszym:

– Może pomieszało mu się tylko w tym jednym punkcie, a poza tym jego umysł jest zdrowy. Daj Boże, aby tak było! Poddajmy go próbie.

Potem zadał Tomkowi pytanie po łacinie. Chłopiec odpowiedział, choć błędnie, również w języku łacińskim. Król okazał wielką radość. Również dworzanie i medycy dali wyraz swemu zadowoleniu.

Król Henryk rzekł:

– Nie była to wprawdzie odpowiedź na poziomie jego zdolności i wykształcenia, dowodzi jednak, że jego umysł, chociaż zmącony, nie jest zupełnie pomieszany. Co wy o tym sądzicie, panowie?

Jeden z zagadniętych medyków skłonił się głęboko i odparł:

– Takie jest i moje zdanie, Wasza Królewska Mość.

Król zadowolony był, że jego opinię potwierdził specjalista, ciągnął więc nieco weselej:

– Teraz uważajcie wszyscy, będziemy go dalej badali.

Zadał Tomkowi pytanie po francusku. Chłopiec stał przez chwilę w milczeniu, a potem zmieszany, widząc tyle oczu skierowanych na siebie, rzekł skromnie:

– Nie znam tego języka, najjaśniejszy panie.

Król opadł na poduszki. Dworzanie podbiegli, aby go wesprzeć, ale on odprawił ich ruchem ręki i rzekł:

33

– Zostawcie mnie w spokoju, to tylko chwilowa słabość. Podnieście mnie! Tak, dosyć. Chodź tu, dziecko. Oprzyj swoją biedną, umęczoną głowę o pierś ojca i uspokój się. Niedługo odzyskasz zdrowie, to tylko przemijające zaburzenie. Nie obawiaj się niczego. Wkrótce będziesz znowu zdrowy.

Potem zwrócił się do obecnych. Zniknęła uprzejmość, a z oczu padały błyskawice:

– Uważajcie co powiem! Syn mój jest obłąkany, ale jest to niemoc przejściowa. Winien jest temu nadmierny wysiłek w nauce, a także za wiele przebywał w dusznych pokojach. Precz z księgami i nauczycielami! Pamiętajcie o tym. Niechaj uprawia ćwiczenia sportowe, niech spędza więcej czasu na powietrzu, wówczas szybko powróci do zdrowia.

Uniósł się jeszcze wyżej i ciągnął dobitnie:

– Jest obłąkany, ale jest moim synem i następcą tronu Anglii. Obłąkany czy zdrowy, będzie panował. Słuchajcie dalej i oznajmijcie to wszystkim: kto będzie rozgłaszał o jego przypadłości, dopuści się przestępstwa wobec pokoju, wobec porządkowi państwa i zasłuży na szubienicę!... Dajcie mi pić, trawi mnie pragnienie! Ta zgryzota odbiera mi siły... Zabierzcie już ten kielich... Podnieście mnie wyżej! Tak, już dobrze. On ma być obłąkany? A choćby nim nawet był, jest księciem Walii, a ja, król, potwierdzam to. Już jutro rano ma być według starego ceremoniału uroczyście wyniesiony do tej godności. Niech to będzie rozkazem, lordzie Hertford.

Jeden z dostojników ukłęknął przy królewskim łożu i rzekł:

– Wasza Królewska Mość wie, że Dziedziczny Wielki Marszałek Anglii znajduje się w Tower jako więzień stanu. Nie uchodzi, aby oskarżony....

– Dość! Nie obrażaj moich uszu tym znienawidzonym imieniem. Czy ten człowiek ma żyć wiecznie? Czy ma mi przeszkodzić w wykonaniu mojej woli? Czy koronacja księcia ma ulec zwłoce tylko dlatego, że państwo nie ma marszałka, który by mu mógł nadać tę godność, dlatego że Wielki Marszałek jest zdrajcą? Nie, nie dopuszczę do tego, na Boga! Niechaj mój parlament się dowie, że chcę, zanim jeszcze wstanie słońce, mieć wyrok śmierci na Norfolka*... albo drogo mi za to zapłacą!

– Wola króla jest prawem – odparł Lord Hertford. Potem wstał i powrócił na swoje miejsce. Z oblicza króla powoli znikał gniew.

– Pocałuj mnie, mój książę – rzekł. – No... czego się boisz? Czy nie jestem twoim kochającym ojcem?

– Zbyt łaskawy jesteś dla mnie niegodnego, miłościwy panie. Przekonałem się o tym, ale... ale... tak mnie smuci myśl o tym, który ma umrzeć, i...

– No, wreszcie jesteś podobny do siebie! Widzę, że twoje serce nie odmieniło się, chociaż twój umysł jest zmącony. Zawsze byłeś łagodnego usposobienia. Ale ten książę stoi między tobą a przysługującą ci godnością. Ktoś inny, na kim nie ma skazy, musi objąć jego wysoki urząd. Uspokój się, mój książę, nie trap swojej biednej głowy tą sprawą.

– Ale to ja jestem winny jego przedwczesnej śmierci, panie. Czy nie mógłby cieszyć się jeszcze długim życiem, gdyby mnie tu nie było?

– Nie myśl o nim, mój książę, on nie jest tego wart. Pocałuj mnie jeszcze raz, a potem idź do swoich zabaw i gier. Dręczy mnie twoja choroba. Jestem zmęczony i potrzebuję spokoju. Idź ze stryjem Hertfordem i jego świtą, i wróć, kiedy trochę wypocznę.

Z ciężkim sercem Tomek pozwolił się wyprowadzić z komnaty. Ostatnie słowa króla zadały śmiertelny cios tlącej się jeszcze iskierce nadziei odzyskania wolności. W korytarzach usłyszał znowu cichy szept:

---

* Patrz 3. przypis autora na str 245.

– Książę, książę idzie!

W miarę jak szedł wśród lśniących szeregów pochylonych dworaków, jego odwaga gasła coraz bardziej. Wiedział teraz, że jest więźniem, może nawet dożywotnim, w złotej klatce, w której musi usychać jako samotny, pozbawiony radości książę, chyba że Bóg łaskawie ulituje się nad nim i uwolni go stąd.

A na dodatek, w którąkolwiek stronę nie zwrócił swoich oczu, tam widział ściętą głowę księcia Norfolk i jego wzrok patrzący na niego z wyrzutem.

Jak przyjemne były jego dawne marzenia, a jak posępna rzeczywistość!

ROZDZIAŁ VI

Wskazówki dla Tomka

Przeprowadzono Tomka do największej sali z szeregu komnat i kazano mu usiąść, co uczynił bardzo niechętnie, gdyż starsi i oczywiście wyżej od niego postawieni ludzie stali w jego obecności. Poprosił ich, aby usiedli, ale oni podziękowali ukłonem, szepcząc jakieś słowa i stali nadal. Tomek chciał powtórzyć swoją prośbę, lecz jego „wuj", hrabia Hertford, szepnął mu do ucha:
– Proszę cię, książę, nie upieraj się, nie przystoi nam siedzieć w twojej obecności.
Zaanonsowano lorda St. Johna, który skłonił się przed Tomkiem i rzekł:
– Przybywam z polecenia króla w sprawie, która ma być traktowana poufnie. Czy Wasza Wysokość nie raczyłaby oddalić wszystkich obecnych z wyjątkiem hrabiego Hertforda?
Hertford widząc, że Tomek nie wie co robić, szepnął mu, aby tylko dał znak ręką. Jeżeli nie chce mu się mówić, może się nie fatygować.
Gdy dworzanie opuścili salę, lord St. John rzekł:
– Jego Królewska Mość rozkazuje, aby ze względu na dobro państwa Jego Książęca Wysokość starał się, o ile możność, ukrywać swoją chorobę, aż nie powróci do dawnego zdrowia. Ma więc nie zaprzeczać wobec kogokolwiek, że rzeczywiście jest księciem i następcą tronu angielskiego. Ma zachowywać się zgodnie ze stanem książęcym i bez najmniejszego sprzeciwu w słowie czy geście przyjmować oznaki czci, należne mu

z prawa i odwiecznych zwyczajów. Ma unikać stwierdzenia, jakoby był niskiego pochodzenia i nędznego stanu, ponieważ jest to rezultat przemęczonej wyobraźni. Ma dołożyć wszelkich starań, aby przypomnieć sobie znane dawniej twarze, a gdyby mu się to nie udało, ma milczeć, nie zdradzając zdziwienia. Podczas uroczystych wystąpień, jeżeli trapią go wątpliwości, co czynić lub mówić, ma nie okazywać niepokoju, lecz zasięgnąć rady hrabiego Hertforda lub mojej, gdyż z woli króla mamy pełnić służbę przy waszej osobie i być na każde zawołanie, do czasu, aż król nas z tego obowiązku nie zwolni. Taki jest rozkaz Najjaśniejszego Pana, który przesyła Waszej Wysokości pozdrowienie i błaga Boga, aby wam zechciał łaskawie zesłać szybkie uzdrowienie i mieć was stale w swojej świętej opiece.

Lord St. John znowu złożył ukłon i stanął z boku. Tomek odpowiedział na to z rezygnacją:

– Tak rozkazał król. Nikomu nie wolno sprzeciwiać się jego rozkazom lub tłumaczyć ich sobie dowolnie. Niechaj się stanie wola króla.

Lord Hertford rzekł:

– Biorąc pod uwagę rozkaz królewski dotyczący książek i innych uciążliwych zajęć, może zechciałby Wasza Wysokość spędzić czas na lekkiej rozrywce, aby nie doznać znużenia ani uszczerbku na zdrowiu przed bankietem?

Na twarzy Tomka pojawiło się zdziwienie. Ale gdy ujrzał smutne oczy pana St. Johna skierowane na siebie, zarumienił się.

– Pamięć znowu cię zawiodła, panie – rzekł Lord. – Okazałeś zdumienie, ale nie martw się z tego powodu, niedomaganie to szybko minie wraz z chorobą. Hrabia Hertford miał na myśli bankiet miejski, który zgodnie z królewskim przyrzeczeniem sprzed dwóch miesięcy miałeś zaszczycić swoją obecnością. Czy Wasza Wysokość przypomina sobie teraz?

– Z wielkim bólem muszę wyznać, że ta kwestia uszła z mej pamięci – rzekł Tomek z wahaniem i znowu poczerwieniał.

W tej chwili zameldowano księżniczkę Elizabeth i lady Jane Gray. Dwaj lordowie wymienili porozumiewawcze spojrzenia i Hertford pośpieszył do drzwi. Gdy mijały go młode księżniczki, szepnął:

– Proszę was, drogie panie, nie zwracajcie uwagi na jego dziwactwa, nie okazujcie zdumienia wobec braków jego pamięci. Niestety, przekonacie się, że każdy drobiazg go denerwuje.

W tym samym czasie lord St. John szeptał Tomkowi na ucho:

– Proszę cię, książę, pamiętaj o rozkazie króla. Przywołaj wszystko, co wiesz, do pamięci albo udawaj przynajmniej, że sobie coś przypominasz. Nie daj im poznać jak bardzo się zmieniłeś, gdyż wiadomo ci jak szczerze i serdecznie oddane są twoje towarzyszki dziecięcych zabaw i jak musi je boleć twa przemiana. Czy życzy sobie Wasza Wysokość, abym wraz z lordem Hertfordem pozostał w komnacie?

Tomek wyraził zgodę ruchem ręki i cichym słowem przyzwolenia, gdyż starał się usilnie przyzwyczaić się do narzuconej mu roli i postanowił, zgodnie ze swym usposobieniem, w miarę sił spełniać wolę królewską.

Ale mimo największej ostrożności rozmowa między trojgiem młodych ludzi chwilami kulała. Kilka razy Tomek był bliski przygnębienia i już chciał oznajmić prosto z mostu, że nie potrafi grać roli księcia. Ale ratował go zawsze albo takt księżniczki Elizabeth, albo słowo rzucone, na pozór przypadkowo, przez któregoś z czujnych lordów.

Jednak raz lady Jane Gray wprawiła go w zakłopotanie następującym pytaniem:

– Czy złożyłeś już dziś uszanowanie swej królewskiej matce, książę?

Tomek zawahał się, spojrzał zmieszany w ziemię i już chciał cokolwiek odpowiedzieć, gdy lord St. John wyręczył go i ze zręcznością dworaka, który nigdy nie wpada w zakłopotanie, odpowiedział za niego:

– Książę uczynił to już, pani, i królowa uspokoiła się co do stanu zdrowia Jego Książęcej Mości, prawda, Wasza Wysokość?

Tomek wymamrotał coś, co mogło być potwierdzeniem, czuł jednak, że znalazł się na niepewnym gruncie. Gdy później mówiono o tym, że książę ma obecnie przerwać naukę, mała lady Jane zawołała:

– Ach, jaka szkoda! Już tak dużo umiałeś. Ale bądź cierpliwy. Przyjdą takie czasy, kiedy będziesz równie słynny z erudycji jak twój ojciec i pewno opanujesz tyle języków co on.

– Mój ojciec! – zawołał Tomek zapominając się na chwilę. – On przecież nawet nie umie przyzwoicie mówić po angielsku, a jego uczoność...

Tomek podniósł wzrok i natychmiast spotkał się z ostrzegawczym spojrzeniem lorda St. Johna, urwał więc, zaczerwienił się i ciągnął cicho i smutno:

– Moja choroba nie daje mi spokoju i myśli mi się mieszają. Nie chciałem powiedzieć niczego uwłaczającego o Jego Królewskiej Mości.

– Wiemy o tym, książę – odrzekła królewna Elizabeth ujmując dłoń „brata" i głaszcząc ją czule choć z uszanowaniem. – Nie martw się tym, to nie twoja wina, lecz choroby.

– Dobra z ciebie pocieszycielka, droga lady – rzekł Tomek z wdzięcznością – i dlatego, jeśli pozwolisz mi na tą śmiałość, z całego serca chciałem ci podziękować.

Pewnego razu, mała lady Jane wypaliła do Tomka coś po grecku. Księżniczka Elizabeth poznała po strapionej minie, że nie zrozumiał ani słowa, więc odpowiedziała za niego dłuższą kwiecistą przemową, po czym skierowała rozmowę na inne tory.

W ten sposób czas mijał miło i bez poważniejszych kłopotów. Tomek coraz rzadziej miał poważne wpadki i dlatego stawał się coraz bardziej swobodny i spokojny, zwłaszcza, gdy widział, że księżniczki starają się serdecznie mu pomagać i nie dostrzegać błędów. Gdy w czasie rozmowy okazało się, że młode księżniczki mają towarzyszyć Tomkowi na bankiecie u Lorda Majora*, ucieszył się niezmiernie i lżej zrobiło mu się na myśl, że nie będzie samotny wśród obcych ludzi, choć jeszcze przed godziną perspektywa towarzystwa księżniczek wzbudzałaby w nim strach.

Dwaj lordowie, opiekuńcze anioły Tomka, oczywiście znajdowali mniej przyjemności w rozmowie niż pozostali uczestnicy. Czuli się jak sternicy przeprowadzający wielki okręt przez niebezpiecznie wąską cieśninę. Nieustannie musieli się mieć na baczności, a ich zadanie nie wydawało się im bynajmniej dziecięcą igraszką.

Gdy więc pod koniec wizyty panienek zameldowano jeszcze młodego lorda Guilforda Dudley'a, uznali, że nie tylko Tomek jest już bardzo zmęczony, ale i oni sami nie czuli się na siłach do podjęcia na nowo niebezpiecznej przeprawy swoim okrętem. Uniżenie poradzili chłopcu, aby nie przyjmował nowej wizyty, na co Tomek zgodził się z ochotą, choć lady Jane spoglądała na niego z pewnym rozczarowaniem, gdy tak wspaniałego kawalera odprawiono od drzwi.

Nastąpiła chwila kłopotliwego milczenia, której Tomek nie potrafił zaradzić.

Spojrzał na lorda Hertforda, który dał znak, ale Tomek nie zrozumiał go. Dopiero bystra Elizabeth pomogła mu, kłaniając się i mówiąc:

– Czy Wasza Książęca Mość pozwoli nam się oddalić?

_____
* Tytuł burmistrza w Londynie i niektórych innych większych miastach Anglii (przyp. red.).

41

Tomek odpowiedział:
– Niech się stanie, czego sobie życzycie, drogie księżniczki, chociaż wolałbym spełnić każde inne wasze życzenie, niż wyrzec się waszego blasku i radości, jakimi mnie obdarzacie. Żegnam was, drogie panie, i polecam opiece boskiej!

Tomek uśmiechnął się w duchu i pomyślał:
– Jednak nie poszło na marne, że dzięki marzeniom i książkom stale miałem do czynienia z królewskimi dziećmi, dzięki czemu przyswoiłem sobie trochę tych uprzejmych i kwiecistych wyrażeń!.

Gdy dostojne panienki wyszły z komnaty, zmęczony Tomek zwrócił się do swoich opiekunów i zapytał:
– Czy pozwolicie, szlachetni lordowie, że przejdę teraz do jakiegoś ustronnego zakątka, gdzie mógłbym odpocząć?

Lord Hertford odparł:
– Wasza Wysokość może rozkazywać, my musimy słuchać. Odpoczynek jest teraz oczywiście bardzo wskazany, gdyż czeka cię jeszcze miejski bankiet.

Lord Hertford dotknął dzwonka i natychmiast zjawił się wystrojony paź, któremu lord polecił wezwać pana Williama Herberta. Dostojnik ten natychmiast się zjawił i odprowadził Tomka do zacisznej komnaty. W pierwszym odruchu Tomek sięgnął po pucharek z wodą, ale sługa odziany w jedwabie i aksamity, uprzedził go, ukląkł i podał mu go na złotej tacy.

Znużony porannymi wydarzeniami siadł i chciał zdjąć buty prosząc lękliwym spojrzeniem o przyzwolenie, ale ku wielkiemu zmieszaniu drugi, równie strojnie odziany, natręt padł przed nim na kolana i wyręczył go w tej czynności.

Po kilku bezskutecznych próbach wykonania najprostszych czynności, Tomek wreszcie się poddał i westchnął z rezygnacją: do licha, niedługo będą chcieli za mnie oddychać!

Przebrany w poranny strój mógł się wreszcie położyć, ale nie potrafił zasnąć, gdyż dręczyły go liczne troski, a do tego w pokoju było zbyt wiele osób. Nie potrafił pozbyć się zmartwień, a na dodatek nie wiedział jak się pozbyć nadskakujących mu ludzi. Dwaj dostojni opiekunowie Tomka też mieli swoje problemy. Przez pewien czas spoglądali przed siebie, w zamyśleniu potrząsając głowami, wreszcie lord St. John odezwał się pierwszy:

– Pytam szczerze, co o tym sądzicie?

– Szczerze mówiąc, myślę tak: król jest bliski śmierci, a mój siostrzeniec zwariował. I wariat wstąpi na tron, żeby zostać szalonym królem. Niech Bóg strzeże Anglię, gdyż czekają ją ciężkie czasy!

– Rzeczywiście, tak to wygląda. Ale... czy nie macie podejrzeń... że... – lord St. John zawahał się i nie dokończył. Zdawał sobie sprawę, że stąpa po niepewnym gruncie.

Lord Hertford spojrzał na niego wzrokiem jasnym i uczciwym i powiedział:

– Mówcie dalej. Nikt was tu oprócz mnie nie słyszy. Jakie macie wątpliwości?

– Bardzo mi przykro mówić o tych sprawach, zwłaszcza wobec was, panie, którzy jesteście tak blisko z nim spokrewnieni. Wybaczcie mi, jeśli was urażę, ale czy nie wydaje wam się dziwne, że obłęd zupełnie zmienił jego sposób mówienia i zachowanie? Nie chcę przez to powiedzieć, by jego wymowa i ogłada były mniej wytworne, ale w rozmaitych drobiazgach różnią się od jego dawnego zachowania. Czy to nie zdumiewające, że obłęd zatarł w jego pamięci rysy ojca, już nie wie, jakie oznaki szacunku należą mu się od otoczenia. Choroba pozostawiła mu w pamięci łacinę, a pozbawiła znajomości języka greckiego i francuskiego? Nie gniewajcie się na mnie, drogi lordzie, a raczej rozproszcie moje wątpliwości. Ciągle nie mogę zapomnieć, iż twierdził, jakoby nie jest księciem, i dlatego...

– Zamilczcie, drogi lordzie, popełniacie zdradę stanu! Czy zapomnieliście o królewskim rozkazie? Weźcie pod uwagę, że stałbym się wspólnikiem zbrodni, gdybym was dłużej słuchał.

St. John zbladł i odparł z pośpiechem:

– Zawiniłem, wyznaję. Nie zdradźcie mnie, okażcie mi tę łaskę, a ja już więcej nie będę o tej sprawie mówił ani myślał. Nie bądźcie surowy wobec mnie, gdyż grozi mi zguba.

– Dajmy temu spokój, lordzie. Jeżeli przyrzekniecie, że nie będziecie więcej mówili podobnych rzeczy ani wobec mnie, a tym bardziej wobec kogokolwiek innego, będę uważał te słowa za nie wypowiedziane. Ale niepotrzebnie macie wątpliwości. To jest syn mojej siostry. Przecież to jego głos, jego twarz, jego osoba, znam go od niemowlęcych lat! Szaleństwo zdolne jest wywołać tak dziwne skutki, i jeszcze gorsze. Przypomnijcie sobie barona Marley'a, który w obłędzie zapomniał jak sam wygląda, choć przecież znał swoją twarz przeszło sześćdziesiąt lat, który uważał się za kogoś innego, a nawet twierdził, że jest synem Marii Magdaleny i że ma głowę ze szkła hiszpańskiego i dlatego nie mógł ścierpieć, żeby jej ktoś dotykał, obawiając się, że może ją stłuc. Porzuć swoje wątpliwości, kochany lordzie. On jest prawdziwym księciem, znam go dobrze, a niedługo zostanie królem. Lepiej dla was, żebyście o tym pamiętali, bo większą od innych możecie z tego odnieść korzyść.

Po dłuższej rozmowie, w czasie której lord St. John starał się w miarę możności naprawić błąd zapewniając, że teraz jego przekonanie jest niezłomne i nie może być zachwiane jakimikolwiek wątpliwościami, hrabia Hertford zwolnił współopiekuna i usiadł, aby samemu czuwać nad księciem.

Niebawem zapadł w głębokie zamyślenie, ale im dłużej się zastanawiał, tym mniej rozumiał ostatnie wydarzenia. Wreszcie wstał i zaczął przechadzać się po komnacie mrucząc do siebie:

– Przecież on musi być księciem! Czy to możliwe, żeby dwaj nie spokrewnieni chłopcy byli tak zdumiewająco do siebie podobni? A nawet gdyby, to czy nie byłoby jeszcze bardziej zdumiewające, że jeden z nich podstawiony został na miejsce drugiego? Nie, to przypuszczenie jest szaleństwem!

Po chwili ciągnął:

– Gdyby to jednak był oszust, który sam by się podawał za księcia, można by to jeszcze uważać za możliwe. To byłoby zrozumiałe. Ale gdzie na świecie jest taki oszust, który będąc już przez króla, przez cały dwór, przez każdego, kto go ujrzał, uznany za księcia zaprzeczałby przysługującym mu godnościom i opierał się okazywanym mu hołdom? Nie! Na Boga, to niemożliwe! To jest prawdziwy książę, choć obłąkany!

ROZDZIAŁ VII

Pierwszy królewski obiad Tomka

Gdy minęła pierwsza po południu Tomek musiał poddać się ceremonii przebierania do obiadu. Ubrano go równie wspaniale jak przed południem, ale zmieniono każdą najdrobniejszą część ubrania od krezy aż po pończochy. Potem uroczyście zaprowadzono go do wielkiej, bogato zdobionej sali, w której czekał stół nakryty na jedną osobę. Zastawa stołowa była z masywnego złota, przepięknie zdobiona, przez samego Benvenuta*. Sala była do połowy wypełniona przez dostojników, którzy mieli usługiwać księciu. Kapelan odmówił modlitwę przed jedzeniem i Tomek już chciał się zabrać do jedzenia, bo głód porządnie mu dokuczał, gdy przeszkodził mu w tym hrabia Berkeley, który zawiązał mu serwetę pod brodą. Urząd zawiązywania serwety księciu Walii był dziedzicznym przywilejem rodowym. Podczaszy Tomka także stał w pogotowiu, zapobiegając wszelkiemu usiłowaniu nalania sobie wina własnoręcznie. Podstoli Jego Wysokości Księcia Walii stał obok, aby na żądanie próbować każdą podejrzaną potrawę narażając się przez to na możliwość otrucia. Z jego usług w tamtych czasach korzystano już bardzo rzadko i znajdował się w sali jadalnej jedynie przez uszanowanie tradycji. Jeszcze kilka pokoleń wcześniej urząd podstolego nie należał ani do bezpiecznych, ani zbyt pożą-

---

* Benvenuto Cellini (1500-1571) – florencki rzeźbiarz, słynny złotnik, którego dzieła do dziś są ozdobą kolekcji muzealnych (przyp. red.).

danych godności. Dziwne wydaje się, dlaczego nie używano do tego celu psów, ale ceremoniał dworski jest na ogół mało zrozumiały. W sali znajdował się również lord d'Arcy, pierwszy podkomorzy, aby oddawać posługi, ale jakie, tego już nie wiedziano. Był też i lord pierwszy kamerdyner, szef służby domowej, który stał za krzesłem Tomka i doglądał ceremonii, którą kierowali lord wielki kuchmistrz oraz lord ochmistrz, znajdujący się w pobliżu. Poza tym Tomek miał jeszcze trzystu osiemdziesięciu czterech służących, ale na szczęście nie asystowali oni przy obiedzie, a Tomek nawet nie wiedział o ich istnieniu.

Wszystkim obecnym zawczasu zapowiedziano, iż nie wolno im zapominać, że książę jest chwilowo umysłowo niedysponowany, ani tym bardziej okazywać zdumienia na widok jego dziwactw. Dziwactwa te szybko wyszły na jaw i budziły raczej ubolewanie ze współczuciem, a nie śmiech. W wielkie zatroskanie wprawiał ich widok obłędu, który nawiedził ukochanego księcia.

Tomek sięgał po potrawy palcami, ale nikt nie chichotał, wszyscy starali się tego nie zauważać. Z dużym zainteresowaniem i podziwem przyglądał się serwecie z cienkiego, delikatnego materiału, po czym skromnie powiedział:

– Bardzo proszę, zabierzcie ją, bo przez nieostrożność mogę pobrudzić.

Hrabia Berkeley, odpowiedzialny za wiązanie serwety, posłusznie spełnił jego prośbę bez najmniejszego grymasu sprzeciwu.

Tomek przyglądał się ciekawie rzepie i sałacie, a wreszcie zapytał, co to jest i czy można to jeść. Jarzyny te dopiero od niedawna uprawiano w Anglii, dotychczas były sprowadzane jako rzadkie przysmaki z Holandii*. Na jego pytanie odpowiedziano poważnie i bez cienia zdziwienia.

---

* Patrz 4. przypis autora na str. 245.

47

Gdy podano deser, Tomek napchał sobie kieszenie orzechami. Wszyscy obecni udali, że tego nie zauważyli. Ale chłopiec wkrótce sam się zorientował w gafie i nie potrafił ukryć zmieszania. Skoro była to jedyna samodzielna operacja, na którą pozwolono mu podczas całego obiadu, musiał być to występek bardzo niestosowny i niegodny księcia.

Chwilę później zauważono, że nos Tomka zaczął drgać i marszczyć się u nasady, kierując swój czubek ku górze. Trwało to na tyle długo, że właściciel nosa wpadł w zakłopotanie nie wiedząc co robić. Błagalnym wzrokiem rozglądał się po otaczających go lordach, a łzy napłynęły mu do oczu. Zatroskani panowie podbiegli do niego z przerażonymi minami prosząc, aby się zwierzył z powodu swego cierpienia. Wówczas Tomek rzekł z nieskrywanym cierpieniem:

– Wybaczcie mi, panowie, ale strasznie mnie swędzi nos. Nie wiem jakie panują w takim przypadku obyczaje na dworze? Ale błagam, pośpieszcie się z odpowiedzią, bo nie mogę już dłużej wytrzymać.

Nikt się nawet nie uśmiechnął. Wszyscy popadli w wielkie zakłopotanie i spoglądali po sobie bezradnie. Widocznie taki wypadek jeszcze się w historii Anglii nie przydarzył i nikt nie umiał orzec jak wyjść z tego kłopotliwego położenia. Mistrza ceremonii nie było na sali. Zaś nikt z obecnych nie poważyłby się rozwiązać samodzielnie tak zasadniczego zagadnienia. Niestety! Nie było jeszcze dziedzicznego urzędu dotyczącego drapania książęcego nosa.

Tymczasem z oczu Tomka łzy zaczęły spływać po policzkach. Swędzący nos coraz natarczywiej dopominał się ulgi. Wreszcie natura sama przełamała niedomagania etykiety. Tomek w duchu poprosił niebo o przebaczenie, jeżeli źle uczyni, i sam się podrapał w nos, sprawiając przy tym niewymowną ulgę całemu zatroskanemu otoczeniu.

Po zakończonym posiłku jeden z lordów zbliżył się do Tomka podając mu płytką złotą miskę wypełnioną wonną, różaną wodą do obmycia ust i rąk. Hrabia Berkeley stanął obok w gotowości z ręcznikiem do otarcia rąk i twarzy. Tomek patrzył przez chwilę zmieszany na miskę, po czym podniósł ją do ust i wypił łyk. Szybko jednak oddał miskę usługującemu dostojnikowi mówiąc:
– Nie, to mi nie smakuje, drogi panie. Wprawdzie pięknie pachnie, ale smak ma nieciekawy.

Ten nowy dowód choroby umysłowej księcia nikogo nie pobudził do śmiechu, ale wprawił wszystkich obecnych w wielkie przygnębienie.

Chwilę później Tomek popełnił następne nieświadome wykroczenie przeciw etykiecie. Wstał od stołu właśnie w momencie, gdy kapelan stanął za jego krzesłem, wzniósł ręce, przymknął oczy i zamierzał rozpocząć modlitwę dziękczynną. I tym razem nikt nie dał poznać po sobie, że zauważył potknięcie księcia.

Wreszcie na własne życzenie Tomek został odprowadzony do swojego gabinetu i pozostawiony samemu sobie. Na dębowej boazerii wisiały rozmaite części stalowych błyszczących zbroi, całych pokrytych misternymi złotymi inkrustacjami. Rynsztunek ten należał do autentycznego księcia Walii, który dostał niedawno od królowej, Madam Parr*.

Tomek założył nagolenniki i naramienniki, wystroił się w przybrany pióropuszem hełm i inne części zbroi, które był w stanie samodzielnie nałożyć. Przez chwilę miał zamiar zawołać kogoś, żeby pomógł mu ubrać resztę zbroi, ale przypomniały mu się orzechy, które schował do kieszeni. Przyszło mu jednak na myśl, że przyjemniej będzie zjeść je w samotności bez otoczenia chmary dziedzicznych dostojników.

---

* Katarzyna Parr, szósta i ostatnia żona króla Henryka VIII, macocha księcia Edwarda, który był synem trzeciej żony króla, Joanny Seymour (przyp. red.).

Odwiesił więc część zbroi na dawne miejsce i zaczął tłuc orzechy czując się całą duszą szczęśliwy. Po raz pierwszy tak się poczuł od chwili, gdy Bóg karząc go za złe uczynki unieszczęśliwił go zamieniając w księcia. Gdy wyczerpały się już orzechy, zauważył w szafce kilka pięknych książek, wśród których była też rozprawa o etykiecie obowiązującej na dworze angielskim. To była cenna zdobycz dla Tomka. Rozłożył się więc na wspaniałej kanapie i z wielkim zapałem zaczął ją studiować.

Tymczasem pozostawimy go przy tym zajęciu.

ROZDZIAŁ VIII

Zagadka pieczęci

Około piątej po południu Henryk VIII obudził się zmęczony z drzemki i szepnął do siebie: straszne sny, potworne sny! Zbliża się mój koniec, senne zjawy mi to przypominają, a słabnący puls potwierdza. Potem jednak w oczach zaigrał mu okrutny błysk i król mruknął:

— Ale zanim ja umrę, on pierwszy opuści ten świat.

Dworzanie spostrzegli, że król nie śpi i jeden z nich zapytał czy zechce przyjąć lorda kanclerza, czekającego w przedpokoju.

— Wprowadźcie go, wprowadźcie! — zawołał król.

Lord kanclerz wszedł i przyklękając przy królewskim łożu, przemówił:

— Wydałem odpowiednie zarządzenia i zgodnie z waszą wolą, królu, parowie monarchii zebrani są obecnie w sali posiedzeń parlamentu, gdzie potwierdziwszy wyrok śmierci na księcia Norfolka, oczekują w pokorze dalszych rozkazów Waszej Królewskiej Mości w tej sprawie.

Okrutna radość promieniała z twarzy króla.

— Podnieście mnie! — zawołał. — We własnej osobie stanę przed moim parlamentem i własnoręcznie przypieczętuję wyrok, który uwolni mnie od...

Głos odmówił mu posłuszeństwa. Zarumienione policzki pokryły się trupią bladością. Dworzanie znowu oparli króla o poduszki i szybko podali środki wzmacniające.

Oprzytomniawszy nieco, król rzekł zbolałym głosem:
– Jakże pragnąłem tej szczęśliwej chwili! Ale, niestety, przychodzi ona za późno, nie będę mógł się w pełni cieszyć swoim tryumfem. Ale wy śpieszcie się! Dopełnijcie czynności, których mnie nie jest sądzone dopełnić. Oddaję wielką pieczęć komisji. Wybierzcie lordów, którzy mają do niej należeć, i przystąpcie do dzieła. Śpieszcie się! Zanim słońce wzejdzie i znowu zajdzie, macie przynieść mi jego głowę, abym mógł się nacieszyć jej widokiem.
– Niech się stanie wedle rozkazu króla. Czy Wasza Królewska Mość zechce zarządzić, aby wydano mi pieczęć, bym mógł wykonać wasze rozkazy?
– Pieczęć? A kto ma pieczęć, jeżeli nie wy?
– Wasza Królewska Mość raczy sobie przypomnieć, że przed dwoma dniami sami ją odebraliście oświadczając, iż nie będzie więcej użyta, dopóki wasza królewska ręka przyłoży ją pod wyrokiem śmierci na księcia Norfolka.
– To prawda, przypominam sobie... Ale co się stało z pieczęcią?... Taki jestem słaby... Pamięć mnie zawodzi... To dziwne, dziwne...
Słowa króla stawały się coraz bardziej ciche i coraz mniej zrozumiałe, od czasu do czasu potrząsał siwą głową starając się przypomnieć sobie, co uczynił z pieczęcią. Wreszcie lord Hertford zebrał się na odwagę, ukłęknął i pozwolił sobie wspomóc pamięć króla.
– Najjaśniejszy panie, czy wolno mi powiedzieć, że zarówno ja sam jak wielu z obecnych przypominamy sobie, iż Wasza Królewska Mość wręczył wielką pieczęć księciu Walii, aby ją przechował, aż...
– Prawda, szczera prawda! – przerwał król. – Przynieście ją! Prędko! Szkoda czasu!
Lord Hertford pobiegł do Tomka, ale po chwili wrócił ze zmieszaną twarzą i pustymi rękoma oznajmiając:
– Bardzo ubolewam, mój panie i królu, że muszę

wam przynieść niepożądaną i smutną wieść. Mrok, przesłaniający umysł księcia, nie rozwiał się jeszcze, i nie potrafi przypomnieć sobie, że otrzymał pieczęć. Spieszę z tą wiadomością, sądzę bowiem, że byłoby niepotrzebną stratą drogocennego czasu przeszukiwanie wszystkich komnat Jego Książęcej Wysokości...

Głębokie westchnienie przerwało hrabiemu. Po chwili król rzekł posępnym głosem:

– Nie dręczcie tego biednego dziecka. Ręka boska ciężko je dotknęła, a moje serce pełne jest współczucia i troski, że nie mogę wesprzeć jego życia swoim doświadczonym ramieniem i zapewnić mu spokoju ducha.

Przymknął oczy mamrocząc do siebie, a potem zamilkł. Po krótkim czasie uniósł powieki i rozejrzał się dokoła nieprzytomnie, aż jego spojrzenie padło na ciągle klęczącego lorda kanclerza. Na twarzy króla zapłonął rumieniec gniewu.

– Co, jeszcze tutaj jesteś?! Na Boga, jeżeli nie przyśpieszysz stracenia tego zdrajcy, twoja biskupia mitra nie znajdzie jutro głowy, którą przywykła zdobić!

Kanclerz drżąc ze strachu bełkotał:

– Łaski, wasza królewska mość, łaski! Wszak czekam tylko na wielką pieczęć.

– Człowieku, czyś ty oszalał? Mała pieczęć, którą zabieram zwykle ze sobą, gdy się udaję w podróż, leży w moim skarbcu. Jeżeli nie ma wielkiej pieczęci, musi mała wystarczyć. Czyś ty rozum stracił? Idź! Ale strzeż się – masz mi się nie pokazywać inaczej jak przynosząc jego głowę!

Biedny kanclerz nie czekał ani chwili, lecz skorzystał z okazji, aby oddalić się od tak niebezpiecznego sąsiedztwa. Komisja też nie zwlekała, przekazując królewski wyrok zniewolonemu parlamentowi i zarządzając, aby nazajutrz rano stracono pierwszego para Anglii, nieszczęsnego księcia Norfolka*.

---

* Patrz 5. przypis autora na str. 246.

ROZDZIAŁ IX

Parada na rzece

O dziewiątej wieczorem cała fasada pałacu od strony Tamizy jaśniała oślepiającym światłem. Rzeka w kierunku miasta usiana była, aż po horyzont, łodziami i wspaniałymi barkami, ozdobionymi barwnymi latarniami. Wszystkie łodzie kołysały się łagodnie na fali, tak iż rzeka podobna była do niekończącej się łąki pokrytej połyskującymi kwiatami, drgającymi łagodnie na wietrze. Olbrzymi taras, którego kamienne stopnie spadały ku rzece, a który był na tyle wielki, że mógłby pomieścić armię jakiegoś niemieckiego księstwa, przedstawiał wspaniały widok, gdyż zapełniały go szeregi królewskich halabardników w lśniących zbrojach i mnóstwo biegających tam i z powrotem w gorączce przygotowań, kolorowo odzianej służby. Nagle usłyszano rozkaz i natychmiast kto żył zniknął ze stopni tarasu. Dokoła zapanowała cisza wyczekiwania i napięcia. Jak daleko wzrok mógł sięgnąć widać było ludzi, którzy powstawali w łodziach i przesłaniając oczy od oślepiającego blasku latarni, nieruchomo wlepili spojrzenia w królewski pałac.

Do tarasu podpłynęło około pięćdziesięciu barek królewskich. Były bogato złocone, a ich dzioby i rufy były ozdobione kunsztownymi rzeźbami. Niektóre barki obwieszone były proporcami i flagami, na innych powiewały złotolite bandery z haftowanymi herbami, jeszcze inne miały chorągwie obwieszone niezliczonymi srebrnymi dzwoneczkami, które przy najlżejszym podmuchu wiatru wydawały jasne, radosne dźwięki. Niektóre łodzie ozdobione były jeszcze bardziej pretensjonalnie – te które należały do prominentów z najbliższego otoczenia księcia. Burty miały ozdobione rzędami tarcz, na których lśniły herby właścicieli. Każdą barkę należącą do państwa ciągnął holownik, na którym znajdował się zbrojny oddział w błyszczących hełmach i puklerzach, jak również kapela muzykantów. Jako straż przednia oczekiwanego pochodu ukazał się teraz w wielkiej bramie oddział halabardników. Ubrani byli w spodnie w czarno-żółte prążki, aksamitne czapki ze srebrnymi różami po bokach i kaftany z czerwonego i niebieskiego sukna, które z przodu i z tyłu zdobione były herbem księcia, to znaczy trzema piórami haftowanymi złotymi nićmi. Drzewca ich halabard okręcone były purpurowym aksamitem, ozdobionym złotymi gwoździkami i chwostami. Halabardnicy, rozchodząc się w prawo i w lewo, utworzyli dwa szpalery, sięgające od bramy zamkowej aż do nadbrzeża rzeki. Między tymi szpalerami służba, wystrojona w karmazynowo-złote liberie księcia, rozciągnęła szeroki pasiasty dywan.

Z wnętrza pałacu rozległy się dźwięki trąb. Muzykanci na łodziach odpowiedzieli wesołą melodią. Dwaj odźwierni z białymi laseczkami w ręku wyszli wolnym i uroczystym krokiem przed wrota. Za nimi szedł urzędnik niosący miejskie berło, za nim następny urzędnik z mieczem miejskim. Dalej postępowali oficerowie gwardii miejskiej w pełnym rynsztunku, z herbami na rękawach. Następnie szedł herold orderu Podwiązki* w rycerskim płaszczu, za nim kilku kawalerów orderu Łaźni**, których rękawy peleryn obszyte były białymi

---

* Najstarszy order angielski, ustanowiony przez króla Edwarda III w 1350 r. (przyp. red.).
** Order angielski ustanowiony rzekomo przez króla Henryka IV w 1399 r. (przyp. red.).

55

koronkami. Za nimi szli ich giermkowie, potem sędziowie w szkarłatnych togach i beretach, potem lord wielki kanclerz Anglii w szkarłatnym płaszczu lamowanym gronostajami. Za nim deputacja radców miejskich w rubinowych płaszczach, a potem zwierzchnicy rozmaitych stowarzyszeń miejskich w uroczystych strojach. Teraz po schodach zstępowało dwunastu francuskich szlachciców wspaniale ubranych, w kaftanach z białego adamaszku wyszywanego złotem, krótkich płaszczach z czerwonego aksamitu podbitego fioletową taftą, i obcisłych pludrach koloru krwistego. Należeli oni do świty ambasadora francuskiego, za nimi szło dwunastu kawalerów ze świty posła hiszpańskiego ubranych w czarny aksamit bez żadnych ozdób. Dalej kroczyli przedstawiciele szlachty angielskiej ze swymi orszakami.

Wewnątrz zamku zabrzmiały znowu trąby. Wuj księcia, znany później jako wielki książę Somerset, wyszedł z bramy ubrany w czarny strój wyszywany złotem, na który miał narzucony płaszcz z karmazynowego atłasu z haftowanymi na srebrnej siatce złotymi kwiatami. Odwrócił się, zdjął kapelusz z pióropuszem i zrobił krok do tyłu, wykonując przy tym głęboki ukłon. Rozległ się przeciągły dźwięk trąb i okrzyk: miejsce dla dostojnego i potężnego lorda Edwarda, księcia Walii!

Wysoko na pałacowych murach zaśniły długie języki płomieni i rozległ się ogłuszający grzmot wystrzałów. Tłum zebrany na rzece wydał gromki okrzyk radości i Tomek Canty, do którego odnosiły się wszystkie te niepohamowane hołdy, ukazał się na tarasie pochyliwszy lekko swą czcigodną głowę.

Był olśniewająco ubrany. Miał na sobie kaftan z białego atłasu, wyszywany złotem, usiany diamentami i obramowany gronostajami. Na tym płaszcz z białego złotogłowiu, podbity błękitnym atłasem, z wyhaftowanymi z wierzchu trzema piórami z pereł i drogocennych kamieni. Płaszcz był spięty brylantową spinką.

Na szyi miał order Podwiązki, a także ważne ordery różnych państw. Promienie padającego światła odbijały się w drogocennych klejnotach, olśniewając wzrok. Jakież to musiało być widowisko dla Tomka, urodzonego w nędzy, wychowanego w brudzie i błąkającego się w łachmanach po ulicach Londynu!

ROZDZIAŁ X

Książę w tarapatach

Johna Canty'ego zostawiliśmy, gdy ciągnął autentycznego księcia przez dziedziniec domu na Offal Court, a rozochocony i hałaśliwy motłoch biegł za nim. Tylko jeden człowiek odważył się ująć za gnębionym chłopcem, ale na jego słowa nikt nie zwracał uwagi. Książę usiłował uwolnić się i odpierać brutalne obelgi, lecz wreszcie i John Canty stracił resztkę cierpliwości i w nagłym przystępie wściekłości uniósł nad głową chłopca dębowy kij. Człowiek, który już raz próbował wstawić się za księciem, podbiegł aby powstrzymać szaleńca. Pałka trafiła w głowę litościwego obrońcy, a pijak zawołał:
— Po co się wtrącasz do nie swoich spraw? Masz za to zasłużoną nagrodę!
Usłyszano jęk i ciemna postać osunęła się na ziemię. Tłum przemknął obok ciała i ani na moment nie przerwał sobie zabawy na skutek tego zdarzenia.
Wkrótce potem książę znalazł się w norze Johna Canty'ego, który zamknął drzwi nie wpuszczając nikogo. Przy wątłym świetle łojówki wstawionej do flaszki dostrzegł zarysy brudnej izby i jej mieszkańców. Dwie dziewczyny i kobieta w średnim wieku siedziały w kącie skulone jak wystraszone zwierzęta, nawykłe do brutalności. Z innego kąta wypełzła chuda jędza z rozwichrzonymi włosami i złośliwie połyskującymi oczyma.
John Canty warknął do niej:
— Uważaj! Świetny kawał. Tylko nie przerywaj mu.

Potem możesz go wytłuc do woli. Chodź tu, chłopcze. Opowiedz nam jeszcze raz te brednie, jeżeli ich nie zapomniałeś. Więc jak się nazywasz? Kim jesteś? No, gadaj!

Urażona godność znowu pokryła twarz księcia rumieńcem gniewu. Spokojnie ale z najwyższą odrazą spojrzał na pijaka i odrzekł:

— Nie przystoi człowiekowi twego stanu wydawać mi rozkazy. To dowodzi złego wychowania. Powtórzę ci jednak, co już mówiłem, jestem Edward, książę Walii.

Na tę zaskakującą odpowiedź stara wiedźma stanęła jak wryta nie wiedząc, co powiedzieć. Wybałuszyła żabie oczy na księcia, co tak rozweseliło jej pijanego synalka, że wybuchnął dzikim rechotem.

Ale słowa te zupełnie inne wywarły wrażenie na matce i siostrach Tomka. Strach, że chłopca znowu czeka bicie, ustąpił przed innym lękiem. Ze smutnymi i przerażonymi twarzami podbiegły do niego wołając głośno:

— Biedny Tomek, biedny chłopiec!

Matka padła przed księciem na kolana, położyła mu dłonie na ramionach i poprzez wzbierające łzy tkliwie patrzyła na niego. Potem powiedziała:

— Mój biedny chłopcze! To z tego ciągłego czytania niedorzecznych książek, one doprowadziły cię do utraty rozumu. Tyle razy cię ostrzegałam i prosiłam, żebyś oderwał się od nich? A teraz łamiesz serce swojej biednej matce.

Książę spojrzał na nią i rzekł uprzejmie:

— Twój syn jest zdrowy i nie stracił rozumu, dobra kobieto. Uspokój się. Zaprowadź mnie do pałacu, gdzie się znajduje, a mój ojciec, król, odda ci go.

— Twój ojciec, król! O moje dziecko! Nie wymawiaj takich słów, tobie grozi za to śmierć, a nam zguba. Otrząśnij się z tego koszmaru. Wysil swoją chorą pamięć. Spójrz na mnie. Czy nie jestem twoją matką, która tak cię kocha?

Książę potrząsnął głową i odparł z ubolewaniem:

– Bardzo mi przykro, że ranię twoje serce, ale naprawdę widzę cię pierwszy raz w życiu.

Kobieta usiadła na polepie i znieruchomiała z przerażenia. Zakryła twarz rękami i zaczęła szlochać.

– Dalej, dalej z tym cyrkiem! – szydził Canty. – Co to, Bet i Nan, nie wiecie jak się zachować? Macie czelność siedzieć w obecności księcia? Na kolana, dziadówy, oddajcie mu należny hołd!

Przy tych słowach znowu wybuchnął niepowstrzymanym rechotem, a dziewczęta lękliwie wstawiły się za bratem.

– Pozwól·mu się położyć spać, ojcze – prosiła Nan – odpoczynek i sen wyleczą go z tego obłędu.

– Pozwól ojcze – dodała Bet – przecież widzisz, że jest bardziej niż kiedykolwiek zmęczony. Jutro znowu będzie zdrowy i od rana zajmie się żebraniem, żeby nie wracać z pustymi rękami.

Na tę uwagę prysła wesołość ojca, który przypomniał sobie o praktycznej stronie sprawy. Zwrócił się więc gniewnie do księcia:

– Jutro musimy zapłacić właścicielowi dwa pensy za tę norę, słyszysz! Półroczny czynsz! Jeżeli nie zapłacimy, wyrzuci nas. Pokaż, darmozjadzie, ile dziś uzbierałeś!?

– Nie obrażaj mnie takimi pytaniami – odparł książę. – Powtarzam jeszcze raz, że jestem synem królewskim.

Potężne uderzenie rzuciło chłopca w objęcia matki Tomka, która przycisnęła go do piersi i osłoniła przed gradem dalszych ciosów i szturchańców.

Wystraszone dziewczęta schowały się w kącie, a babka żwawo nadbiegła, żeby pomóc synalkowi. Książę wyrwał się z ramion pani Canty i zawołał:

– Nie pozwolę, aby pani przeze mnie cierpiała. Niech te bestie swoją wściekłość rozładowują na mnie.

Te słowa rozdrażniły bestie do tego stopnia, że dopiero teraz zabrały się naprawdę do dzieła bijąc bez litości chłopca, a potem matkę i dziewczęta, które okazały współczucie katowanej ofierze.

– A teraz – rzekł John Canty – wszyscy spać. Zmęczyło mnie to przedstawienie.

Zgaszono światło i wszyscy położyli się. Gdy tylko głośne chrapanie oznajmiło, że pan domu i jego matka śpią, dziewczęta zakradły się ostrożnie do posłania księcia i troskliwie nakryły go słomą i łachmanami. Matka też przysunęła się do niego, pogłaskała po głowie płacząc i szepcząc słowa pociechy i współczucia. Schowała mu trochę jedzenia, ale ból pozbawił chłopca apetytu, przynajmniej na pajdy lichego razowego chleba.

Był jednak bardzo wzruszony tym, że go tak dzielnie i ofiarnie broniła. Podziękował jej za to wytwornymi, dworskimi słowami, prosząc, żeby się położyła spać i zapomniała o swym strapieniu. Dodał przy tym, że jego królewski ojciec nie pozostawi jej dobroci i poświęcenia bez nagrody.

Ten nowy dowód obłąkania gorzko zabolał matkę, przycisnęła go znowu do serca, po czym zalana łzami wróciła na swoje posłanie.

Gdy tak leżała rozmyślając o swoim nieszczęściu, przyszło jej na myśl, że w chłopcu, czy był zdrowy, czy chory, było jednak coś, czego w Tomku nigdy nie zauważyła. Nie umiała określić, ani powiedzieć, na czym to polegało, ale matczyne serce wyczuwało przemianę. A jeśli ten chłopiec rzeczywiście nie jest jej synem? To niemożliwe! Mimo lęku i przygnębienia niemal się roześmiała na tę myśl.

Mimo wszystko trudno było uwolnić się od tej myśli, uparcie ją prześladowała. Myśl ta dręczyła, czepiała się, nie dawała jej spokoju. Matka wreszcie zrozumiała, że nie uspokoi się, dopóki nie zdobędzie pewnego dowodu, czy chłopiec jest, czy nie jest jej synem. Łatwiej jednak postanowić niż wykonać.

W duchu wymyślała jedną próbę za drugą, ale musiała zrezygnować ze wszystkich, bo żadna nie wydawała się jej zdecydowanie pewna i przekonująca, a tylko bezwarunkowy dowód mógłby ją uspokoić. Już jej się zdawało, że na darmo się męczy. A kiedy rozważała tę niewesołą myśl, usłyszała równomierny oddech śpiącego chłopca, przerwany nagle stłumionym okrzykiem, jaki się zdarza, gdy kogoś dręczą złe sny. Ten przypadek nasunął nowy pomysł, łączący w sobie zalety wszystkich dotychczasowych planów.

Drżąc z napięcia, uważając żeby kogoś nie obudzić, przystąpiła natychmiast do realizacji swojego zamiaru i zapaliła świecę, myśląc w duchu: zaraz będę wiedziała. Od dnia, gdy jako małe dziecko, tuż przed oczami wybuchł mu proch, miał nawyk, iż ilekroć nagle go obudzono, mimo woli przesłaniał oczy ręką. Przy czym zawsze trzymał dłoń od siebie. Zauważyłam to setki razy, zawsze robi to w jeden sposób. Tak! Teraz będę miała pewność.

Przesłaniając ręką świecę znowu ostrożnie zakradła się do śpiącego chłopca i uważnie go obserwując, pochyliła się nad nim wstrzymując oddech. Potem nagle puściła jaskrawy snop światła na jego oczy i równocześnie zastukała w podłogę tuż przy jego uchu. Śpiący natychmiast otworzył oczy, rozejrzał się lękliwie, ale nie wykonał charakterystycznego ruchu dłonią.

Biedna kobieta przeraziła się i zasmuciła. Szybko się jednak opanowała i ukrywając wzruszenie uśpiła chłopca ponownie. Potem wróciła z powrotem do swojego kąta rozmyślając z przygnębieniem o smutnym rezultacie próby. Usiłowała wmówić sobie, że to choroba jest winna, iż Tomek nie wykonał spodziewanego odruchu. Ale sama siebie nie była w stanie przekonać.

Nie – mówiła sobie – przecież jego ręce nie są obłąkane. To niemożliwe, żeby w tak krótkim czasie straciły dawny nawyk. To był straszny dla mnie dzień!

Mimo to nadzieja była równie mocna jak wcześniej

zwątpienie. Postanowiła nie zadawalać się wynikiem pierwszego doświadczenia, ale spróbować jeszcze raz, tłumacząc sobie, że niepowodzenie mogło być tylko przypadkiem.

Jeszcze kilka razy, w różnych odstępach czasu, raptownie budziła chłopca ze snu, ale za każdym razem rezultat był ten sam. Wreszcie sama położyła się spać, a przed zaśnięciem pomyślała: mimo wszystko nie mogę się go wyrzec. On musi być moim synem!.

Gdy przestał być już niepokojony przez matkę, a także ból coraz mniej mu dokuczał, książę zapadł w głęboki i pokrzepiający sen. Mijały godziny, a on spał jak zabity. Tak minęło ponad pięć godzin. Wreszcie książę ocknął się i na wpół jeszcze przytomny zawołał półgłosem:

– Sir Williamie!

Po chwili znowu:

– Sir Williamie Herbert! Proszę posłuchać, jaki dziwny miałem sen... Sir Williamie! Czy nie słyszycie? Wyobraźcie sobie, śniło mi się, że byłem żebrakiem i... Hej tam! Straż! Sir Williamie! Dlaczego nie ma nikogo ze służby w mojej sypialni? Niestety, to będzie surowo...

– Co ci się stało? – szepnął stłumiony głos obok niego. – Kogo wołasz?

– Sir Williama Herberta! Kim jesteś?

– Ja? Jak to? Twoją siostrą Nan! A już myślałam, że to minęło! Ale ty ciągle jesteś obłąkany. Biedny Tomek. Lepiej, żebym się wcale nie obudziła! Przykro mi na to patrzeć. Proszę cię jednak, panuj nad swoim językiem, bo nas wszystkich zatłuką na śmierć!

Zdziwiony książę wyprostował się na posłaniu, ale obolałe ciało szybko przypomniało mu wczorajszy dzień. Upadł z powrotem na brudną słomę i jęknął z rozpaczą:

– Niestety! Jednak to nie był sen!

Znowu opadły go ciężkie zmartwienia, które sen usunął tylko na chwilę. Uświadomił sobie, że nie jest już rozpieszczonym księciem w pałacu, księciem, na którego spoglądały, pełne uwielbienia, oczy całego narodu, ale ubranym w łachmany żebrakiem, nędznym wyrzutkiem, trzymanym w norze, nie nadającej się nawet dla zwierząt, skazanym na towarzystwo żebraków i złodziei.

Tak rozmyślając usłyszał donośne głosy, które, jak mu się zdawało, dobiegały z sąsiedniej rudery. Niedługo potem ktoś zapukał do drzwi. John Canty obudził się i zawołał:

– Kto tam? Czego chcesz?

Jakiś głos zapytał zza drzwi:

– Wiesz, kogo zdzieliłeś wczoraj kijem?

– Nie! Nie wiem i nie obchodzi mnie to!

– Zaraz zacznie cię obchodzić. Jeżeli nie chcesz wisieć, lepiej zwiewaj stąd. Ten człowiek umiera. To był ksiądz, ojciec Andrew!

– A niech to!... – wrzasnął Canty.

Szybko obudził całą rodzinę i rozkazał ochrypłym głosem:

– Wstawać natychmiast! Dajemy dyla! Kto tu zostanie, ten przepadł!

W niecałe pięć minut cała rodzina znalazła się na ulicy pędząc co sił w nogach. John Canty trzymał księcia za ramię i biegnąc przez ciemne uliczki udzielał mu półgłosem wskazówek.

– Trzymaj język za zębami, głupku, i nikomu nie mów jak się nazywamy! Wezmę sobie jakieś inne nazwisko, żeby te policyjne psy nas nie złapały. Ani pary z gęby, radzę ci!

Potem warknął do reszty rodziny:

– Jak się zgubimy, niech każdy zasuwa na London Bridge. Przy ostatnim straganie z płótnami czekajcie, aż się wszyscy zbiorą. Stamtąd pójdziemy do Southwark.

W tym momencie rodzina Cantych nagle wynurzyła się z ciemności, trafiając na oświetlony plac i wbijając się w tłum rozśpiewanych, roztańczonych i krzyczących ludzi, którzy zalegali nadbrzeże rzeki.

Jak okiem sięgnąć, wzdłuż całej Tamizy płonęły ogniska. Oba mosty, London Bridge i Southwark Bridge, były wspaniale iluminowane. Rzeka błyszczała i promieniała od iskier i kolorowych świateł, a nieustannie wybuchające fajerwerki spadały deszczem niezliczonych iskier, rozjaśniających mroki nocy. Wszędzie widać było grupki rozbawionych ludzi. Zdawało się, że cały Londyn wyległ nad rzekę.

John Canty zaklął dziko i kazał zawrócić, ale było już za późno. Rozedrgany tłum natychmiast porwał w swój wir jego, jak i resztę rodziny i w jednej chwili wszyscy się pogubili.

Tylko książę, którego trudno zaliczyć do rodziny, ciągle był tarmoszony przez Johna Canty'ego. Ale serce chłopca zabiło teraz mocniej na myśl o możliwości ucieczki.

Jakiś gruby przewoźnik, który wyraźnie nadużył napojów wyskokowych, stanął staremu na drodze. Canty chcąc jak najszybciej przecisnąć się przez tłum, szturchnął go. Ten złapał wielką łapą Canty'ego i spytał:

– Gdzie się tak spieszysz, koleś? Nie goń za podejrzanymi interesami, gdy wszyscy porządni i uczciwi obywatele świętują!

– Te podejrzane interesy są tylko moją sprawą! – burknął Canty. – Zabieraj łapy i przepuść mnie!

– Taki jesteś twardziel? To wiedz, że nie puszczę cię, póki nie wypijesz za zdrowie księcia Walii – zawołał przewoźnik i stanowczo zastąpił mu drogę.

– No to dawaj kubek, ale prędko!

Tymczasem paru wesołków z rozbawionego tłumu zainteresowało się zajściem i zaczęli teraz wołać:

– Dać mu puchar miłości! Niech ten brutal wypije puchar miłości, a jak nie, to rzucimy go rybom na pożarcie.

Przyniesiono olbrzymi kielich miłości. Gruby przewoźnik chwycił lewą ręką za jedno ucho, drugą zaś wykonał ruch, jakby dystyngowanym ruchem sięgał za rożek serwetki, i w ten sposób podał Canty'emu puchar zgodnie z dawną tradycją. Zgodnie ze starym obyczajem Canty musiał teraz wziąć lewą ręką drugie ucho pucharu, a prawą unieść pokrywkę*. W ten sposób musiał wypuścić z uścisku księcia. Chłopiec skorzystał z okazji, schylił się, nie tracąc czasu dał nurka między nogi stojących i zniknął w tłumie. Odszukanie go w rozkołysanej ludzkiej ciżbie byłoby trudniejsze, niż wydobycie sześciopensówki rzuconej w fale Atlantyku.

Książę zrozumiał to natychmiast, zajął się więc własnymi sprawami nie zawracając sobie głowy Johnem Cantym. Zrozumiał też coś jeszcze. Mianowicie, że jakiś fałszywy książę Walii zamiast niego przewodniczy na bankiecie miejskim. Wywnioskował z tego, że żebrak Tomek Canty podstępnie skorzystał z nadarzającej się okazji i stał się samozwańcem.

Księciu pozostało tylko jedno wyjście – musiał trafić do Guildhall, czyli ratusza, dać się tam poznać i zdemaskować nikczemnego oszusta.

W duchu zadecydował jeszcze, że pozostawi Tomkowi czas na przygotowanie się do oczekującej go śmierci, ale potem będzie musiał być powieszony, topiony i ćwiartowany, bo tak karano w tamtym czasie zdradę stanu!

ROZDZIAŁ XI

W ratuszu

Barka królewska sunęła majestatycznie po Tamizie, na czele lśniącej flotylli równie wspaniałych statków, mijając mnóstwo oświetlonych łodzi. Ze wszystkich stron rozbrzmiewała muzyka. Wzdłuż nadbrzeży płonęły ognie, nad oddalonym miastem widniała jasna łuna, bijąca od niezliczonych, niewidzialnych stąd ognisk. Nieustanne okrzyki, fajerwerki i grzmoty wystrzałów witały z brzegów posuwającą się flotyllę.

Tomkowi zanurzonemu w jedwabnych poduszkach, całe to widowisko i donośne okrzyki wydawały się niepojętym i bezgranicznie wspaniałym cudem. Na towarzyszących mu dwóch młodych przyjaciółkach, księżniczce Elizabeth i lady Jane nie robiło to najmniejszego wrażenia.

Znalazłszy się w Dowgate flotylla wpłynęła na przejrzyste wody rzeki Walbrooku (którego koryto już ponad dwieście lat temu zabudowano ulicami), kierując się ku Bucklersbury. Mijając domy i przepływając pod jasno oświetlonymi mostami zapełnionymi tłumem ciekawskich, flota dotarła wreszcie do portu (dziś w tym miejscu znajduje się zaułek Barge Yard), w samym środku dawnego Londynu.

Tomek opuścił barkę i wraz ze świtą ruszył przez Cheapside, kierując się przez Old Jewry i ulicę Basinghall ku Guildhall.

Lord Major i ojcowie miasta, w szkarłatnych strojach galowych i złotych łańcuchach, przyjęli Tomka i towarzyszące mu księżniczki z należną czcią, po czym poprowadzili ich do stołu pod bogato zdobiony baldachim. Orszak księcia poprzedzany był heroldami oznajmującymi jego nadejście i niosącymi berło oraz miecz miasta. Panowie i panie, stanowiący świtę Tomka i młodych księżniczek, stanęli za ich krzesłami.

Przy niżej stojącym stole pozasiadali dostojnicy dworu i inni goście wysokich rodów jak również patrycjusze miejscy. Zaproszeni mieszczanie zajmowali miejsca przy mniejszych stołach, zajmujących pokaźną część wielkiej sali.

Posągi olbrzymów Goga i Magoga*, odwiecznych strażników miasta, spoglądały ze swych piedestałów na widowisko, jakich wiele widzieli stojąc tu od niepamiętnych czasów.

Rozległy się dźwięki trąb, potem gromki sygnał i na rusztowaniu znajdującym się wysoko po lewej stronie sali, pojawił się tęgi ochmistrz w otoczeniu służby, uroczyście niosący dymiący kawał pieczonej wołowiny, gotowy do ćwiartowania.

Po modlitwie, Tomek, odpowiednio pouczony, powstał, a wraz z nim wszyscy obecni, i z olbrzymiego złotego pucharu miłości wypił wraz z księżniczką Elizabeth. Księżniczka podała czarę lady Jane, ta zaś z kolei następnym gościom.

W ten sposób rozpoczął się bankiet.

O północy zabawa osiągnęła szczyt, a widzowie mieli okazję podziwiać jedno z owych wspaniałych, barwnych widowisk, tak ulubionych w owych czasach.

Istnieje zachowany opis tego widowiska sporządzony przez naocznego świadka:

„W sali zrobiono miejsce i ukazał się baron w towarzystwie hrabiego. Obaj przebrani byli na modłę turecką w długie szaty z jedwabnego brokatu przetyka-

---

* Gog i Magog – wg legendy brytyjskiej, jedyni pozostali z rasy olbrzymów którzy musieli służyć jako odźwierni w Guildhall (przyp. red.).

nego złotem. Na głowach mieli kapelusze z karmazynowego aksamitu ozdobione grubymi złotymi sznurami. U boków każdy z nich miał na wielkich złotych łańcuchach po dwie krzywe szable, zwane jataganami. Potem zjawił się drugi baron z następnym hrabią w długich szatach z żółtego atłasu z poprzecznymi pasami z białego atłasu, na wzór rosyjski. Na głowach mieli czapy z szarego futra. Każdy z nich w ręku trzymał topór, na stopach zaś mieli buty z zakrzywionymi ku górze, długimi czubami. Po nich wszedł rycerz, potem Wielki Lord Admirał i pięciu szlachciców w kaftanach z karmazynowego aksamitu, wyciętych głęboko z przodu i z tyłu przy szyi i spiętych na piersi srebrnymi łańcuszkami. Na ramionach mieli krótkie płaszcze z czerwonego atłasu, a na głowach kapelusze ozdobione piórami bażantów. Szlachcice ci ubrani byli zwyczajem pruskim. Około stu hajduków przebranych za Maurów w czerwonych i zielonych atłasach, z poczernionymi twarzami, niosło pochodnie. Potem nastąpiły tańce poprzebieranych minstreli, zaś panie i panowie tańczyli z tak dzikim zapałem, że aż miło było patrzeć".

Podczas gdy Tomek przyglądał się ze swego wzniesienia tym „dzikim" tańcom, zachwycony wspaniałą grą barw, migoczących jak w kalejdoskopie, pochłonięty widokiem wirujących poniżej postaci – przed ratuszem ubrany w łachmany, ale prawdziwy książę Walii, starał się wszystkich przekonać, jaka przydarzyła mu się krzywda i jaki prawnie tytuł mu się należy. Dobitnymi słowami piętnował oszusta i domagał się wpuszczenia do Guildhallu.

Otaczający go tłum, ubawiony jego wystąpieniami, cisnął się dokoła wyciągając szyje, aby ujrzeć małego podżegacza. Potem gawiedź zaczęła go przedrzeźniać, szydzić z niego, aby sprowokować do coraz większej wściekłości i znaleźć w ten sposób okazję do nowej wesołości.

Na takie postępowanie, łzy napłynęły do oczu księcia. Nie poddawał się jednak, lecz zachował wobec motłochu książęcą postawę. Kiedy ponownie rozległy się drwiny i zjadliwe docinki, książę zawołał:

– Powiadam wam raz jeszcze, zgrajo nieokrzesana, że jestem księciem Walii! A choć jestem samotny i opuszczony, choć nikt nie wspomoże mnie w niedoli życzliwym słowem ani czynem, to nie ustąpię ze swego urzędu i będę walczył nadal o swoje prawa!

– Jesteś księciem, czy nie, dla mnie obojętne! Ale ponieważ jesteś dzielnym chłopcem, to nie zabraknie ci przyjaciela! Więc staję przy twoim boku, aby udowodnić, że niełatwo znajdziesz wierniejszego przyjaciela niż Miles Hendon. Przestań już mówić i odpocznij chłopcze. Już ja pogadam z tą hołotą ich własnym językiem, który znam bardzo dobrze.

Zachowanie, postawa i strój mówiącego przypominały średniowiecznego błędnego rycerza. Był wysoki, chudy, muskularny. Jego kaftan i spodnie uszyte z dobrego materiału były jednak spłowiałe i wytarte, złote naszycia utraciły blask i sczerniały, a pióro na kapeluszu było połamane, brudne i wyłysiałe od wiatru i deszczu. U boku wisiał mu długi rapier w zardzewiałej blaszanej pochwie. Śmiała i wyzywająca postawa zdradzała człowieka przywykłego do życia wojskowego i obozowego.

Słowa dziwnego wojaka powitano głośnym, szyderczym śmiechem. Niektórzy wołali:

– Jeszcze jeden udaje księcia!

– Pilnuj języka, koleżko, bo ci ktoś przyłoży!

– O, tak! Patrzcie jakie ma wściekłe oczy!

– Weźcie chłopaka i wrzućcie jak szczeniaka do rzeki!

Jakaś, posłuszna temu wezwaniu ręka, już sięgała po księcia, ale równie szybko nieznajomy wydobył szpadę, a napastnik złorzecząc padł na ziemię, uderzony płazem. Natychmiast rozległy się pomocne okrzyki:

– Zabić go, zabić tego psa!

Motłoch otoczył wojaka, który oparł się o mur i jak szalony wymachiwał bronią. Ranni padali na prawo i lewo, ale falujący tłum nie zważając na rannych, parł naprzód, depcząc po tych, co padli, i z nieposkromioną wściekłością napierał na samotnego szermierza. Jego chwile zdawały się policzone, a porażka nieunikniona, gdy nagle rozległy się dźwięki trąb i donośny głos zawołał:

– Miejsce dla królewskiego posłańca!

Oddział jeźdźców wjechał gwałtownym pędem w tłum, który rozstępował się jak mógł najszybciej, uciekając na wszystkie strony.

Nieznajomy porwał księcia w ramiona i wyniósł z tłumu, poza niebezpieczną strefę.

Powróćmy teraz do ratusza.

Nagle gwar zabawy i radosne okrzyki przerwane zostały doniosłym sygnałem trąb. Zapadła głęboka cisza, uroczyste milczenie, a potem rozległ się jedyny głos, głos herolda z pałacu, który wobec stojących mieszkańców ogłosił komunikat. Ostatnie z wymówionych uroczyście słów brzmiały: król nie żyje!

Wszyscy członkowie licznego zgromadzenia mimo woli pochylili nisko głowy i przez kilka minut trwali w głębokim milczeniu. Potem wszyscy padli na kolana, wyciągnęli ręce w kierunku Tomka i z szacownych gardeł wydarł się tak potężny okrzyk, iż wydawało się, że mury się rozpadną: Niech żyje król!

Biedny Tomek oszołomiony tym dziwnym przedstawieniem, wodził posępnym spojrzeniem po klęczących obok niego księżniczkach i hrabim Hertfordzie. Nagle przyszła mu do głowy ekscytująca myśl i z błyszczącymi oczami zapytał lorda Hertforda:

– Proszę mi szczerze odpowiedzieć, zgodnie z sumieniem i honorem. Gdybym wydał teraz rozkaz, który tylko król ma prawo i moc wydawać, czy moja wola byłaby wykonana i nikt by nie próbował się przeciwstawiać?

– Nikt, mój panie, w całym królestwie. Twoja osoba reprezentuje najwyższą władzę Anglii. Jesteś królem, twoje słowo jest prawem.

Wówczas Tomek przemówił głosem mocnym i stanowczym, z niezwykłym dla niego ożywieniem:

– Od dnia dzisiejszego niech prawo królewskie będzie prawem miłosierdzia, a nie prawem krwi! Powstańcie z kolan, a lord Hertford niech śpieszy wykonać moją wolę! Prędko do Tower, ogłoście, iż wolą króla jest, aby książę Norfolk został uwolniony*!

Jego słowa skwapliwie podchwycono, podając je z ust do ust, a gdy lord Hertford odszedł, aby spełnić rozkaz królewski, rozległ się drugi oszałamiający okrzyk:

– Koniec z rządami krwi! Niech żyje Edward, król angielski!

* Patrz 7. przypis autora na str. 246.

ROZDZIAŁ XII

Książę i jego wybawca

Gdy tylko Miles Hendon i mały książę wydostali się z tłumu, skierowali się szybko bocznymi uliczkami i wąskimi zaułkami w stronę rzeki. Teraz nie natrafiali na żadne przeszkody i szybko znaleźli się na London Bridge. Tutaj znowu wmieszali się w tłum, a Hendon mocno trzymał księcia, a raczej już króla, za rękę.

Dramatyczna nowina rozniosła się już po mieście i chłopiec dowiedział się ze wszystkich stron na raz:

– Król nie żyje!

Na tę wieść serce biednego, bezdomnego chłopca skurczyło się boleśnie, a całe jego ciało zadrżało. Doskonale rozumiał rozmiar poniesionej straty i pełen był gorzkiego bólu. Okrutny tyran, którego wszyscy się lękali, jego traktował zawsze z niezwykłą czułością. Łzy smutku napłynęły chłopcu do oczu przesłaniając wszystko dokoła. Czuł się teraz najmarniejszą, najbardziej opuszczoną, najbardziej bezradną istotą na świecie.

Nagle jak donośny grzmot zabrzmiał w powietrzu inny okrzyk:

– Niech żyje król Edward Szósty!

Wówczas oczy mu jasno zabłysły, a przez ciało przeszedł dreszcz dumy.

– Ach – pomyślał – jak wspaniale i dziwnie brzmią te słowa – JESTEM KRÓLEM!

Młody król i Miles Hendon przepychali się powoli przez zebrany na moście Londyńskim tłum.

London Bridge, który liczył już wówczas sześć stuleci, a zawsze był niezmiernie gwarną i zatłoczoną arterią, przedstawiał osobliwy widok. Po obu stronach mostu od jednego brzegu do drugiego stały gęsto tuż przy sobie kramy, sklepy, warsztaty, magazyny nad którymi znajdowały się mieszkania. Most był niejako niezależnym miastem. Miał własny zajazd, własne karczmy, piekarnie, pasmanterie, bazar, warsztaty rzemieślnicze, a nawet własny kościół. London Bridge nawet trochę wyniośle spoglądał na dwa sąsiednie miasta, które łączył. Londyn i Southwark traktował jako mało ważne przedmieścia. Most był samodzielną korporacją, miasteczkiem, składającym się co prawda z tylko jednej, wąskiej, ale bardzo długiej ulicy. Jego ludność nie była liczniejsza niż miała przeciętna wieś, każdy dobrze znał sąsiada, znał jego ojca i matkę i wszystkie rodzinne sprawy.

Most miał oczywiście i swoją arystokrację. Dobre, stare familie piekarzy, rzeźników i innych zawodów, mieszkające od pięciuset czy sześciuset lat w tym samym miejscu i dokładnie znające historię mostu, znające wszystkie osobliwe podania, jakie łączono z tym miejscem. Familie te porozumiewały się dialektem mostu, myśleli sposobem jak mieszkańcy mostu, nawet kłamali jak tylko na moście potrafiono – barwnie, zuchwale, wyczerpująco. Stanowili zaskorupiałą, ciemną i zadowoloną z siebie społeczność.

Na moście rodziły się dzieci, tam się wychowywały, ludzie osiągali sędziwy wiek, a potem umierali nie postawiwszy stopy w innej części miasta. Mieszkańcy mostu wyobrażali sobie, że ludzki potok płynący przez most dniem i nocą w gwarze i wrzawie głosów, z wyciem i beczeniem bydła, z głośnymi stukotem końskich podków, jest najważniejszą i jedyną rzeczą na świecie, oni zaś są niejako posiadaczami tej cudownej rzeczy. I trochę nimi byli, bo mogli oglądać to nieustające zjawisko ze swoich okien. Nierzadko wynajmowali okna za pieniądze lub dobre słowo, gdy przejeżdżał powracający z wojny król lub inny bohater ściągający na most większe niż zwykle tłumy. W całym mieście nie było lepszego miejsca, z którego można by oglądać w całej okazałości wspaniałe i długie pochody.

Życie w innych okolicach wydawało się mieszkańcom mostu bezgranicznie nudne i monotonne. Opowiadają o pewnym człowieku, który mając siedemdziesiąt jeden lat przeprowadził się z mostu na wieś, ale nie zaznał tam spokoju, nie mógł zasnąć, cisza dręczyła go i napawała trwogą. Gdy już nie mógł dłużej wytrzymać, wrócił do swojego dawnego mieszkania. Wychudły i wynędzniały jak zjawa, dopiero tutaj zaznał niegdysiejszego spokojnego snu, gdy fale mocno uderzały o przęsła, a wozy przejeżdżały z hukiem i wrzawą.

W czasach, o których mówimy, London Bridge stanowił niejako „lekcję poglądową" historii Anglii dla jej mieszkańców. Na stalowe piki, sterczące przy bramach wjazdowych, nadziane były poszarzałe, rozkładające się głowy sławnych ludzi.

Ale trochę odbiegliśmy od tematu. Hendon mieszkał w małym zajeździe na moście. Gdy właśnie zbliżał się z księciem do drzwi, usłyszeli jakiś ochrypły głos:

– Aaa, jesteś nareszcie! Teraz już mi się nie wywiniesz, gwarantuję ci. Połamię ci kości, żebyś nauczył się posłuszeństwa i nie kazał mi znowu czekać na siebie...

I John Canty wyciągnął rękę, żeby chwycić chłopca. Ale Miles Hendon stanął między nimi i krzyknął:

– Chwila, nie tak szybko! Niepotrzebnie się pieklisz. Co cię obchodzi ten chłopak?

– Jeżeli musisz wciskać nos w nie swoje interesy, to mogę ci powiedzieć, że to mój syn!

– On łże! – wybuchnął mały król.

– Ostro powiedziane, ale ja ci wierzę bez względu na to, czy tak jest czy nie. Nawet gdyby ten łajdak był twoim ojcem, nie dopuszczę, żeby cię miał bić i łajać jak groził, o ile oczywiście wolisz zostać ze mną.

– Wolę, wolę, ja go w ogóle nie znam, brzydzę się nim i wolałbym umrzeć niż z nim pójść.

– W takim razie sprawa załatwiona i nie musisz nic więcej mówić.

– Zobaczymy, czy załatwiona! – zawołał John Canty starając się ominąć Hendona, żeby chwycić chłopca. Ja go zaraz siłą...

– Tylko go dotknij, kanalio, a nadzieję cię jak gęś na rożen! – powiedział Hendon, zastępując mu drogę i kładąc dłoń na rękojeści. Canty cofnął się.

– Teraz słuchaj – ciągnął Hendon – wziąłem tego chłopca pod opiekę, kiedy zgraja takich łajdaków jak ty chciała go skrzywdzić, a może zabić. Może ci się zdaje, że teraz go wydam na jeszcze gorszy los? Bo czy jesteś jego ojcem, czy nie, a myślę, że kłamiesz, to nagła śmierć byłaby lepsza dla tego malca niż życie z takim oprychem jak ty. Więc wynoś się stąd i to szybko. Nie lubię dwa razy mówić, bo z natury jestem mało cierpliwy.

John Canty odszedł klnąc i złorzecząc, i po chwili zniknął w tłumie.

Hendon razem z chłopcem wszedł na drugie piętro do swojego pokoju, wydawszy po drodze polecenie, aby przyniesiono coś do jedzenia.

Pokój był niewielki i ubogi, umeblowany prostym łóżkiem i kilkoma innymi starymi, zniszczonymi sprzętami. Za całe oświetlenie służyła para rachitycznych świeczek.

Mały król wyczerpany głodem i dniem pełnym przeżyć z trudem dowlókł się do łóżka i padł na nie bez sił. Przez większą część ostatniej doby był na nogach, teraz dochodziła trzecia nad ranem, a przez cały ten czas nic nie jadł. Zasypiając mruknął jeszcze pół przytomnie:

– Obudź mnie, gdy podadzą do stołu...

I natychmiast zapadł w głęboki sen. Hendon mrugnął wesoło oczami.

– Doprawdy, ten mały włóczęga z taką swobodą bierze moją kwaterę w posiadanie i zajmuje moje łóżko, jakby mu się to zawsze należało. Bez przeproszenia, zapytania o pozwolenie, czy choćby jednego słówka usprawiedliwienia. Wygłaszając przedtem swoje obłędne przemówienie nazwał się księciem Walii, a teraz dzielnie gra swoją rolę. Biedny chłopak, na pewno brutalne traktowanie odebrało mu rozum! Ale wytrwam przy nim jako przyjaciel. Uratowałem go, a serce dziwną mocą ciągnie mnie ku niemu. Jak zawadiacko stał naprzeciw motłochu nie dając się zbić z tropu drwinami! Będę go uczyć, spróbuję wyleczyć go z obłędu. Tak, będę nad nim czuwał i chronił go jak starszy brat młodszego, a kto by chciał go skrzywdzić, może sobie zawczasu zamówić trumnę, bo nawet gdyby mnie za to czekał stos, nie ujdzie żywy!

Pochylił się nad chłopcem, obserwując go ze współczującym zainteresowaniem. Hendon mruknął do siebie:

– A to znowu poważna nierozwaga, pozwolić mu tak leżeć bez przykrycia! Mógłby się śmiertelnie przeziębić. Ale co zrobić? Jeżeli go podniosę, żeby wsunąć go pod kołdrę, przebudzi się, a sen jest mu bardzo potrzebny.

Rozejrzał się za jakimś innym przykryciem, a że nic nie znalazł, zdjął kaftan, otulił nim chłopca i szepnął z uśmiechem:

– Ja jestem przyzwyczajony do chłodu i lekkiego ubrania, mnie wszystko jedno.

Potem zaczął przechadzać się po izdebce, żeby się rozgrzać i dalej ciągnął swój monolog:

– Biedny chłopiec sfiksował i wyobraża sobie, że jest księciem Walii. A jeszcze dziwniejsze jest to, że tu jest rzekomy książę Walii, podczas gdy ten prawdziwy, jest już królem! W swym wariactwie chłopiec nadal będzie utrzymywał, że jest księciem Walii zamiast zrezygnować z tego tytułu i nazwać się królem... Mam nadzieję, że mój ojciec jeszcze żyje i chociaż minęło siedem lat, przez które błąkałem się po świecie i nic o nim nie słyszałem, przyjmie tego zucha życzliwie i z miłości do mnie zapewni mu schronienie. Arthur, mój starszy brat też pewnie chętnie się na to zgodzi. Mój młodszy brat, Hugh – jemu rozwalę łeb, gdyby się sprzeciwiał, jest tchórzem i obłudnikiem! Tak, pojedziemy do domu – i to jak najprędzej.

Wszedł służący z dymiącym posiłkiem, ustawił półmiski na małym stoliku, przysunął do niego dwa krzesła i wyszedł, uważając, że tak skromni goście mogą sami sobie usługiwać. Głośne trzaśniecie drzwiami obudziło chłopca, który wyprostował się i wesoło rozejrzał dokoła. Szybko jednak posmutniał i powiedział półgłosem, ciężko wzdychając:

– To był tylko sen, jaka szkoda!

W tym samym momencie jego wzrok padł na kaftan Milesa Hendona. Zrozumiał jaką ofiarę poniósł dla niego Hendon i rzekł łagodnie:

– Jesteś dla mnie dobry, bardzo dobry. Weź i nałóż go, mnie nie jest już potrzebny.

Potem wstał, podszedł do umywalki w kącie i zastygł przed nią zastanawiając się nad czymś.

– No, bierzmy się do jedzenia – powiedział Hendon wesoło – wszystko jest smaczne i gorące. Posiłek i sen szybko przywrócą ci siły, jestem tego pewien.

Chłopiec nie odpowiedział, tylko spojrzał na wojaka wielkimi, zdumionymi oczami, z lekkim wyrazem zniecierpliwienia. Hendon zapytał stropiony:

– Na co czekasz?

– Dobry panie, chciałbym się umyć.

– O, jeżeli tylko o to chodzi! Nie potrzebujesz mojego pozwolenie, jeżeli sobie czegoś życzysz. Czuj się jak u siebie w domu. Możesz wszystkim rozporządzać.

Ale chłopiec nadal stał bez ruchu. Nawet kilka razy niecierpliwie tupnął nogą w podłogę. Hendon nie wiedział co to ma znaczyć i zapytał zdziwiony:

– Na Boga, czego jeszcze potrzebujesz?

– Proszę cię, nalej mi wody i nie mów tak dużo.

Hendon z trudnością pohamował wybuch śmiechu i pomyślał:

– Niech mnie gęś kopnie, on chyba przesadza!

Zerwał się jednak szybko i spełnił zuchwałe żądanie chłopca. Stał jeszcze przy nim w zamyśleniu, gdy drugi rozkaz wyrwał go nagle z zadumy:

– A teraz ręcznik!

Wziął ręcznik, który wisiał tuż obok chłopca i podał mu go bez sprzeciwu.

Potem umył sobie twarz, a gdy jeszcze był tym zajęty, chłopiec usiadł już przy stole i zaczął jeść. Hendon szybko więc dokończył się myć, przysunął sobie drugie krzesło i chciał usiąść, gdy chłopiec zawołał z najwyższym oburzeniem:

– Chwila! Chcesz usiąść w obecności króla!?

Okrzyk ten zupełnie stropił Hendona. On chyba naprawdę oszalał – mruknął do siebie. – Ale z drugiej strony zauważył zmianę, jaka dokonała się w państwie i przybrał teraz postać króla! Niech i tak będzie, nie będę mu się sprzeciwiać. W przeciwnym razie jeszcze by mnie wpakował do Tower!

Śmiejąc się w duchu ze swoich myśli odsunął krzesło od stołu, stanął za krzesłem króla i zaczął mu usługiwać, w sposób najbardziej wytworny, na jaki go było stać.

W miarę jedzenia srogość monarchy nieco zmiękła, a wraz z miłym uczuciem sytości król nabrał ochoty do pogawędki.

– Jeżeli dobrze pamiętam – zaczął – nazywasz się Miles Hendon?

– Tak jest, najjaśniejszy panie – odparł Miles. W duchu zaś pomyślał: Skoro zdecydowałem się przytakiwać temu chłopcu, to muszę też tytułować go najjaśniejszym panem i jego królewską mością. Nie mogę stawać w połowie drogi, trzeba grać swoją rolę do końca, w przeciwnym razie zepsułbym całą zabawę i udaremnił dobry zamiar, jaki sobie postawiłem.

Król dla wzmocnienia wypił drugą miarkę wina i rzekł:

– Pragnąłbym bliżej cię poznać. Opowiedz mi dzieje swego życia. Widzę, iż masz rycerski, prawy charakter. Czy pochodzisz ze szlacheckiego rodu?

– Należymy do szlachty, Wasza Królewska Mość. Mój ojciec jest baronetem – właścicielem niewielkich dóbr lennych*. Nazywa się sir Richard Hendon z Hendon Hall, w pobliżu Monk Holm w hrabstwie Kent.

– Nie przypominam sobie tego nazwiska, ale proszę, mów dalej.

– Nie są to losy zbyt interesujące, Wasza Królewska Mość, ale z braku lepszego tematu zajmę opowieścią jakieś pół godzinki. Mój ojciec, sir Richard, jest człowiekiem bardzo bogatym i wspaniałomyślnym. Matkę straciłem wcześnie, gdy byłem jeszcze małym chłopcem. Mam dwóch braci. Starszy, Arthur, odziedziczył szlachetny charakter ojca, natomiast młodszy Hugh zawsze odznaczał się złośliwością, skąpstwem i zdradzieckim charakterem. Taki był jako małe dziecko, taki był dziesięć lat temu, kiedy widziałem go ostatni raz: nieposkromiony dziewiętnastoletni łotr. Miałem wtedy dwadzieścia lat, Arthur dwadzieścia jeden. W domu nie było nikogo więcej prócz kuzynki, lady Edith, która miała wówczas szesnaście lat i odznaczała się

---

* Hendon ma na myśli rycerską klasę baronetów (*barones minores*). W przeciwieństwie do mianowanych przez parlament baronów. Nie dotyczy to ustanowionego w późniejszych czasach stopnia szlacheckiego. (przyp. autora).

urodą, łagodnością i dobrocią. Była córką hrabiego, ostatnią z rodu. Wraz z nią wygasał słynny przez wieki tytuł. Była więc dziedziczką wygasłego tytułu i wielkiego majątku. Mój ojciec był jej opiekunem. Kochałem ją, a ona mnie, ale jeszcze w kołysce przeznaczono ją na żonę mojemu bratu Arthurowi. Ojciec nigdy by nie dopuścił, aby ta umowa została zerwana. Ale Arthur kochał inną dziewczynę i dodawał nam odwagi, kazał nam nie tracić nadziei, że cierpliwość i pomyślny los pozwolą nam kiedyś osiągnąć cel naszych pragnień. Hugh marzył jedynie o majątku Edith, chociaż twierdził, że ją kocha. Kłamał zawsze i we wszystkim, taką miał naturę. Jednak wszelkie jego oszustwa mogły zwieść tylko ojca. Hugh był najmłodszy i zazwyczaj jest to wystarczający powód, aby otoczyć dziecko szczególną miłością. Ojciec najbardziej go kochał z naszej trójki, wierzył mu i ufał we wszystkim. Hugh miał przy tym umiejętność gładkiego mówienia i dar przekonywania. Był mistrzem w kłamstwie i z łatwością udało mu się podejść ojcowską ślepą miłość. Ja byłem narwany, muszę to przyznać, i zachowywałem się jak szalony. Była to jednak wada, która nie przynosiła nikomu szkody, krzywdy lub straty, oprócz mnie samego. Nie narażała też na szwank mojego szlacheckiego pochodzenia.

Ale mój brat, Hugh, umiał wykorzystać moje zuchwałe żarty i potknięcia dla swoich celów. Widział, że zdrowie Arthura było słabowite, przyszło mu do głowy, że dobrze byłoby pozbyć się mnie na wypadek, gdyby pierworodny brat miał umrzeć... i... ale wybacz, panie, nie warto opowiadać w detalach całej tej historii. Krótko mówiąc, brat sprytnie wyolbrzymił moje grzeszki, które urosły do przestępstw, a swoją zdradziecką robotę ukoronował tym, iż wynalazł w moim pokoju sznurową drabinkę, którą tam własnoręcznie podłożył i, przy pomocy tego dowodu, jak również fałszywych opinii przekupionej służby, zdołał przekonać ojca, że zamierzałem porwać lady Edith i poślubić ją wbrew jego woli.

Ojciec zadecydował, że za karę zostanę wygnany na trzy lata z rodzinnego domu i z Anglii. Uważał, że to wystarczy, abym stał się mężczyzną, żołnierzem i się ustatkował. Przeżyłem ten okres próby wojując na kontynencie, a dostatecznie przy tym zakosztowałem ciężkich ciosów, niedostatków i zmiennego losu. Ale po jednej bitwie dostałem się do niewoli i ostatnie siedem lat, spędziłem w nieprzyjacielskim lochu. Dzięki przytomności umysłu i odwadze udało mi się wreszcie wydostać z niewoli. Natychmiast wróciłem do kraju, dokąd przybyłem niedawno, bez pieniędzy i bez rzeczy, a co gorsze, bez świadomości, co się działo w Hendon Hall podczas mojej długiej nieobecności. I oto cała moja historia.

– Strasznie cię skrzywdzono! – zawołał mały król z błyskami w oczach. – Ale przysięgam na krzyż, że pomogę ci w odzyskaniu należnych praw! Przyrzeka ci to król.

Chłopiec poruszony opowiadaniem Milesa Hendona ożywił się i opowiedział zdumionemu słuchaczowi swoje niedawne, fatalne przygody.

Kiedy skończył, Miles pomyślał: ten chłopiec ma fantastyczną wyobraźnię! Naprawdę, nieprzeciętny umysł. Chory czy zdrowy, trudno wymyślić tak zdumiewającą historię, jaką mi przed chwilą opowiedział. Biedny chłopak! Nie zbraknie mu przyjaciela i schronienia, dopóki żyję. Nigdy go nie opuszczę, zrobię go swoim wychowankiem, swoim uczniem. I wyleczę go. Musi być zdrowy i wesoły, a wtedy stanie się sławnym człowiekiem, z którego będę dumny. A ludziom powiem: kiedyś przygarnąłem go jak był małym, bezdomnym obszarpańcem, ale wiedziałem, że stanie się sławny, patrzcie, czy nie miałem racji?

Król przerwał jego rozmyślania mówiąc uroczystym głosem:

– Obroniłeś mnie przed hańbą i obelgami, może nawet przed śmiercią, wyświadczając w ten sposób niezmierną przysługę koronie. Taki czyn zasługuje na nagrodę. Możesz poprosić o jaką chcesz łaskę, a jeśli w mojej królewskiej mocy będzie spełnienie twojego życzenia, zostanie spełnione.

Ta niezwykła przemowa zbudziła Hendona z zamyślenia.

W pierwszej chwili zamierzał podziękować królowi i zakończyć sprawę mówiąc, iż zrobił tylko to co uważał za konieczne i nie wymaga nagrody, gdy nagle przyszła mu do głowy sprytna myśl, i poprosił o chwilę na zastanowienie się nad wspaniałomyślną propozycją monarchy. Król zgodził się z powagą dodając, że w sprawie tak wielkiej wagi najlepiej zbytnio się nie śpieszyć z odpowiedzią.

Miles zastanawiał się przez dłuższą chwilę, myśląc sobie w duchu: tak muszę zrobić, inaczej tego nie osiągnę, a doświadczenie ostatniej godziny nauczyło mnie, jak niewygodne będzie dla mnie, gdyby obecny stan trwał dłużej. Tego zażądam! Dobrze, że nadarzyła się ta sposobność.

Potem przyklęknął na kolano i rzekł:

– Moja drobna przysługa była tylko spełnieniem obowiązku poddanego, nie zasługuje więc na nagrodę, jeśli jednak Wasza Królewska Mość uważa mój czyn za godny nagrodzenia, pozwalam sobie wypowiedzieć swoją prośbę. Jak ci wiadomo, Najjaśniejszy Panie, przed blisko czterystu laty powstał spór pomiędzy królem angielskim Johnem a królem Francji. Postanowiono no wówczas, że dwaj szermierze wstąpią w szranki, a ich walka jako sąd boży, jak to wówczas nazywano, rozstrzygnie spór. Zebrali się więc owi dwaj skłóceni królowie, jak również król hiszpański, aby przyglądać się walce i zadecydować, kto zwyciężył. Pierwszy pojawił się rycerz francuski. Ale jego widok był tak przerażający, że żaden z angielskich rycerzy nie odważył się z nim zmierzyć. Zdawało się więc, że ten ważny spór zostanie rozstrzygnięty na niekorzyść króla Anglii.

Otóż w tym czasie w więzieniu Tower znajdował się lord de Courcy, najdzielniejszy szermierz Anglii, pozbawiony wszelkich zaszczytów i posiadłości, wyczerpany długim więzieniem. Zwrócono się więc do niego. Rycerz ów zgodził się przystąpić do walki i uzbrojony przybył na plac boju. Zaledwie jednak Francuz ujrzał jego olbrzymią postać i usłyszał jego słynne imię, uciekł z placu, a tym samym król francuski przegrał sprawę.

Król John przywrócił panu de Courcy jego tytuły i skonfiskowane dobra i rzekł: mów czego żądasz za swój czyn, a dam ci, choćby to miało być połową mojego królestwa!

Wówczas de Courcy przyklęknął, jak ja to teraz czynię i rzekł pokornie: więc spełnij, królu, moją prośbę, abyśmy ja i moi potomkowie mieli przywilej przebywania w obecności angielskich królów w nakryciu głowy, dopóki będzie istnieć tron w Anglii*.

Jak Waszej Królewskiej Mości wiadomo, łaska ta została lordowi de Courcy przyznana. Przytoczyłem ten przypadek na poparcie swojej prośby. Błagam Waszą Królewską Mość o okazanie mi swojej przychylności i łaski, która będzie dla mnie niezasłużoną nagrodą i zezwolenie mi na jedną tylko rzecz – abyśmy ja i moi potomkowie mieli po wszystkie czasy przywilej siedzenia w obecności króla Anglii.

– Powstań, sir Milesie Hendon, pasuję cię na rycerza – rzekł król uroczyście, uderzając klęczącego Hendona po ramieniu jego własną szpadą – powstań i siadaj. Twoja prośba została przyjęta. Póki istnieć będzie

---

* Lordowie Kingsale, potomkowie rodu de Courcy, korzystają do dziś z tego osobliwego przywileju (przyp. autora).

Anglia i trwać tron angielski, przywilej ten będzie przysługiwał tobie i twoim potomkom.

Król począł się przechadzać w zamyśleniu po izdebce, zaś Hendon siadł przy stole i pomyślał: miałem szczęśliwy pomysł, w samą porę przyszedł mi do głowy, bo nogi porządnie mnie już bolą. Gdybym nie wpadł na tę myśl, musiałbym całymi tygodniami stać, dopóki biedny chłopiec nie wyleczyłby się ze swojej choroby.

Po chwili dodał w myśli: zostałem teraz rycerzem w Królestwie Marzeń i Cieniów! Dość osobliwa pozycja dla takiego materialisty jak ja. Ale nie będę się z tego śmiał. Na pewno nie, bo to, co dla mnie jest urojeniem, dla niego jest rzeczywistością.

Po ponownej pauzie dodał: żeby mnie tylko nie tytułował w ten szumny sposób przy obcych! Za duży kontrast byłby między tak wytwornym tytułem, a moim znoszonymi ubraniem! Ale co tam, niech mnie tytułuje jak chce, wszystko mi jedno.

ROZDZIAŁ XIII

Zniknięcie księcia

Dwaj towarzysze niedoli nagle poczuli senność.

– Ściągnij ze mnie te łachmany! – rzekł król i wskazał na swoje ubranie.

Hendon bez sprzeciwu pomógł mu się rozebrać, położył go do łóżka i otulił kołdrą, potem rozejrzał się pytająco po pokoju i pomyślał: no, znowu położył się do mojego łóżka, a co ja mam robić?

Mały król spostrzegł jego pytający wzrok i swobodnie powiedział:

– Połóż się przy drzwiach i strzeż mnie.

Chwilę potem upragniony sen uwolnił go od wszelkich trosk.

– Ten chłopak rzeczywiście urodził się na króla! – pomyślał Hendon z podziwem. – Świetnie gra swoją rolę.

Z zadowoleniem wyciągnął się na podłodze przy drzwiach i rzekł w duchu: przez te siedem lat bywało mi gorzej. Byłbym niewdzięcznikiem, gdybym teraz narzekał.

I zasnął, podczas gdy na dworze zaczynało już świtać.

Koło południa Hendon wstał i zmierzył sznurkiem swego śpiącego wychowanka. Gdy skończył, król obudził się ze skargą, że wojak mu przeszkadza i zapytał, co to ma znaczyć.

– Już nie będę, panie – rzekł Hendon. – Muszę załatwić jeszcze pewien sprawunek, ale zaraz wrócę. Śpij dalej, musisz się dobrze wyspać, potrzebny jest ci wypoczynek. Pozwól, że cię przykryję i głowę również, to szybciej się rozgrzejesz.

Zanim Hendon dokończył zdanie, król już spał.

Miles wyszedł bez szelestu, a po trzech kwadransach wrócił równie cicho, niosąc pod pachą używane, ale w bardzo dobrym stanie, czyste ubranie.

Usiadł, raz jeszcze obejrzał swój nabytek i mruknął:

– Jak bym miał trochę więcej pieniędzy mógłbym kupić coś lepszego, ale trzeba się dostosować do sytuacji, a kto ma pustą kieszeń nie może być wybredny...

W miasteczku naszym niegdyś mieszkała
Młodziutka i piękna pani...

– Chyba poruszył się... Muszę śpiewać ciszej, żeby chłopak dobrze się wyspał przed długą podróżą, która nas czeka. Taki był zmęczony... Kaftan niczego sobie, zacerować w paru miejscach, a będzie w porządku. Spodnie nie gorsze, ale też trzeba podszyć... Buty za to dobre i mocne. To dopiero będzie niespodzianka, on na pewno przez okrągły rok biega boso, latem i zimą... Jakby jedzenie było tak tanie jak nici... Za ćwierćpensa dostałem tyle, że pewnie wystarczy na lata, a na dodatek igłę za darmo. Ale cholernie ciężko będzie nawlec!

To była prawda. Hendon nawlekał jak wszyscy mężczyźni, mianowicie igłę trzymał nieruchomo i starał się wsunąć nitkę w jej ucho. Kobiety robią to odwrotnie. Nitka stale chybiała celu albo się rozdwajała, ale Hendon wytrzymał tę próbę cierpliwości. Wreszcie udało mu się dokonać tego dzieła. Przełożył sobie kaftan przez kolano i zabrał się do cerowania.

– Gospodarzowi zapłaciłem już za wszystko, nawet za śniadanie, które zaraz dostaniemy. Pozostało mi jeszcze dość, żeby kupić parę osłów i zapas jedzenia na trzy dni. Potem będziemy mieli w Hendon Hall wszystkiego pod dostatkiem.

Kochała męża swe...

– Do licha! Wbiłem sobie igłę pod paznokieć... Ale to nic... to się może zdarzyć... Ale dobrze nam będzie w domu, przyrzekam ci to! A kiedy się skończy nędza, to opuści cię i szaleństwo...

> *Kochała męża swego wiernie*
> *Chociaż miłował ją inny...*

– Jakie piękne, eleganckie ściegi! – mruczał podziwiając swoją robotę – są takie wielkie i majestatyczne, że na te drobne ściegi jakiegoś tam krawczyny mogą spoglądać z góry...

> *Kochała męża swego wiernie*
> *Chociaż miłował ją inny panicz*

– No, teraz gotowe. Niezła robota i poszło dosyć szybko. Teraz muszę go obudzić i ubrać, naleję mu wody, podam miskę, a potem pójdziemy na bydlęcy targ do Southwark i... proszę cię, wstań panie! – nie odpowiada – wstańże, dostojny panie! – Niestety muszę uchybić jego czcigodnej osobie i potrząsnąć go za ramię, jeżeli wołanie go nie budzi. Co to!?

Uniósł kołdrę, ale chłopca nie było!

Hendon rozejrzał się dokoła w niemym zdumieniu i dopiero teraz zauważył, że nie było też łachmanów chłopca. Wściekły zaczął biegać tam i z powrotem po pokoju wołając gospodarza. Zaraz zjawił się służący z zamówionym śniadaniem.

– Wytłumacz mi to, diabelski pomiocie, a jak nie, to koniec z tobą! – zawołał wojak chwytając przerażonego służącego. – Gdzie chłopak?

Służący, jąkając się i zacinając, wyjaśnił.

– Ledwo wielmożny pan wyszedł z domu, przybiegł jakiś wyrostek i powiedział, że wielmożny pan życzy sobie, żeby ten chłopiec zaraz przyszedł na koniec mostu, od strony Southwark. Zaprowadziłem go na górę.

Kiedy wszedł do izby, obudził chłopca i powiedział mu o co chodzi, mały bardzo się rozgniewał, że go obudzono „tak wcześnie", ale zaraz się ubrał i poszedł z tym chłopakiem. Uważał tylko, że byłoby bardziej na miejscu, gdyby wielmożny pan sam przyszedł po niego, zamiast kogoś przysyłać, a potem...

– A potem jesteś durniem! Bałwanem, który daje się okpić. Matołkiem, godnym szubienicy! Może się jeszcze nic złego nie stało. Może ten wyrostek nic złego nie chciał. Nakryj tymczasem do stołu. Nie, stój! A jak się to stało, że kołdra ułożona była w ten sposób, jakby chłopiec leżał jeszcze w łóżku? Czy to przypadek?

– Nie wiem, wielmożny panie. Widziałem, że wyrostek kręcił się koło łóżka, ale nie wiem nic więcej.

– Do stu tysięcy diabłów! Zrobił to, żeby mnie oszukać. To przecież jasne jak słońce, zależało im na czasie. A niech cię...! Czy ten chłopak, przysłany tutaj, był sam?

– Zupełnie sam, wielmożny panie.

– Jesteś pewien?

– Zupełnie pewien, wielmożny panie.

– Przypomnij sobie, nie śpiesz się, pomyśl, człowieku.

Po długim namyśle służący dopowiedział:

– Kiedy przyszedł, był sam, ale teraz sobie przypominam, że kiedy obaj chłopcy zmieszali się z tłumem na moście, jakiś wysoki drab o podejrzanym wyglądzie wybiegł zza domu i właśnie w chwili, gdy do nich podszedł...

– Co dalej? Gadaj, co dalej?! – zawołał Hendon, przerywając mu niecierpliwie.

– Właśnie w tej chwili zniknęli w tłumie... więc dalej nic nie wiem. Gospodarz zawołał mnie, był na mnie wściekły, że zapomniałem o pieczeni, którą zamówił pan rejent, a kiedy go chciałem przekonać, że winić za to mnie to tyle, co oskarżać nienarodzone jeszcze niemowlę...

– Wynoś mi się, bałwanie! Twoje gadulstwo doprowadza mnie do szału! Stój! Dokąd się tak śpieszysz?

Nie możesz ustać chwili na miejscu? Czy poszli w stronę Southwark?

– Tak jest, wielmożny panie i, jak mówię, co do pieczeni, jestem niewinny jak nienarodzone dziecię, a gospodarz...

– Jeszcze gadasz! Będziesz cicho? Znikaj stąd, póki cię nie udusiłem!

Służący uciekł. Hendon pobiegł za nim i przegonił na schodach, skacząc po dwa i trzy stopnie na raz.

– To pewnie ten łotr – myślał – który podawał się za jego ojca. Więc straciłem cię, biedny, obłąkany królu. A tak cię już serdecznie polubiłem! Nie! Na wszystkie świętości, nie straciłem ciebie! Przeszukam cały kraj, a muszę cię znaleźć. Biedne dziecko, tam na górze czeka twoje śniadanie, i moje, ale mnie już się nie chce jeść, więc niech je szczury zjedzą. Prędzej, prędzej! To teraz dla nas najważniejsze!

Przepychając się przez tłum na moście powtarzał sobie raz po raz, jak gdyby ta myśl była dla niego szczególnie pocieszająca: narzekał, ale poszedł. Poszedł, bo myślał, że to ja go wzywam. Kochany chłopiec. Dla kogo innego by tego nie zrobił, jestem pewien.

ROZDZIAŁ XIV

„Le roi est mort – vive le roi!"*

O świcie tego samego dnia Tomek Canty obudził się z niespokojnego snu, kiedy jeszcze dokoła panowały ciemności. Leżał przez pewien czas bez ruchu, usiłując zebrać oderwane myśli i wspomnienia. Chciał odnaleźć w nich jakiś sens, potem powiedział półgłosem, uradowany:

– Już wszystko wiem, wszystko! Dzięki Bogu, wreszcie się obudziłem, nie mam się już czego obawiać! Precz ze smutkami! Hej, Nan, Bet! Wyłaźcie ze słomy! Muszę wam opowiedzieć najgłupszy sen, jaki mi się kiedykolwiek przyśnił!... Hej, Nan, prędzej! Bet!...

Jakaś ciemna postać stanęła przy nim i wydała z siebie głos:

– Jestem na twoje rozkazy, panie!

– Rozkazy?... O, ja biedny, poznaję ten głos! Mów, kim jestem?

– Ty? Wczoraj jeszcze byłeś księciem Walii, dziś jesteś najmiłościwiej nam panującym Edwardem, królem Anglii.

Tomek ukrył twarz w poduszkach i jęknął:

– Ach, więc to nie był sen! Połóżcie się z powrotem, zacny panie, mnie pozostawcie z moimi zgryzotami.

Zasnął znowu i po chwili miał bardzo przyjemny

---

* Le roi est mort... (franc.) – król umarł, niech żyje król. Okrzyk, którym w dawnej Francji, przyjmowano wiadomość o śmierci króla, a tym samym witano jego następcę (przyp. red.).

sen. Śniło mu się, że jest lato, a on bawi się zupełnie sam na pięknej łące, zwanej Goodman's Fields, gdy nagle stanął przed nim karzełek z rudymi bokobrodami i garbem.

– Kop koło tego pnia – powiedział karzełek. Tomek zaczął kopać i znalazł dwanaście błyszczących nowością pensów. Co za wspaniały skarb! Ale to nie koniec, bo karzełek mówi teraz:

– Znam cię. Jesteś dobrym chłopcem, chcę coś dla ciebie zrobić. Skończyła się twoja nędza, czekają cię teraz dobre czasy. Co siedem dni kop w tym miejscu, a zawsze znajdziesz taki sam skarb: dwanaście nowiutkich pensów. Ale pamiętaj – nikomu o tym nie mów!

Potem karzełek znika, a Tomek biegnie ze swoim skarbem na Offal Court, mówiąc do siebie w duchu:

– Co wieczór będę dawał ojcu jednego pensa. Będzie myślał, że go wyżebrałem, będzie zadowolony i nie będzie mnie więcej bił. Jednego pensa co tydzień będę dawał dobremu księdzu, który mnie uczy. Pozostałe cztery pensy dam mamie, Nan i Bet. Nie będziemy już więcej głodować, ani chodzić w łachmanach i nie będziemy się musieli bać bicia.

We śnie zbliża się do nędznego mieszkania rodziców; bez tchu biegnie do matki, rzuca jej na kolana cztery świecące monety i woła:

– To wszystko dla ciebie, mamo! Wszystko, wszyściutko, co do grosza! Dla ciebie i dla Nan i Bet. To uczciwie zdobyte pieniądze, nie wyżebrane, ani ukradzione!

Szczęśliwa i zaskoczona tym matka przyciska go do serca i mówi:

– Już późno, czy Wasza Królewska Mość raczy wstać?

To nie była odpowiedź, na którą czekał. Radosny sen prysnął.

Tomek otworzył oczy. Bogato wystrojony lord pierwszy szambelan klęczał przy jego łożu. Wesoły wyraz, jaki sen pozostawił na twarzy Tomka, znikł. Chłopiec uprzytomnił sobie, że znowu jest więźniem i królem. Pokój był pełen dworzan, ubranych w purpurowe płaszcze, na znak żałoby, i dostojników wysokiego rodu, którzy mieli usługiwać swemu monarsze. Tomek wyprostował się na łóżku i obserwował wytworne towarzystwo przez szparę w ciężkich jedwabnych zasłonach. Rozpoczęła się doniosła ceremonia ubierania. W jego trakcie dostojnicy jeden po drugim przyklękali i składali Tomkowi hołd wyrażając zarazem swoje ubolewanie z powodu bolesnej i wielkiej straty, jaką poniósł młody król.

Najpierw wręczono koszulę pełniącemu służbę lordowi wielkiemu koniuszemu, który podał ją lordowi wielkiemu łowczemu, ten wręczył ją drugiemu szambelanowi, ów naczelnemu leśniczemu lasów w Windsor, ten trzeciemu kamerdynerowi, ten kanclerzowi królewskiemu księstwa Lancaster, ten mistrzowi garderoby, ten zbrojniczemu z Norroy, ten naczelnikowi więzienia Tower, ten burgrabiemu pałacu królewskiego, ten dziedzicznemu wielkiemu stolnikowi, ten lordowi najwyższemu admirałowi Anglii, ten arcybiskupowi z Canterbury, aż wreszcie znalazła się w ręku lorda pierwszego szambelana, który wdział ją na Tomka.

Zdumionemu Tomkowi przypomniało to podawanie wiader z wodą podczas gaszenia pożaru.

Ponieważ każda część garderoby musiała odbywać tę powolną i uroczystą drogę, Tomkowi szybko znudziło się ubieranie. Tak mu się znudziło, że poczuł radosną ulgę, gdy wreszcie jedwabne spodnie rozpoczęły wędrówkę przez długi szereg dłoni, i Tomek zrozumiał, że ceremonia zbliża się nareszcie ku końcowi.

Ale radość była przedwczesna.

Lord pierwszy szambelan wziął spodnie do ręki i już chciał je włożyć na nogi Tomka, gdy jego twarz pokryła się nagle purpurą i szybko oddał spodnie z powrotem arcybiskupowi Canterbury zwracając mu na coś uwagę przerażonym spojrzeniem i cichym szeptem:

– Spójrzcie, panie.

Arcybiskup zbladł, również poczerwieniał i oddał spodnie lordowi najwyższemu admirałowi Anglii, szepcząc także:

– Spójrzcie, panie!

Lord admirał oddał je z kolei dziedzicznemu wielkiemu stolnikowi, ledwo zdoławszy szepnąć:

– Spójrzcie, panie!

I spodnie powędrowały z powrotem, do burgrabiego, naczelnika więzienia Tower, zbrojniczego z Norroy, mistrza garderoby, kanclerza Lancaster, trzeciego kamerdynera, leśniczego lasów w Windsor, drugiego szambelana, lorda wielkiego łowczego, a ciągle towarzyszył im szept:

– Spójrzcie! Spójrzcie!

Aż wreszcie spodnie znalazły się w rękach pełniącego służbę lorda wielkiego koniuszego, który przez chwilę badał ze śmiertelnie pobladłą twarzą przyczynę ogólnego przerażenia, aż wreszcie wyszeptał ochrypłym głosem:

– Wielki Boże, bądź mi miłościwy. Przy podwiązce brak sprzączki! Wtrącić do Tower naczelnego nadzorcę spodni królewskich!

Po czym bezwładnie padł w ramiona wielkiego łowczego. Dopiero gdy przyniesiono nowe, zupełnie nienaganne spodnie, odzyskał przytomność.

Ale wszystko ma swój koniec i Tomek mógł wreszcie wstać. Odpowiedni dworzanin nalał mu wody, inny pomagał przy mydle, trzeci dostojnik trzymał ręcznik, aż Tomek przebrnął szczęśliwie proces mycia się i był gotowy na tyle, że mógł przyjąć usługi królewskiego fryzjera. Gdy wyszedł z rąk mistrza, wyglądał wspaniale, a piękny był jak dziewczynka, ubrany w purpurowe spodnie, purpurowy płaszcz, nawet pióra przy kapeluszu były purpurowe.

Następnie w uroczystym pochodzie udał się do komnaty śniadaniowej mijając cały zebrany dwór, który cofał się po obu stronach, padając kornie na kolana. Po śniadaniu ruszył, poprzedzany wysokimi dostojnikami i otoczony gwardią przyboczną składającą się z pięćdziesięciu szlachciców, uzbrojonych w pozłacane toporki, do sali tronowej, gdzie miał się zajmować sprawami państwowymi. Jego „wuj", hrabia Hertford, stanął obok tronu, aby swoją światłą radą wspierać umysł młodego króla.

Znakomici mężowie, których zmarły król uczynił wykonawcami swojej woli, zjawili się teraz, aby prosić Tomka o zgodę na rozmaite ich postanowienia. Czynili to raczej dla zachowania formy, która nie była do końca formalną, gdyż nie został jeszcze powołany protektor*.

Arcybiskup Canterbury zdał sprawozdanie z postanowień Rady Wykonawców Testamentu w sprawie pogrzebu zmarłego króla, po czym odczytał listę podpisanych. Byli to: arcybiskup Canterbury, lord kanclerz Anglii, lord William St. John, lord John Russel, hrabia Edward Hertford, wicehrabia John Lisle, biskup Cuthbert z Durham...

Ale Tomek już nie słuchał. Zastanowiło go jedno z postanowień dokumentu. Zwrócił się więc do hrabiego Hertford i zapytał szeptem:

– Na jaki dzień wyznaczono pogrzeb?

– Na szesnastego przyszłego miesiąca, najjaśniejszy panie.

– To bzdura. Czy dotrzyma do tego czasu?

Biedny chłopiec nie orientował się zupełnie w zwyczajach dworskich. Dawniej, w Offal Court, widział

---

* Opiekun nieletniego króla, sprawujący władzę w jego imieniu. (przyp. tłum.).

zawsze, jak spieszono się z pochówkiem i jak ich bez zbytniego ceremoniału grzebano.

Ale lord Hertford w kilku słowach rozwiał jego obawy. Jeden z sekretarzy odczytał decyzję Rady Stanu, wyznaczającą przyjęcie zagranicznych posłów na następny dzień o godzinie jedenastej, i poprosił o zgodę króla na to zarządzenie.

Tomek spojrzał pytająco na Hertforda, który szepnął:

– Niech Wasza Królewska Mość udzieli zezwolenia. Przyjdą, aby w imieniu swych monarchów wyrazić ubolewanie z powodu dotkliwej straty, jaką poniosła Wasza Królewska Mość i cała Anglia.

Tomek zrobił, co mu kazano.

Inny sekretarz odczytał sprawozdanie z wydatków na utrzymanie dworu, które wyniosły w ciągu ostatnich sześciu miesięcy dwadzieścia osiem tysięcy funtów szterlingów. Na dźwięk tej sumy Tomkowi zakręciło się w głowie. Ale zrobiło mu się zupełnie niedobrze, gdy usłyszał, że dwadzieścia tysięcy funtów z tego jest jeszcze nie spłaconym długiem*. Z podobnym zainteresowaniem wysłuchał wiadomości, że kasy państwowe są puste, a tysiąc dwieście osób ze służby znajduje się w kłopotliwym położeniu z powodu zalegających pensji.

Tomek przejęty obawami, zajął głos:

– Schodzimy na psy, to jasne! Konieczne jest zmniejszenie domu i odprawienie części służby, zwłaszcza, że ci panowie do niczego nie są potrzebni i powodują tylko stratę czasu i pieniędzy. Ich usługi są tylko ciężarem, i człowiek musi się wstydzić, że się go traktuje jak lalkę, nie mającą ani rąk ani własnego rozumu. Przypominam sobie pewien mały domek za rynkiem rybnym, koło Billingsgate...

Silne ściśnięcie ramienia przerwało nierozważną

---

* Hume (1711–1776) – *Historia Anglii* (przyp. autora).

mowę Tomka i spowodowało, że na policzkach pojawiły się rumieńce. Ale twarze otaczających go dostojników nie objawiały zdziwienia ani zgorszenia tym dziwnym przemówieniem.

Potem znowu zabrał głos sekretarz stanu oznajmiając, że zmarły król wyraził w testamencie swą wolę, aby hrabiego Hertforda obdarzyć tytułem książęcym, jego brata, sir Thomasa Seymoura mianować parem, zaś syna Hertforda podnieść do godności hrabiowskiej. Poza tym szeregowi innych dostojników nadać wyższe tytuły, przeto Rada Stanu postanowiła wyznaczyć na dzień szesnastego lutego posiedzenie, na którym tytuły te mają być potwierdzone.

Ponieważ jednak zmarły król nie pozostawił na piśmie żadnych poleceń co do nadania włości, które mogą służyć uświetnieniu powyższych dostojeństw, atoli Rada Stanu znając osobiste życzenie króla w tym względzie, uznała za wskazane nadać Seymourowi majętności o dochodzie pięćset funtów szterlingów rocznie, synowi Hertforda włości o dochodzie osiemset funtów, a nadto włości z trzystoma funtami dochodu z biskupstwa, jakie się zwolni, jeżeli oczywiście obecnie panujący król da na to przyzwolenie*.

Tomek już chciał powiedzieć, że najpierw wypada spłacić długi zmarłego króla, zamiast trwonić w ten sposób pieniądze, ale przezorny Hertford w porę pociągnął go za rękaw i zapobiegł nowej nierozważnej przemowie. Tomek udzielił więc bez sprzeciwu swego królewskiego zezwolenia, choć męczyły go przy tym wyrzuty sumienia.

A kiedy się tak zastanawiał, z jak wielką łatwością spełnia teraz tak doniosłe i wspaniałe czyny, przyszła mu nagle do głowy szczęśliwa myśl: dlaczego nie miałby i swojej mamy mianować księżną Offal Court i przy-

---

* Hume, *Historia Anglii* (przyp. autora).

dzielić jej posiadłość? Ale smutna myśl szybko rozwiała ten piękny plan: przecież był tylko nominalnym królem, ci siwi dostojnicy i wytworni dworzanie byli jego panami, a dla nich jego matka była tylko wytworem chorej wyobraźni. Pewno wysłuchaliby z pobłażaniem propozycji, a potem zawołaliby medyka.

To nudne posiedzenie strasznie się wlokło. Odczytywano podania, obwieszczenia, sprawozdania i wszelkiego rodzaju długie, zawiłe i nudne dokumenty, dotyczące spraw państwowych, aż wreszcie Tomek westchnął i w duchu pomyślał: co ja takiego zrobiłem, że Pan Bóg pozbawił mnie wychodzenia na świeże powietrze, zabaw na łące i zrobił mnie, na moje nieszczęście, królem?

Głowę miał już tak zmęczoną i senną, że opadła mu bezwładnie na ramię, co wstrzymało bieg spraw państwowych, gdyż zabrakło najwyższego przyzwolenia. Głęboka cisza zapanowała dokoła drzemiącego chłopca, a najpoważniejsi mężowie stanu musieli zawiesić obrady.

Jeszcze przed południem Tomek miał miłą chwilę, gdyż za zezwoleniem swoich opiekunów Hertforda i St. Johna mógł przyjąć księżniczki Elizabeth i Jane Gray, choć wesołość dziewcząt stłumiona była przez ciężki cios, jaki dotknął dom królewski.

Pod koniec tej miłej wizyty jego „starsza siostra" – znana później w historii jako „krwawa Maria" – zimno i uroczyście złożyła mu należny hołd, zaś jej wizyta w oczach Tomka miała tylko jedną zaletę – była krótka.

Przez krótki czas pozostał sam, ale już niedługo potem wprowadzono do niego szczupłego, może dwunastoletniego chłopca, ubranego, z wyjątkiem białej kryzy i mankietów, w czarny kaftan, czarne spodnie i czarne pończochy. Na znak żałoby nosił tylko na ramieniu purpurową opaskę.

Chłopiec zbliżył się do Tomka nieśmiało, pochylił odkrytą głowę i przyklęknął. Tomek siedział w milczeniu, obserwując go ze zdziwieniem. Wreszcie rzekł:
– Wstań. Kim jesteś? Czego pragniesz?
Chłopiec powstał i z żywą swobodą, ale smutnym wyrazem twarzy odpowiedział:
– Wasza Królewska Mość zapewne nie przypomina sobie mnie. Jestem waszym chłopcem do bicia.
– Moim chłopcem do bicia?
– Tak, dostojny panie. Jestem Humphrey... Humphrey Marlow.
Tomkowi przyszło na myśl, że jego opiekunowie powinni go przygotować do tej trudnej sytuacji. Poczuł się zakłopotany. Co robić? Powiedzieć, że zna chłopca, a potem zdradzać się przy każdej odpowiedzi, że nigdy go nie widział, nawet nie słyszał o nim? Trudna sprawa.
Ale nagle przyszła mu zbawienna myśl: takie przypadki jak obecny będą się przecież częściej zdarzały, gdy sprawy państwowe nie pozwolą hrabiemu Hertfordowi i lordowi St. John na bycie z nim. Tomek musiał więc wymyślić sobie plan jak się w takich okolicznościach ma zachować. Tak, to dobry pomysł, trzeba go od razu wypróbować na tym chłopcu i przekonać się jak daleko można się posunąć.
Potarł więc w zamyśleniu czoło i powiedział:
– Mam niejasne wrażenie, jakbym sobie ciebie przypominał, ale mój umysł jest jeszcze trochę zamglony i niejasny...
– Przykro mi, mój panie! – odpowiedział chłopiec do bicia ze współczuciem, a duchu pomyślał: rzeczywiście zachowuje się tak jak mówiono – stracił rozum! Miałem o tym pamiętać! Przecież uprzedzano mnie, żebym nie dał po sobie poznać, gdybym zauważył, że coś z nim nie jest w porządku.
– Dziwna rzecz, ostatnio często pamięć mnie zawo-

dzi – ciągnął tymczasem Tomek. – Ale nie zwracaj na to uwagi... jest już coraz lepiej i gdy mam choćby najmniejszy punkt zaczepienia, zaraz przypominam sobie osoby i wydarzenia, które mi uciekły z pamięci. (I nie tylko te, ale i takie, o których nigdy nie wiedziałem – pomyślał). Mów, z czym przychodzisz.

– Ta sprawa sama w sobie nie jest ważna, mój królu, ale za waszym pozwoleniem opowiem, o co chodzi. Przed dwoma dniami, na porannej lekcji, Wasza Królewska Mość raczył zrobić trzy błędy w ćwiczeniu greckim...

– Ta-ak... coś już mi świta. (Gdybym miał lekcję greckiego, popełniłbym nie trzy, ale czterdzieści błędów.) Tak, teraz przypominam sobie, mów dalej.

Nauczyciel uznał, że to niedbalstwo i nieuwaga, bardzo się rozgniewał i powiedział, że mnie za to mocno wychłoszcze... i...

– Ciebie wychłoszcze? – krzyknął zdumiony Tomek zapominając o powściągliwości. – Dlaczego miałby ciebie zbić za moje błędy?

– Wasza Wysokość znowu zapomniał. Przecież mnie zawsze biją, gdy Wasza Wysokość popełnia błędy.

– Prawda, prawda... zapomniałem. Sprawdzasz moje ćwiczenia, a gdy popełniam błędy, nauczyciel uważa, że zaniedbałeś swoje obowiązki... i...

– Miłościwy panie, co mówicie? Ja, najnędzniejszy ze sług, miałbym sprawdzać wasze ćwiczenia?

– Więc gdzie jest twoja wina? Co to za zagadki? Czy to ja oszalałem, czy ty? Wytłumacz jaśniej, mów śmiało.

Ależ, Wasza Królewska Mość, sprawa jest bardzo prosta... Nikt nie śmie ukarać nietykalnej osoby księcia Walii. Toteż gdy popełni jakieś przewinienie, ja dostaję cięgi i to jest słuszne i sprawiedliwe. Na tym polega mój urząd, dzięki temu zarabiam na utrzymanie*.

---

* Patrz 8. przypis autora na str. 247.

Tomek spojrzał zawstydzony na stojącego przed nim chłopca i pomyślał: naprawdę, dziwna sprawa i bardzo dziwny zawód. Powinni przyjąć jeszcze kogoś, kto by się za mnie czesał i ubierał, to by było wspaniałe! Wolałbym odbierać zasłużone baty, niż brać udział w codziennym ceremoniale!

Potem głośno dodał:

– Więc zostałeś zbity, biedaku, jak nauczyciel zapowiedział?

– Nie, najjaśniejszy panie, kara wyznaczona jest na dzisiaj, ale może ze względu na żałobę, wypadałoby ją darować. Nie jestem tego pewien, więc przyszedłem, aby przypomnieć przyrzeczenie, które Wasza Wysokość dał mi przedwczoraj, że się za mną wstawi...

– Do nauczyciela? Żeby ci darował rózgi?

– Tak, widzę, że Wasza Wysokość sobie przypomniał!

– Jak widzisz, moja pamięć polepsza się. Możesz być spokojny. Twój grzbiet będzie oszczędzony.

– O, dzięki, łaskawy panie! – zawołał chłopiec padając na kolana. – Może zbyt długo zajmuję cię swoimi sprawami, ale jednak...

Ponieważ Humphrey zawahał się, Tomek zachęcił go do mówienia oświadczając, że jest w łaskawym usposobieniu.

– W takim razie ośmielę się powiedzieć to, co mi leży na sercu. Teraz, gdy miłościwy pan nie jest już księciem Walii, lecz królem, to łatwo się domyślić, że Wasza Wysokość nie będzie chciał dręczyć się dłużej lekcjami, wyrzuci książki i zajmie się czymś przyjemniejszym. A wtedy ja będę zgubiony, a razem ze mną moje siostry, sieroty!

– Zgubiony? Dlaczego?

– Grzbietem zarabiam na życie! Jeżeli stracę ten zarobek, umrę z głodu! Gdyby Wasza Wysokość przestał się uczyć, ja jako chłopiec do bicia będę zbyteczny. Błagam was, nie wypędzajcie mnie!

Tomek wzruszył się tą szczerą rozpaczą. Z prawdziwie królewską wspaniałomyślnością rzekł:

– Nie martw się, chłopcze. Będziesz nadal pełnić swój urząd, pozostanie on dziedziczny w twojej rodzinie.

Po czym dotknął ramienia chłopca płazem szpady i rzekł:

– Powstań, Humphrey'u Marlow, mianuję cię dziedzicznym arcychłopcem do bicia królewskiego dworu w Anglii! Pozbądź się zmartwienia, znowu wezmę się do książek i będę tyle popełniał błędów, że już wkrótce słusznie należeć ci się będzie nawet potrójna płaca.

Uszczęśliwiony Humphrey zawołał z wdzięcznością:

– Dzięki ci, o mój szlachetny panie, twoja niezmierna łaska przewyższa najśmielsze moje oczekiwania. Uszczęśliwiłeś mnie na całe życie, uszczęśliwiłeś cały ród Marlowów.

Tomek był wystarczająco bystry, aby zrozumieć, że ten chłopiec może być dla niego bardzo pożyteczny. Zachęcał więc Humphrey'a do mówienia. Ze swej strony chłopiec do bicia był zadowolony, że może się przyczynić do szybkiego wyzdrowienia króla. Przypominał wypadki i zdarzenia, jakie rozgrywały się w komnacie szkolnej lub gdzie indziej w pałacu i zauważył, że jeśli Tomek rozmawiał potem o tych przeżyciach, „pamiętał" wszystko doskonale.

Po godzinie Tomek wzbogacił się wieloma cennymi wiadomościami o osobach i wydarzeniach dworu. Postanowił więc w przyszłości stale czerpać z tego źródła i zamierzał w tym celu wydać zarządzenie, aby dopuszczano do niego Humphrey'a o każdej porze, gdy nie przyjmował innych osób.

Zaledwie Humphrey wyszedł, zjawił się lord Hertford, aby znowu dręczyć Tomka. Oznajmił, że lordowie z Rady Stanu obawiają się nadmiernego rozpowszechnienia przesadnych wieści o złym zdrowiu króla, uznali więc za rozsądne i wskazane, by monarcha zaczął już w najbliższej przyszłości jadać obiady publicznie. Zdrowa cera, mocny krok w połączeniu ze starannie przestrzeganym swobodnym zachowaniem się i pełną wdzięku ruchliwością niewątpliwie rozwieją ogólne obawy. Rozwieją na pewno skuteczniej niż jakikolwiek inny środek.

Następnie hrabia zaczął z dużą delikatnością przygotowywać Tomka do uroczystych obiadów mówiąc do niego w ten sposób, jakby tylko przypominał rzeczy dobrze znane. Ku zadowoleniu Hertforda, okazało się, że Tomek wyciągnął wnioski z rozmów z Humphrey'em, który wspomniał mu, że niedługo będzie musiał jadać publicznie i był na tą wiadomość przygotowany. Tego jednak Tomek nie dał po sobie poznać.

Widząc, że król odzyskuje pamięć, hrabia wystawił go jakby przypadkowo na kilka prób, chcąc przekonać się, jak daleko poprawia się stan jego zdrowia. Wyniki okazały się pod pewnymi względami wspaniałe. Dotyczyło to szczególnie spraw, o których wspominał Humphrey i hrabia był niezmiernie zadowolony i pełen jak najlepszych nadziei. A ufność tak w nim wzrosła, że nagle rzekł bardzo zachęcającym tonem:

– Teraz jestem pewien, że gdyby najjaśniejszy pan zechciał jeszcze odrobinę wysilić pamięć, zdołałby rozwiązać trapiącą nas zagadkę zniknięcia wielkiej pieczęci państwowej. Jej brak miał wczoraj olbrzymie znaczenie. Dzisiaj co prawda nie gra to już takiej roli, gdyż wraz ze śmiercią naszego dostojnego pana minęła również ważność pieczęci. Czy Wasza Królewska Mość raczy sobie przypomnieć miejsce jej przechowania?

Tomek znowu był bezradny. W ogóle nie wiedział, co to jest wielka pieczęć państwowa. Po chwili milczenia podniósł wzrok na hrabiego i zapytał niewinnie:

– Jak ona wyglądała, panie?

Hrabia wzdrygnął się i pomyślał: znowu opuścił go

rozum! Niedobrze zrobiłem zmuszając go do takiego wysiłku pamięci.

Po czym zręcznie skierował rozmowę na inne tory z zamiarem usunięcia nieszczęsnej pieczęci z pamięci Tomka, co mu się bardzo łatwo udało.

ROZDZIAŁ XV

Tomek w roli króla

Nazajutrz przybyli ambasadorowie ze swymi wspaniałymi świtami, a siedzący na tronie Tomek, przyjął ich z godnością wzbudzającą szacunek. Początkowo przepych widowiska cieszył go i działał na wyobraźnię, ale audiencja była długa i monotonna, wszystkie przemówienia podobne do siebie, szybko więc zadowolenie ustąpiło miejsca znudzeniu i Tomek najchętniej uciekłby stąd.

Przez cały czas powtarzał słowa i zdania podpowiadane przez Hertforda i robił wszelkie wysiłki, aby dobrze wypaść, ale w tych sprawach był zupełnym nowicjuszem i czuł się zbyt nieswojo, aby osiągnąć coś więcej ponad przeciętne powodzenie. Wprawdzie wyglądał całkiem jak król, ale nie czuł się po królewsku i ucieszył się z całego serca, gdy ceremonia nareszcie się skończyła.

Znaczna część dnia została „zmarnowana" – jak to Tomek w duchu określał – na sprawy, które należały do jego urzędu, jako króla. Nawet dwie godziny, przeznaczone na wypoczynek i przyjemności, wydawały się tylko ciężarem, tak bardzo czuł się skrępowany przez zakazy i przestrzeganie etykiety dworskiej. Potem jednak spędził bez przeszkód godzinę ze swoim chłopcem do bicia, a czas ten był bardzo przyjemny, bo oprócz rozrywki dał mu wiele nowych i cennych wiadomości.

Trzeci dzień królowania Tomka był zupełnie podobny do dwóch poprzednich z tą różnicą, że czuł się teraz bardziej swobodny, nie był już tak skrępowany i z wolna przyzwyczajał się do nowego otoczenia i warunków. Ciężar swoich obowiązków odczuwał już coraz rzadziej i zauważył, że obecność i oznaki czci ze strony dostojników nie napawały go już lękiem, nie wprawiały w zakłopotanie.

Czwarty dzień powitałby nawet bez specjalnych obaw, gdyby go nie trapiła jedna sprawa: odtąd miał jadać obiady publicznie. Na ten dzień zapowiedziano też inne ważne wydarzenia: Tomek miał przewodniczyć posiedzeniu, wydawać zarządzenia oraz wyłożyć zasady, jakimi zamierza się kierować w polityce wobec wielkich i mniejszych państw. Przy tej sposobności miał też oficjalnie mianować Hertforda lordem protektorem. Tego dnia miało być załatwionych jeszcze wiele innych ważnych spraw, ale to wszystko wydawało się Tomkowi niczym wobec oczekującej go próby, jaką było spożywanie obiadu pod wzrokiem ciekawskiego tłumu i wystawienie się na komentarze tysięcy języków, które będą szeptać o jego zachowaniu i pomyłkach.

Ale obawy Tomka nie mogły powstrzymać nadchodzącego czwartego dnia. Biedny Tomek zbudził się tak przygnębiony i roztargniony, że nie umiał opanować ponurego nastroju. Codzienne poranne ceremonie nużyły go i męczyły, ale uczucie, że jest więźniem, owładnęło nim z nową mocą.

Późnym popołudniem zasiadł w wielkiej sali audiencyjnej, rozmawiając z hrabią Hertfordem i oczekując z goryczą chwili, gdy będzie musiał przyjąć licznych dygnitarzy i wysokich urzędników dworskich.

W pewnym momencie Tomek podszedł do okna i z zaciekawieniem zaczął się przyglądać ruchowi na szerokiej drodze, biegnącej tuż za murami pałacu. Patrzył na ten zgiełk z gorącą tęsknotą, żeby samemu bez przeszkód móc wmieszać się w niego. Nagle ujrzał wzburzony tłum mężczyzn, kobiet i dzieci z najniższych warstw ludności, krzyczących i radujących się.

– Chciałbym wiedzieć, co się tam dzieje! – zawołał z zaciekawieniem, zwykłym u chłopców w jego wieku.

– Jesteś królem! – odparł hrabia skłaniając się nisko. – Czy rozkażesz wydać odpowiednie zarządzenia?

– O tak, proszę bardzo! – zawołał uradowany Tomek i pomyślał z zadowoleniem, że bycie królem nie zawsze jest przykre, czasami ma się z tego i przyjemności.

Hrabia zawołał pazia i posłał go do kapitana gwardii z rozkazem:

– Zatrzymać tłum i zbadać, jaka jest przyczyna zbiegowiska. Z rozkazu króla!

Kilka sekund później zakuta w lśniące zbroje gwardia królewska wyruszyła za wrota, zagrodziła tłumowi drogę i zatarasowała przejście. Wkrótce powrócił wysłaniec i zameldował, że tłum podąża za mężczyzną, kobietą i dziewczynką, prowadzonymi na miejsce straceń, gdzie ma być wykonany na nich wyrok za zbrodnię przeciwko pokojowi i dostojeństwu królestwa.

Śmierć, i to śmierć gwałtowna, czekała tych nieszczęśników! Myśl ta ścisnęła serce Tomka. Współczucie zawładnęło nim z taką siłą, że zagłuszyło głos rozsądku. Nie zastanawiał się, czy wykroczyli przeciwko prawu, ani jaką krzywdę wyrządzili innym. Widział tylko szubienicę i straszliwy los, grożący skazanym. Litość nad tymi nieszczęsnymi istotami sprawiła nawet, iż zapomniał, że był tylko złudnym cieniem króla, a nie monarchą. Zanim zdążył sobie to uświadomić, już rzucił rozkaz:

– Sprowadzić ich tutaj!

Potem zaczerwienił się, słowa usprawiedliwienia już cisnęły się na jego wargi, ale spostrzegł, że jego rozkaz nie zdziwił ani hrabiego, ani pazia. Powstrzymał się więc od słów, którymi chciał się wytłumaczyć.

Paź, jakby uznając to wszystko za rzecz zupełnie naturalną, ukłonił się głęboko i tyłem wycofał się z komnaty, aby zakomunikować rozkaz królewski.

Tomek poczuł dumę i ponownie przekonał się o korzyściach monarszego stanu. Pomyślał sobie:

– Rzeczywiście, jest zupełnie tak, jak sobie wyobrażałem czytając księgi starego księdza. Tak siebie wyobrażałem w roli księcia wydającego wszystkim rozkazy i ustanawiającego prawa. A kiedy mówiłem: zrób tak, albo siak – nikt nie śmiał sprzeciwić się mojej woli.

Tymczasem otwarto szeroko drzwi. Zaczęto wywoływać jeden po drugim szumnie brzmiące tytuły, po czym zjawiali się ich właściciele, tak że wkrótce sala do połowy była zapełniona wytwornym, bogato odzianym towarzystwem.

Ale Tomek niemal nie zwracał uwagi na ich obecność, bo jego myśli były pochłonięte tamtą sprawą. Z roztargnioną miną poprawiał się na tronie i kierował wzrok ku drzwiom nie kryjąc zniecierpliwienia. Ponieważ zebrani spostrzegli to, nie ważyli się przerywać, tylko szeptem przekazywali sobie sprawy publiczne i dworskie ploteczki.

Wkrótce rozległy się miarowe kroki żołnierzy, po czym ukazali się skazańcy w towarzystwie pomocnika szeryfa* i oddziału straży królewskiej. Urzędnik przyklęknął przed Tomkiem, po czym wstał i usunął się na bok. Trójka skazańców padła na kolana i tak trwała, podczas gdy straż ustawiła się za fotelem Tomka.

Tomek z uwagą przyglądał się więźniom. Wygląd i zachowanie mężczyzny poruszyło w nim jakieś wspomnienia.

– Zdaje mi się, że już widziałem tego człowieka... Ale gdzie i kiedy, to nie pamiętam – pomyślał Tomek.

Nagle skazaniec podniósł oczy i spojrzał na niego, ale równie szybko spuścił powieki nie mogąc znieść oszałamiającego widoku majestatu królewskiego.

---

* Szeryf w Anglii i Ameryce – wyższy urzędnik miejski, spełniający obowiązki sądownicze i policyjne w obwodzie swego hrabstwa, powiatu lub okręgu. (przyp. tłum.)

Przez tę krótką chwilę Tomek ujrzał jego twarz i to wystarczyło, żeby sobie pomyślał:

– Teraz już wiem na pewno. To ten sam, który wydobył małego Gilesa Witta z Tamizy i ocalił mu życie w mroźny, wietrzny dzień Nowego Roku. Wspaniały, odważny czyn. Wielka szkoda, że dopuścił się czegoś niegodnego i doprowadził się aż do tego stanu... A jeszcze dlatego doskonale pamiętam dzień i porę tamtego wydarzenia, bo godzinę później, dokładnie o jedenastej, dostałem od babki takie lanie, że wszystkie poprzednie cięgi wydały mi się w porównaniu z tym pieszczotą.

Tomek rozkazał następnie, aby wyprowadzono na chwilę kobietę i dziewczynkę z komnaty, po czym zwrócił się do pomocnika szeryfa z zapytaniem:

– Powiedz mi panie, jakie przestępstwo popełnił ten człowiek?

Pomocnik szeryfa przyklęknął i odparł:

– Za pozwoleniem waszej królewskiej mości: pozbawił jednego z twych poddanych życia podając mu truciznę.

Współczucie Tomka dla skazańca i podziw dla jego dzielnego czynu, zostały mocno zachwiane.

– Czy dowiedziono mu tego? – zapytał.

– Całkowicie, najjaśniejszy panie.

Tomek westchnął i powiedział:

– Więc odprowadźcie go, zasłużył na śmierć. A szkoda, bo miał dzielne serce... to jest... to jest... chciałem powiedzieć że wygląda, jakby miał dzielne serce!

W tej chwili więzień zdobył się na odwagę, z rozpaczą załamał ręce i zdławionym głosem, urywanymi słowami począł błagać „króla": panie mój i królu, jeżeli możesz zlitować się nad człowiekiem zgubionym, ujmij się za mną! Jestem niewinny! Nie ma przeciwko mnie żadnych dowodów, a zarzucana mi wina nie była w najmniejszym stopniu potwierdzona... ale nie o tym chciałem mówić. Wyrok na mnie został wydany i nie może już być zmieniony; ale w tej ciężkiej niedoli ośmielam się błagać cię tylko o jedną łaskę, gdyż los mój jest cięższy, niż człowiek potrafi znieść. Błagam cię, panie i królu tylko o jedną łaskę! Okaż mi swe miłosierdzie królewskie i rozkaż, aby mnie powieszono!

Tomek spojrzał na niego stropiony. Nie takiej prośby się spodziewał.

– Na Boga, dziwna by to była łaska! Czyż nie jesteś już skazany na szubienicę?

– Nie, mój najdostojniejszy panie! Jestem skazany na ugotowanie żywcem!

Przerażony tak okrutnym rodzajem kary Tomek drgnął i omal nie zerwał się z tronu. Kiedy trochę ochłonął, zawołał:

– Prośba twoja będzie spełniona, nieszczęśniku! Gdybyś nawet stu ludzi pozbawił życia, nie umrzesz taka śmiercią!

Więzień pochylił głowę do ziemi, wyrażając gwałtownie swoją wdzięczność i kończąc:

– Gdyby kiedykolwiek wydarzyło się Waszej Wysokości jakieś nieszczęście – od czego chroń cię Boże! – niech Stwórca wspomni wówczas twoje miłosierdzie i policzy je za zasługę.

Tomek zwrócił się do hrabiego Hertforda i zapytał:

– Czy istotnie tak okrutny wyrok mógłby być wykonany, panie?

– To jest ustawowa kara dla trucicieli, miłościwy panie. W Niemczech fałszerze pieniędzy gotowani są w oleju, i to nie jak u nas, gdzie przestępcę wrzuca się wprost do kotła, ale stopniowo spuszczani na linie do wrzącego oleju, najpierw stopy, potem łydki, potem*...

– Zamilknij, hrabio, nie mogę tego słuchać! – zawołał Tomek zakrywając oczy ręką, jakby chciał się obro-

---

* Patrz 9. przypis autora na str. 247.

nić przed tym potwornym widokiem. Proszę waszą lordowska mość, aby natychmiast wydać zarządzenie znoszące to straszne prawo. Niech już nigdy żaden nieszczęśnik nie będzie dręczony takimi katuszami!

Twarz hrabiego Hertforda* wyrażała najżywsze zadowolenie, gdyż był człowiekiem łagodnym i wyrozumiałym, co rzadko się zdarzało ludziom na jego pozycji w tamtych okrutnych czasach.

– Słowa waszej królewskiej mości właśnie unieważniły to prawo. Historia zapamięta to, ku chwale domu królewskiego – powiedział lord.

Pomocnik szeryfa miał właśnie odprowadzić skazańca, gdy Tomek dał znak, aby jeszcze zaczekał i zwrócił się do urzędnika z pytaniem:

– Mój panie, chciałbym bliżej zapoznać się ze sprawą. Ten człowiek twierdzi, że nie dowiedziono mu winy. Co ci o tym wiadomo?

– Za pozwoleniem waszej królewskiej mości ośmielam się wyjaśnić, iż śledztwo ustaliło, że skazaniec wszedł do domu we wsi Islington, w którym leżał chory człowiek. Trzech świadków stwierdziło zgodnie, że działo się to punktualnie o godzinie dziesiątej rano, dwaj inni uważali, że było nieco później. Chory był w tym czasie zupełnie sam i spał. Przybysz zaraz wyszedł z domu i ruszył dalej. Godzinę później chory wyzionął ducha wśród straszliwych kurczów i boleści.

– Czy ktoś widział, że człowiek ten dał mu truciznę? Czy znaleziono ją?

– Na Boga nie, panie mój.

– Skąd więc wiadomo, że chory został otruty?

– Lekarze uznali, najjaśniejszy panie, że tylko trucizna mogła spowodować tego rodzaju śmierć.

W tamtych zabobonnych czasach, było to niezmiernie ważkie świadectwo

---

* Patrz 10. przypis autora na str. 248.

Tomek zdawał sobie sprawę z druzgocącej mocy tego dowodu i rzekł:

– Lekarze znają się na swoim rzemiośle – na pewno więc mają rację. W takim razie sprawa tego biedaka ma się bardzo kiepsko.

– To jeszcze nie wszystko, wasza królewska mość. Mamy jeszcze poważniejsze dowody. Wiele osób zeznało, że pewna czarownica, która od tamtego dnia znikła z wioski bez śladu, zwierzyła się im w tajemnicy, iż pewien chory umrze od trucizny – co więcej, że truciznę da mu obcy mężczyzna, i ten obcy mężczyzna ma ciemne włosy i ubrany jest w zniszczoną, prostą odzież, co zupełnie zgadza się z wyglądem skazanego. Niech wasza królewska mość raczy wziąć to pod uwagę, zwłaszcza, że okoliczność ta została przepowiedziana!

W czasach kiedy panowały przesądy, taki dowód był wystarczającym powodem do wydania wyroku. Tomek uznał więc sprawę za przegraną. Jeśli w ogóle dawało się wiarę zeznaniom świadków, wtedy wina skazanego była udowodniona. Chciał jednak dać więźniowi jeszcze jedną szansę ratunku.

– Jeśli możesz powiedzieć coś na swoją obronę, mów!

– Nic, co by mi mogło pomóc, panie. Jestem niewinny, ale nie potrafię tego udowodnić. Nie mam potężnych przyjaciół i dlatego nie jestem w stanie nikogo przekonać, że tamtego dnia wcale nie byłem w Islington, lecz w chwili, gdy rzekomo miałem popełnić zbrodnię, znajdowałem się w zupełnie innej miejscowości, w Wapping Old Stairs. Tak, królu, i co więcej, w tamtym czasie, gdy według nich miałem zabić człowieka, w rzeczywistości ja ratowałem życie. Pewien tonący chłopiec...

– Stój! Szeryfie, jaki to był dzień, kiedy popełniono morderstwo?

– Koło dziesiątej rano, albo parę minut po, w dzień Nowego Roku, najjaśniejszy panie...

– Uwolnić więźnia, tak rozkazuje król!

Tomek aż poczerwieniał, ale spostrzegłszy swą nie-
królewską porywczość, i chcąc usprawiedliwić swoje
uchybienie dodał:

– Oburza mnie, że można skazać człowieka na
śmierć z powodu tak głupiego i błahego dowodu!

Szmer uznania rozległ się dokoła. Podziw ten nie
dotyczył werdyktu, jaki Tomek wydał, gdyż niewielu
z obecnych zgodziłoby się, żeby ułaskawić człowieka już
skazanego. Nie, podziw ten odnosił się do rozwagi i przytomności umysłu, jakie Tomek okazał przy tej okazji.
Wiele osób szeptało:

– Ten król nie jest szalony. Umysł ma w porządku.

– Jak mądrze stawiał pytania. Jak stanowczo i szybko powziął decyzję, co zresztą zawsze było dla niego
charakterystyczne!

– Bogu niech będą dzięki, że choroba minęła! To nie
żaden niedołęga, lecz prawdziwy król. Zachował się
z taką samą godnością jak jego zmarły ojciec.

Z szeptów rozlegających się dokoła docierało też coś
niecoś do uszu Tomka. Wywarło to na nim bardzo miłe
wrażenie, poczuł się teraz pewniejszy siebie i swobod-
niejszy.

Ale jeszcze silniejsza od tych miłych wrażeń i pod-
niet była jego chłopięca ciekawość. Zapragnął dowie-
dzieć się, jakie to karygodne przestępstwo popełniła
skazana kobieta i jej córka. Na jego rozkaz wprowadzono na salę obie wystraszone i szlochające istoty.

– A one co takiego popełniły? – zapytał Tomek pomocnika szeryfa.

– Wasza królewska mość, tym dwóm kobietom nie-
zbicie dowiedziono bardzo ciężką zbrodnię, za którą
sędziowie skazali je na szubienicę. Zaprzedały duszę
diabłu.

Tomek aż się wzdrygnął. Ludzie dopuszczający się
tego występku byli, jak go uczono, godni najwyższej

113

pogardy i wstrętu. Mimo to nie mógł odmówić sobie przyjemności, żeby zaspokoić swoją ciekawość. Zapytał więc:

– Kiedy i gdzie to się stało?

– W grudniu, o północy, w ruinach kościoła.

Tomek znowu się wzdrygnął.

– Kto przy tym był?

– Tylko one, wasza królewska mość... i tamten.

– Czy przyznały się do winy?

– Nie, wasza królewska mość, zapierają się.

– Więc jak im to dowiedziono?

– Wielu świadków widziało, jak się tam zakradały. To wzbudziło podejrzenia, a przerażające wypadki szybko je potwierdziły. W szczególności udowodniono, że dzięki mocy, jaką posiadły, spowodowały straszliwą burzę, która spustoszyła całą okolicę. Ponad czterdziestu świadków zeznało o tej burzy, a można by ich powołać tysiąc, bo każdy pamięta jeszcze to wydarzenie, od którego wszyscy ucierpieli.

– To kiepska sprawa.

Tomek zastanawiał się przez chwilę nad tym strasznym występkiem, po czym zapytał:

– Czy ta kobieta też ucierpiała od burzy?

Kilku siwowłosych dygnitarzy z otoczenia króla skinęło z zadowoleniem głowami słysząc, to mądre pytanie, zaś pomocnik szeryfa odparł z prostotą:

– Oczywiście, wasza królewska mość, wszyscy uważają, że ją to zupełnie słusznie spotkało. Jej dom został zmieciony przez wichurę, tak że została bez dachu nad głową.

– Zdaje mi się, że drogo zapłaciła za władzę szkodzenia sobie samej. Gdyby ją to kosztowało choćby jednego pensa, mogłaby czuć się oszukana. Jeśli zaś zapłaciła za to zbawieniem własnej duszy i duszy swojego dziecka, to dowód, że jest obłąkana. A jeśli jest obłąkana, to nie wie co czyni, a więc nie może popełnić grzechu.

Siwowłosi dostojnicy znowu pochylili głowy z uznaniem, dziwiąc się mądrości Tomka, a jeden z nich szepnął:

– Jeżeli nawet to jest prawda, co mówią pogłoski, że król jest szalony, to jego szaleństwo, przydałoby się niejednemu z ludzi, jakich znam, i chciałbym tylko, żeby ten rodzaj szaleństwa jak najbardziej się rozpowszechnił.

– Ile lat ma ta dziewczynka? – zapytał Tomek.

– Dziewięć, panie.

– Czy zgodnie z prawem Anglii dzieci w tym wieku mogą zawierać umowy i sprzedawać się? – zapytał Tomek jednego z uczonych prawników.

– Według naszych praw dziecko nie może zawierać prawomocnych umów ani uczestniczyć w czynnościach prawnych, gdyż jego niedojrzały umysł niezdolny jest przeciwstawić się potężniejszemu rozumowi i chciwości człowieka dorosłego. Diabeł może dziecko kupić, jeżeli chce, a dziecko zgodzi się na to. Jednakże żaden Anglik nie może takiej umowy zawrzeć, gdyż byłaby ona nieważna.

– Wydaje mi się niesprawiedliwe, niegodne i niechrześcijańskie, że prawo angielskie daje diabłu przywileje, których pozbawia Anglika! – zawołał Tomek ze szczerym oburzeniem.

Ten nowy pogląd wywołał u wielu dostojników uśmiech, inni zaś postanowili sobie zapamiętać zdanie króla, aby je przy sposobności przytaczać jako dowód powracającego zdrowia duchowego.

Kobieta przestała łkać i przysłuchiwała się słowom Tomka ze wzrastającym napięciem i nadzieją. Tomek spostrzegł to, a jego żywe współczucie dla nieszczęsnej jeszcze bardziej wzrosło na ten widok.

— W jaki sposób zdołały wywołać burzę?

— Zdejmując pończochy z nóg, wasza królewska mość*.

---

* Patrz 11. przypis autora na str. 248.

Odpowiedź ta wprawiła Tomka w najwyższe zdumienie. Nie mogąc już pohamować swojej ciekawości, zawołał:

– To zdumiewające! Czy to zawsze wywołuje taki skutek?

– Tak, panie, jeżeli kobieta tego chce i wymawia odpowiednie zaklęcie – głośno lub w myśli!

Tomek zwrócił się do kobiety i zawołał impulsywnie: Pokaż mi swoją moc. Chcę zobaczyć burzę!

Wielu ze zgromadzonych pobladło i chętnie w tej chwili uciekliby jak najdalej z zamku, ale Tomek nawet tego nie zauważył. Jego myśli skierowane były wyłącznie na upragnioną burzę. Zauważywszy przestraszone i zmieszane spojrzenie kobiety szybko zawołał:

– Nic się nie bój! Ujdzie ci to bezkarnie. Co więcej, uzyskasz wolność, nikt nie zrobi ci nic złego. Tylko pokaż mi swoją moc.

– O panie mój i królu, ja tego nie potrafię, oskarżono mnie fałszywie.

– Strach nie pozwala ci usłuchać mojego rozkazu. Ale nie bój się, nic złego za to cię nie czeka. Wywołaj mi burzę, może być nawet zupełnie mała burza, nie wymagam wcale wielkiej, która wyrządziłaby szkody. Wolę małą burzę, a jeżeli to uczynisz, daruję życie tobie i twojemu dziecku. Będziecie mogły odejść bez przeszkód, dam wam na to swój list królewski, a wtedy nikt w całym kraju nie będzie śmiał uczynić wam krzywdy.

Kobieta rzuciła się na ziemię zapewniając ze łzami, że nie ma mocy do spełnienia takiego czynu. Gdyby miała tę moc, chętnie by to zrobiła. Aby uratować życie swojemu dziecku, sama gotowa jest zginąć, byleby tylko przez posłuszeństwo wobec rozkazu króla osiągnąć łaskę dla swojej córeczki.

Tomek nadal upierał się przy swoim, ale kobieta zapewniała go uporczywie, że żadnej mocy nie posiada. Wreszcie Tomek powiedział:

– Sądzę, że ta kobieta mówi prawdę. Gdyby moja matka znajdowała się na jej miejscu i posiadała władzę diabelską, nie wahałaby się ani chwili i natychmiast wywołałaby burzę. Nawet więcej, spustoszyłaby cały kraj, gdyby tylko w ten sposób mogła uratować moje życie. Każda matka uczyniłaby tak samo, bo wszystkie matki są pod tym względem jednakowe. Jesteś wolna, dobra kobieto, jesteś wolna wraz ze swą córeczką, gdyż przekonałem się o waszej niewinności.

Po krótkiej pauzie Tomek dodał:

– A teraz, gdy nie masz się już czego obawiać, gdyż zostałaś ułaskawiona, zdejmij pończochy! Jeżeli zdołasz wywołać burzę, obsypię cię bogactwem!

Uratowana od śmierci kobieta zaczęła gorliwie dziękować „królowi" i chętnie spełniła jego żądanie zdejmując pończochy, na co Tomek patrzył w najwyższym napięciu, trochę zmieszany. Dworzanie nie taili swego zakłopotania i niezadowolenia.

Kiedy kobieta była już bosa, zdjęła też pończochy swojej córeczce, a z jej gorliwości widać było, że chętnie odwdzięczyłaby się królowi za jego wspaniałomyślność nie tylko burzą, ale nawet trzęsieniem ziemi.

Wreszcie Tomek rzekł z westchnieniem:

– No, tak, dobra kobieto, nie męcz się dłużej, widocznie twoja siła opuściła cię. Wracaj do siebie. Ale gdyby twoja moc powróciła, nie zapomnij o mnie i przyjdź wywołać mi burzę.

ROZDZIAŁ XVI

Urzędowy obiad

Zbliżała się pora obiadowa, ale, co dziwne, Tomek nie był za bardzo zaniepokojony. Odczuwał tylko lekkie zakłopotanie, ale nie strach. Poranne przeżycia sprawiły, że poczuł się pewniejszy siebie. Podczas tych czterech dni przystosował się do nowych warunków łatwiej niż dorosły w ciągu miesiąca. Łatwość, z jaką dziecko dopasowuje się do okoliczności, znalazła w tym wypadku wspaniałe potwierdzenie.

Podczas gdy Tomek jest przebierany do uroczystego obiadu, wejdźmy do wielkiej sali bankietowej i zobaczmy, co tam się dzieje.

Jest to olbrzymia komnata ze złoconymi kolumnami. Sufit i ściany pokryte są malowidłami. Przy drzwiach stoją nieruchomo gwardziści we wspaniałych, malowniczych strojach, z halabardami w rękach. Wysoko na galerii siedzą muzykanci oraz stłoczeni obywatele ze swymi żonami, wszyscy bogato ubrani. Na środku sali znajduje się na podwyższeniu stół dla Tomka.

Posłuchajmy teraz, co pisał kronikarz:

„Na salę wszedł dworzanin z berłem, za nim drugi, który niósł obrus. Przyklęknąwszy trzy razy, obaj uroczyście nakryli stół obrusem, znowu przyklękli kilka razy i wyszli. Potem zjawili się dwaj inni, znowu pierwszy niesie berło, zaś drugi solniczkę, talerz i chleb. Przyklęknąwszy jak ich poprzednicy, ustawili te przedmioty na stole, po czym z takim samym ceremoniałem

118

wyszli. Wreszcie zjawili się dwaj wysocy dostojnicy, bogato odziani, z których jeden niósł nóż. Przyklęknąwszy trzy razy panowie ci zbliżyli się z wdziękiem i godnością do stołu i potarli go chlebem i solą z taką czcią, jakby sam król asystował przy tym*".

Na tym zakończyły się uroczyste przygotowania. Teraz z daleka rozległ się przez długi korytarz dźwięk trąb i stłumiony okrzyk:

– Miejsce dla króla! Miejsce dla najdostojniejszego majestatu królewskiego!

Okrzyki te powtarzały się raz po raz, zbliżając się coraz bardziej, aż wreszcie tuż przed nami rozległ się dźwięk trąb i doniosły głos:

– Miejsce dla króla!

W następnej chwili ukazał się wspaniały orszak, wchodzący miarowym krokiem, parami, na salę. Ale dalej niech opowie dziejopis:

„Na przedzie szła szlachta, baronowie, hrabiowie, kawalerowie orderu Podwiązki, wszyscy bogato ubrani i z odkrytymi głowami. Za nimi kanclerz, który kroczył między dwoma rycerzami, z których jeden niósł berło królewskie, drugi miecz koronacyjny w czerwonej pochwie, ozdobiony złotymi liliami. Miecz skierowany był ostrzem do góry. Potem kroczył król, witany fanfarami dwunastu trąb i tyluż bębnów, a publiczność zebrana na galerii wołała:

– Boże, chroń króla!

Za monarchą nadchodzili pełniący przy nim służbę dworzanie, zaś z prawej i lewej strony kroczyła jego gwardia honorowa, składająca się z pięćdziesięciu szlachciców uzbrojonych w pozłacane toporki".

Wszystko to wyglądało bardzo pięknie i podniośle, toteż serce Tomka biło z radosną dumą, a jego oczy płonęły promiennym blaskiem. Poruszał się z niezwy-

---

* Leigh Hunt: „Miasto" („The Town"), str. 408, opowiadanie starego podróżnika (przyp. autora).

kłym wdziękiem i swobodą, co mu tym łatwiej przychodziło, że starał się odegrać swoją rolę jak najlepiej, a jego myśli zajęte były jedynie piękną muzyką i wspaniałym widokiem.

Tomek dobrze zapamiętał udzielone mu wskazówki. Odwdzięczał się za oznaki czci lekkim skinieniem głowy przystrojonej w kapelusz z piórami i łaskawymi słowami:

– Dziękuję ci, mój wierny narodzie!

Bez najmniejszego zakłopotania zasiadł do stołu nie zdejmując kapelusza. Jedzenie z nakrytą głową było przywilejem królewskim, a zarazem obyczajem wspólnym dla króli i ludzi z gatunku Cantych. Był to jedyny wspólny grunt, na którym się spotykali, a pod tym względem żadna ze stron nie przewyższała drugiej, gdyż obie zachowywały się tak od niepamiętnych czasów.

Orszak rozproszył się, a jego uczestnicy skupili się w różnobarwne grupki stojąc z odkrytymi głowami.

Wśród ogłuszających dźwięków muzyki na salę weszli przyboczni gwardziści, „najroślejsi i najokazalsi ludzie w Anglii, specjalnie dobierani do tej służby". Ale pozwólmy znowu mówić o tym kronikarzowi:

„Na salę wkroczyli gwardziści odziani w szkarłat, a na plecach mieli złotem wyszywane róże. Wchodzili i wychodzili przynosząc potrawy w srebrnych naczyniach. Dania przyjmował jeden z dostojników i ustawiał je na stole w kolejności w jakiej je wniesiono. Drugi dostojnik, zwany stolnikiem, z obawy przed trucizną, dawał każdemu gwardziście kęs jedzenia z półmiska, który właśnie wniósł".

Tomek jadł z apetytem, choć wiedział, że setki oczu obserwowały każdy kąsek, który brał do ust, i przyglądały mu się w takim skupieniu, jakby potrawy były naszpikowane materiałem wybuchowym. Bardzo uważał, aby nie popełnić jakiejś niezręczności, zwłaszcza, żeby samemu sobie nie usługiwać, lecz za każdym ra-

zem czekać, aby stosowny dworzanin przykląkł i wykonał daną czynność. Tomkowi udało się przebrnąć
przez obiad bez zarzutu, co było jego niewątpliwym,
wielkim triumfem.

Wreszcie obiad się skończył i Tomek oddalił się otoczony wspaniałym orszakiem, przy dźwiękach trąb
i bębnów oraz głośnych okrzykach tłumu. Pomyślał wtedy, że jeżeli publiczny obiad nie przedstawia większej
trudności, gotów jest poddać się tej próbie nawet kilka
razy dziennie, byle uwolnić się za tę cenę od bardziej
uciążliwych obowiązków królewskiego urzędu.

ROZDZIAŁ XVII

Król Fu-Fu Pierwszy

Miles Hendon biegł w stronę końca mostu po stronie Southwarck, rozglądając się na wszystkie strony za osobami, których szukał. Ale jego poszukiwania na nic się nie zdały. Dopytując, udało mu się iść przez pewien czas ich śladem, ale potem trop nagle się urwał i Hendon nie bardzo wiedział co począć. Mimo to przez cały dzień nie ustawał w poszukiwaniach. Wieczorem był wyczerpany, głodny i tak samo daleko od celu poszukiwań jak poprzednio. Posilił się w gospodzie „Tabard" i zwalił się na łóżko z mocnym postanowieniem wyruszenia nazajutrz wczesnym rankiem i rozpoczęcia ponownych poszukiwań w mieście.

Przed zaśnięciem rozważał swoje plany i doszedł do następującego przeświadczenia:

Chłopiec, jeżeli tylko zdoła, będzie starał się uciec od draba, który podaje się za jego ojca. Czy powróci do Londynu, do swojego dawnego otoczenia? Nie, raczej tego nie zrobi, choćby z obawy, żeby ponownie nie dać się złapać. Więc co może zrobić? Ponieważ do chwili spotkania Milesa Hendona nie miał przyjaciela ani obrońcy, będzie starał się odszukać go, uważając jednak, aby nie wracać w tym celu do Londynu i narażać się na niebezpieczeństwo. Będzie więc starał się dotrzeć do Hendon Hall. Tak, z pewnością tak zrobi, zwłaszcza że wiedział, iż Hendon także był w drodze do domu, mógł się więc spodziewać, że go tam zastanie.

Więc teraz Hendon już wiedział co ma robić: nie powinien tracić czasu w Southwark, lecz wyruszyć przez Kent do Monk Holm i szukać chłopca w okolicznych lasach i wypytywać o niego po drodze.

Tymczasem powrócimy do zagubionego króla. Człowiek, którego służący z gospody ujrzał w pobliżu króla i wyrostka, nie podszedł do nich, jak się jemu zdawało, lecz śledził ich z pewnej odległości. Lewą rękę miał na temblaku, a na lewym oku miał zieloną przepaskę. Powłóczył jedną nogą i pomagał sobie dębowym kijem.

Wyrostek poprowadził króla zaułkami przez cały Southwark, aż wyszli na szeroki gościniec za miastem. Król zaczął tracić cierpliwość. Zatrzymał się i oświadczył, że zostanie tutaj, dopóki Hendon nie przyjdzie do niego, bo nie jego sprawą jest szukać Hendona. Nie pozwoli na takie lekceważenie. Zostanie tu, gdzie jest.

Wyrostek odparł na to:

– Chcesz tu zostać, kiedy twój przyjaciel leży ranny za lasem? Rób, jak uważasz!

Król natychmiast zmienił ton i zawołał:

– Ranny? Kto się ośmielił napaść na niego? Ale mniejsza o to. Teraz naprzód! Prędzej, prędzej! Masz nogi z ołowiu? Ranny, mówisz? Nawet gdyby, ten który go zranił, był księciem, nie daruję mu tego!

Mieli jeszcze spory kawałek do lasu, ale szybko szli do przodu. Przewodnik rozglądał się uważnie dokoła i dostrzegł zatkniętą w ziemię gałązkę, do której przywiązana była szmatka. Weszli w tym miejscu do lasu i kierowali się ścieżką znaczoną co jakiś czas w podobny sposób. Wreszcie doszli do polany, na której było widać zwęglone zgliszcza zagrody, a obok nich stała na wpół zawalona, przegniła stodoła. Nigdzie nie widać było śladu życia. Panowała całkowita cisza.

Przewodnik wszedł do stodoły, król podążył w jego ślady. W stodole nie było nikogo. Król spojrzał na chłopaka zdziwiony i zapytał podejrzliwie:

– Gdzie on jest?

Odpowiedzią był szyderczy śmiech.

Król wybuchł dzikim gniewem. Chwycił polano i chciał zaatakować przewodnika, gdy znowu dobiegł go szyderczy śmiech. Tym razem śmiał się kulawy włóczęga, który cały czas szedł w pewnej odległości za nimi. Król odwrócił się do niego gniewnie i zapytał:

– Kim jesteś? Czego chcesz?

– Daj spokój tym głupstwom – odpowiedział przybyły – i zachowuj się spokojnie. Moje przebranie nie jest aż tak doskonałe, żebyś nie poznał własnego ojca!

– Nie jesteś moim ojcem. Nie znam cię. Jestem królem. Jeżeli uwięziłeś mego sługę, zaprowadź mnie do niego, albo gorzko pożałujesz swego czynu.

John Canty odpowiedział na to głosem surowym i stanowczym:

– Dla mnie jest jasne, że zwariowałeś i dlatego nie będę cię bił. Ale jeżeli nadal będziesz opowiadał te bzdury, zmusisz mnie do tego. Twoje przechwałki są nieszkodliwe, bo tutaj nie ma nikogo, kto by się przejął tymi głupstwami. Ale musisz nauczyć się trzymać język za zębami, żebyś nie sprowadził na nas nieszczęścia. Zabiłem człowieka i nie mogę wracać do domu, ani ja, ani ty. Zresztą jesteś mi potrzebny. Z ważnych powodów zmieniłem też nazwisko. Teraz nazywam się Hobbs – John Hobbs. Ty masz na imię Jack – wbij to sobie do głowy. A teraz gadaj. Gdzie matka? Gdzie siostry? Nie przyszły na umówione miejsce, wiesz, gdzie są?

Król odpowiedział posępnie:

– Nie przypominaj mi ponurych spraw. Moja matka nie żyje, a siostry są w pałacu.

Wyrostek wybuchnął głośnym i urągliwym śmiechem. Król chciał się na niego rzucić, ale Canty, a raczej Hobbs, jak się teraz nazywał, powstrzymał go zwracając się do wyrostka:

– Zostaw go w spokoju, Hugh, nie drażnij go. Biedak stracił rozum, a ty jeszcze drwisz z niego. Siadaj tam Jack i uspokój się. Zaraz dam ci coś do jedzenia.

Hobbs i Hugh zaczęli rozmawiać ze sobą półgłosem, zaś król oddalił się najdalej jak mógł od wstrętnych dla niego postaci. Wyszukał sobie ciemne miejsce w najdalszym kącie stodoły, gdzie ubite klepisko pokryte było na wysokość stopy słomą. Tam położył się, nakrył słomą zamiast kołdry i oddał się rozmyślaniom.

Trapiło go wiele trosk. Wszystkie jednak kłopoty nie miały znaczenia przy bólu jaki odczuwał z powodu śmierci ojca. We wszystkich ludziach imię Henryka VIII budziło tylko grozę. Widziano w nim potwora, który siał tylko tortury i śmierć. Ale dla chłopca imię ojca budziło jedynie miłe wspomnienia, a twarz, która jeszcze żyła w jego wyobraźni, miała sympatyczne i dobrotliwe rysy. Przywołał na pamięć długi szereg serdecznych rozmów z ojcem i z rozkoszą oddał się tym wspomnieniom. Gorące łzy spływające po policzkach świadczyły jak głębokie i szczere było cierpienie, które go przenikało. Tymczasem nastał wieczór i chłopiec wyczerpany zgryzotami zapadł w głęboki, krzepiący sen.

Po pewnym czasie, nie wiedział jak długo to trwało, znowu popadł w stan półjawy, a gdy tak leżał z przymkniętymi jeszcze oczami, odzyskując świadomość miejsca, w którym się znajdował i wydarzeń, jakie mu się przytrafiły, usłyszał jednostajny szum. Był to szmer deszczu padającego na dach. Ogarnęło go miłe uczucie bezpieczeństwa, które niebawem zostało przykro przerwane, dzikimi okrzykami i brutalnym śmiechem, które wypełniły stodołę.

Hałasy te do tego stopnia go przeraziły, że wysunął głowę spod słomy, aby zbadać przyczynę wrzawy. Jego oczom ukazał się niesamowity widok.

Na drugim końcu stodoły, na klepisku, płonęło wielkie ognisko, a dokoła niego, w nieziemskim oświetleniu czerwonego żaru, siedziała i leżała pstra, obdarta, brudna zgraja mężczyzn i kobiet, spotykanych tylko w zbójeckich historiach albo upiornych snach. Byli tam wielcy, silni mężczyźni, ogorzali od przebywania na słońcu i wietrze, z długimi, potarganymi włosami, odziani w odpychające łachmany. Dalej siedzieli równie obdarci chłopcy o surowych, okrutnych rysach twarzy. Byli też ślepi żebracy z oczami przewiązanymi bandażami, kaleki z kulami lub szczudłami, nędzarze z ledwie opatrzonymi ropiejącymi wrzodami. Był też jakiś kramarz z twarzą rzezimieszka, który miał jeszcze na grzbiecie ciężką pakę; jakiś szlifierz, blacharz, fryzjer, wszyscy ze swymi narzędziami.

Wśród kobiet były młode dziewczęta, a inne wyglądały jak stare, pomarszczone czarownice. Wszystkie zachowywały się głośno, bezczelnie, kłótliwie. Wszystkie były brudne i obdarte. W tym tłumie były też zaniedbane, krostowate dzieci i dwa wychudłe kundle ze sznurami na szyi.

Noc już zapadła. Banda ukończyła właśnie wieczorny posiłek i zaczynała pijatykę. Blaszanka z wódką krążyła dokoła.

Potem rozległy się okrzyki:

– Śpiewać! Śpiewać! Niech Nietoperz i Dick Kulas zaśpiewają!

Jeden ze ślepców wstał, zerwał bandaż, który zakrywał zupełnie zdrowe oko i zdjął blaszaną tabliczkę, której napis polecał jego kalectwo miłosierdziu przechodniów. Kulas odłożył kule i stanął na obu zdrowych nogach, obok rzekomego ślepca. Po czym obaj zaśpiewali złodziejską piosenkę*, a pod koniec każdej zwrotki wszyscy głośno ryczeli refren. Przy ostatniej strofce pijacka wesołość dosięgła szczytu i wszyscy chórem

---

* W oryginale przytoczono w tym miejscu strofkę angielskiej piosenki złodziejskiej, nie nadającej się do przekładu i zaczerpniętej, jak podaje autor w przypisku, z dzieła „Włóczęga angielski" („The English Rogue"), Londyn. 1665 (przyp. tłum.).

powtórzyli zwrotkę tak przeraźliwymi głosami, że od wycia zadrżały ściany i pułap szopy.

Potem zaczęli rozmawiać, ale nie w złodziejskim żargonie, bo używano go tylko wówczas, gdy zachodziła obawa, że ktoś podsłuchuje.

Z rozmowy można było wywnioskować, że „John Hobbs" nie był w bandzie nowicjuszem, lecz miał z nią już dawniej liczne powiązania. Pytano go jak mu się powodziło, a gdy powiedział, że „przypadkowo" popełnił morderstwo, wyrażono mu uznanie, które wzrosło tym bardziej, gdy oznajmił, że zabitym był ksiądz.

Wówczas wszyscy przepili do niego.

Starzy znajomi witali go radośnie, nowi czuli się dumni, że zawarli z nim znajomość. Zapytywano, dlaczego tak długo się nie pokazywał.

Hobbs odpowiedział:

– Wolę Londyn niż siedzieć na wsi, a i człowiek naszego zawodu bezpieczniej się tam czuje, zwłaszcza od kiedy zaostrzono przepisy i egzekwuje się je tak surowo. Gdyby nie ten przypadek, zostałbym tam. Miałem zostać w mieście i nie zapuszczać się na wieś – ale okoliczności zmusiły mnie do tego.

Potem zapytał, ile osób liczy teraz banda. Herszt zwany Kogutem odpowiedział:

– Dwudziestu pięciu niezłych kozaków: doliniarzy, pilników, pajęczarzy, gaduł i mruków, wliczając w to ich panienki*. Większość jest tutaj, część wyruszyła już na wschód, żeby znaleźć jakąś melinę na zimę. My ruszamy jutro rano.

– Nie widzę w tym szlachetnym towarzystwie Guza. Gdzie mogę go znaleźć?

– Biedaczyna zażywa teraz kąpieli siarkowych, co pewnie jego delikatny nos znosi bez większej przyjemności. Zeszłego lata padł w jakiejś bijatyce.

---

* Złodziejskie terminy na oznaczenie rozmaitych gatunków złodziejów, żebraków i włóczęgów (przyp. autora).

– Szkoda chłopa! Guz był niezgorszym cwaniaczkiem.

– To prawda. Czarna Bess, jego panienka, jeszcze jest z nami, ale poszła z innymi na wschód. Ładna sztuka i zachowuje się w porządku. Nigdy nie upija się więcej jak cztery razy w tygodniu.

– Tak, zawsze była porządna. Pamiętam ją dobrze, cnotliwa dziewczyna. Za to jej matka zachowywała się swobodniej i zwracała mniej uwagi na pozory. Zła i kłótliwa jędza, ale rozumu miała więcej od innych.

– I przez to ją straciliśmy. Umiała wróżyć z ręki i w ogóle przepowiadać przyszłość, co sprowadziło na nią sławę czarownicy. Prawo upiekło ją na wolnym ogniu. Serce mi się krajało, gdy widziałem, jak dzielnie umierała. Do ostatniej chwili przeklinała i złorzeczyła ludziom, którzy gapili się, gdy płomienie dotykały już jej twarzy, smaliły włosy i wybuchały językami dokoła jej głowy. Przeklinała, powiedziałem? Ale jak przeklinała! Choćbym żył jeszcze tysiąc lat, czegoś podobnego już nigdy nie usłyszę. Niestety, sztuka ta odeszła razem z nią do grobu. To, co się dzisiaj słyszy, to tylko nędzne naśladownictwo, bez siły, bez życia!

„Kogut" westchnął, a i obecni westchnęli wraz z nim ze zrozumieniem. Na moment bandę ogarnął nastrój przygnębienia, bo nawet najbardziej zatwardziali złoczyńcy, jak tu zebrani, nie są zupełnie niewrażliwi na uczucia sympatii i niekiedy potrafią odczuć stratę albo żal po straconym na wszystkie czasy talencie.

Ale kolejka mocnego napitku szybko przywróciła humor zgromadzonym.

– Czy jeszcze komuś z naszych powiodło się nieszczególnie? – zapytał Hobbs.

– I to jak jeszcze. Zwłaszcza nowicjuszom – biednym wieśniakom, którzy stracili pracę i chleb, gdy odebrane im zagrody i pola zamieniono w owcze pastwiska. Wzięli się więc do żebractwa, ale za to chłostano do krwi. Stawiano ich potem pod pręgierz i rzucano w nich kamieniami. Jeżeli wracali do żebractwa, powtarzano chłostę i obcinano jedno ucho. A jeżeli znowu żebrali – bo co mieli nieszczęśliwi zrobić – wypalano im rozżarzonym żelazem piętno na policzku i sprzedawano w niewolę. Jeżeli uciekali, ścigano ich, a gdy złapano, szli na szubienicę. To zwyczajna historia. Niektórym z nas lepiej się powiodło. Pokażcie no, Yokel, Burns i Hodge, jak was ozdobiono!

Trzej zagadnięci wyszli naprzód, ściągnęli łachmany i pokazali plecy pokryte bliznami po chłoście. Jeden z nich odgarnął włosy i pokazał miejsce po lewym uchu. Drugi miał ucho okaleczone, a na ramieniu wypaloną literę V. Trzeci powiedział:

– Nazywam się Yokel, byłem zamożnym gospodarzem, miałem kochającą żonę i dzieci – czym dzisiaj jestem widzicie sami. Moja żona i dzieci nie żyją. Spodziewam się, że są w niebie, może... może gdzie indziej... ale dzięki miłosiernemu Bogowi, nie są w Anglii! Moja dobra, uczciwa stara matka zarabiała na chleb pielęgnując chorych. Jedna kobieta, powierzona jej opiece, umarła. Medyk nie umiał powiedzieć dlaczego, więc moją matkę spalono jako czarownicę, a moje dzieci stały przy stosie biadając i lamentując. Stało się to zgodnie z angielskim prawem. Wypijcie wesoło swoje kubki! Pijmy na cześć litościwego prawa angielskiego, które wyzwoliło moją matkę z tego angielskiego piekła! Dziękuję wam, kompani, za wasze współczucie. Żebraliśmy chodząc od domu do domu – ja, żona i nasze biedne maleństwa – ale być głodnym to w Anglii zbrodnia, więc wygoniono nas chłostą z trzech miast. Wypijmy wszyscy na cześć litościwych praw angielskich! Uderzenia batów szybko wyzwoliły moją biedną Mary i pomogły jej przenieść się na tamten świat. Leży teraz w ziemi, wolna od wszelkiej niedoli. A gdy mnie tak pędzono z miasta do miasta, w drodze poumierały moje dzieci. Wypijcie jeszcze raz na wspomnienie tych biednych maleństw, które nikomu nawet nie zdążyły zrobić niczego złego. Kiedy znów zacząłem żebrać na kawałek chleba, dostałem się pod pręgierz i straciłem ucho – patrzcie, co z niego zostało. Żebrałem dalej i teraz mam resztkę drugiego ucha. Ale przecież musiałem żebrać dalej, więc zostałem sprzedany w niewolę. Jakbym zmył brud z twarzy, zobaczylibyście wypalone gorącym żelazem czerwone S!* NIEWOLNIK! Czy rozumiecie to słowo? Oto stoi przed wami angielski NIEWOLNIK! Uciekłem od swego pana, a gdy mnie złapią – przekleństwo niebios niech spadnie na kraj, w którym rządzą takie prawa! – to mnie powieszą**!

Nagle w ciemności zabrzmiał świeży głos:

– Nie będziesz powieszony! – Od dzisiaj to okrutne prawo przestaje istnieć!

Wszyscy odwrócili się w stronę, skąd dochodził głos i ujrzeli fantastyczną postać małego króla, wynurzającą się z cienia.

Kiedy chłopiec stanął w świetle i dokładnie było go widać, wszyscy zaczęli wołać, jeden przez drugiego:

– Kim on jest? Co to znaczy? Czego ten smarkacz tu chce?

Chłopiec stał spokojnie przed zdumionymi, skierowanymi na niego oczami i odpowiedział z monarszą godnością:

– Jestem Edward, król Anglii.

W odpowiedzi zagrzmiał huragan śmiechu, częściowo szyderczego, a częściowo jako wyraz uznania dla świetnego żartu. Król oburzył się i zawołał rozgniewany:

– Niewdzięczni włóczędzy! Więc tak wygląda wasze podziękowanie za królewski dar, który wam obiecałem?

---

* Pierwsza litera angielskiego wyrazu „slave", co znaczy „niewolnik" (przyp. tłum.).

** Patrz 12. przypis autora na str. 249.

W podobnie gniewnym tonie przemawiał jeszcze dłużej, okazując żywymi gestami swoje niezadowolenie, ale jego słowa zagłuszały wybuchy śmiechu i szydercze okrzyki.

Na próżno John Hobbs usiłował przekrzyczeć gromadę. Wreszcie usłyszano jego słowa:

– Panowie, on jest moim synem. Zwariował, pomieszał mu się rozum. Nie zwracajcie na niego uwagi. Myśli, że jest królem!

– Jestem królem – odparł Edward zwracając się do niego – o czym przekonasz się niedługo na swoje nieszczęście. Przed chwilą przyznałeś się do morderstwa – będziesz za to wisiał.

– Ty mnie wydasz!? Ty? Niech cię tylko dorwę w swoje łapy...

– Cisza tam! – rozkazał barczysty herszt wysuwając się do przodu. A dla podkreślenia powagi swoich słów obalił Hobbsa pięścią na ziemię, co w ostatnim momencie uratowało króla. – Nie masz szacunku ani dla królów ani dla szefów? Jeżeli jeszcze raz zachowasz się w ten sposób w mojej obecności, powieszę cię własnymi rękami.

Potem zwrócił się do małego króla i powiedział:

– A ty, nie groź moim kompanom, chłopcze. Trzymaj język za zębami i nigdy nikomu nie mów o nich złego słowa. Bądź sobie królem, jeśli ci to sprawia przyjemność, ale nie sprowadzaj na nikogo nieszczęścia. Nie używaj więcej tytułu, który wymieniłeś przed chwilą, bo to pachnie zdradą stanu. Wszyscy jesteśmy nic niewarci, każdy z nas nieraz przekroczył prawo, ale nie jesteśmy aż tak nikczemni, żeby zdradzić swego króla. Dla niego nasze serca biją gorąco i wiernie. Zresztą sam się przekonaj czy to prawda. No, chłopcy, wszyscy razem: Niech żyje Edward, król Anglii!

– NIECH ŻYJE EDWARD, KRÓL ANGLII!

Z ust wszystkich włóczęgów wybuchł okrzyk z taką

siłą, że zadrżały ściany zmurszałej stodoły. Twarz małego monarchy zajaśniała radością. Pochylił lekko głowę i rzekł poważnie, z pełną godności prostotą:

– Dziękuję ci, mój dobry ludu.

Ta nieoczekiwana odpowiedź wywołała w towarzystwie nieposkromioną burzę wesołości.

Gdy uciszyło się nieco, Kogut rzekł stanowczo ale dobrodusznie:

– Daj temu spokój, chłopcze, ani to mądre, ani przystojne. Miej swoją manię, jeżeli musisz, ale wybierz sobie inny tytuł.

Jakiś kotlarz zaproponował wrzaskliwie:

– Fu-Fu Pierwszy, król półgłówków!

Tytuł ten zyskał ogólne uznanie i wszyscy wykrzyknęli na całe gardło:

– Niech żyje Fu-Fu Pierwszy, król półgłówków!

Darli się przy tym, gwizdali, ryczeli jak opętani w takt kociej muzyki.

– Hołd mu złożyć i ukoronować!

– Ubrać go po królewsku!

– Dać mu berło!

– Posadzić go na tronie!

Okrzyki padały ze wszystkich stron! I zanim główna postać zdążyła spostrzec, co się dzieje, ukoronowano go cynowym garnkiem, odziano w podartą derkę zamiast królewskiego płaszcza, posadzono go na beczce jak na tronie i wetknięto mu w rękę kolbę blacharza zamiast berła.

Potem wszyscy uklękli dokoła niego i zasypali go drwiącymi błaganiami wycierając obłudnie oczy brudnymi rękawami i fartuchami.

– Bądź nam miłościwy, o łaskawy królu!

– Nie zdepcz nas, biednych robaków, swoją dostojną stopą, o wielki władco!

– Zlituj się nad swoim nędznym niewolnikiem, racz go obdarzyć swym łaskawym kopnięciem!

– Rozraduj nasze twarze, ogrzej nas promieniami swej łaski, o światłe słońce naszych oczu!

– Uświęć tę ziemię dotykając jej końcem stopy, a kto będzie potem żarł tę ziemię, będzie się czuł uszlachcony!

– Pluń na nas monarcho, aby jeszcze nasze wnuki mogły się szczycić tymi względami królewskimi!

Ale tego wieczoru kotlarz przewyższył wszystkich swymi dowcipnymi pomysłami. Przyklęknąwszy na ziemi udał, że chce ucałować stopy króla, ten jednak kopnął go ze wstrętem. Kotlarz zaczął obchodzić wszystkich dokoła prosząc o szmatkę, aby móc sobie przewiązać miejsce, którego dotknęła królewska stopa, gdyż musi osłonić to miejsce na swej twarzy od zetknięcia z pospolitym powietrzem, a zrobi majątek pokazując je publicznie na gościńcach za sto szylingów od osoby. Zachowywał się przy tym tak komicznie, że wzbudził podziw i dumę w całej bandzie.

Łzy upokorzenia i oburzenia napłynęły do oczu małego króla, który w duchu pomyślał:

– Gdybym im wyrządził największą krzywdę, nie mogliby postąpić ze mną okrutniej, a przecież obiecałem im tylko łaskę. Tak oto mi za nią dziękują!

ROZDZIAŁ XVIII

Książę wśród włóczęgów

Banda włóczęgów zerwała się ze snu wczesnym rankiem i natychmiast ruszyła w drogę. Ciemne chmury snuły się po niebie, ziemia była wilgotna, a powietrze chłodne jak w zimie. Wczorajsza wesołość opuściła towarzystwo. Jedni byli skwaszeni i milczący, inni rozdrażnieni i zgryźliwi, nikt nie był w dobrym nastroju, wszystkich dręczyło pragnienie.

Herszt wydał kilka krótkich rozkazów. „Jacka" oddał pod opiekę Hugha, a Johnowi Canty polecił odczepić się od chłopca i zostawić go w spokoju. Na koniec ostrzegł Hugha, aby nie był dla niego zbyt surowy.

Po pewnym czasie pogoda poprawiła się i chmury nieco się przerzedziły. Włóczędzy nie marzli już, co wyraźnie poprawiło im humor. Szybko poweseleli i zaczęli przekomarzać się i podrwiwać z ludzi spotykanych na drodze. Był to dowód na to, że zbudziła się w nich na nowo radość życia. Wędrowna hałastra gdzie tylko się pokazała wzbudzała lęk. Na gościńcu wszyscy schodzili włóczęgom z drogi i z pokorą znosili ich bezczelne żarty, najczęściej nie odpowiadając na nie. Rozzuchwalona banda zdzierała z płotów suszącą się bieliznę, często na oczach właścicieli, którzy nawet nie próbowali protestować, zadowoleni, że chociaż płoty ocalały.

Po pewnym czasie dotarli do niewielkiej chłopskiej zagrody i zaczęli gospodarzyć się w niej jak w swojej. Przerażony wieśniak wraz z rodziną musiał im usługiwać do śniadania, wyciągając wszystkie zapasy żywności ze spiżarni. Szczypali w policzki gospodynię i jej córki, podające im do stołu, szydzili z nich, pozwalali sobie na rubaszne dowcipy i wyzywająco się śmiali. W gospodarza i jego synów rzucali kośćmi i resztkami jedzenia, a gdy im się udawało trafić, wybuchali bezczelnym śmiechem. Gdy jedna z córek oponowała na tego rodzaju żarty, wysmarowali jej głowę masłem.

Opuszczając wreszcie zagrodę włóczędzy zapowiedzieli gospodarzowi, że gdyby się poskarżył władzom, wrócą i podpalą dom razem z mieszkańcami.

Koło południa banda zmęczona długim i uciążliwym marszem rozłożyła się za żywopłotem w pobliżu niewielkiego miasteczka. Przez godzinę wypoczywano, po czym wszyscy rozpierzchli się, aby wejść do miasteczka z różnych stron i w pojedynkę uprawiać swój niecny proceder.

„Jacka" przydzielono Hughowi. Przez pewien czas włóczyli się tam i z powrotem, a Hugh polował na sposobność ściągnięcia czegoś. Gdy jednak nic odpowiedniego nie mógł znaleźć, powiedział:

– Kiepskie miejsce. Nie ma nic do zwędzenia. Musimy wziąć się za żebry.

– My!? A to paradne! Ty możesz uprawiać swój fach. Jest akurat dla ciebie. Ja żebrać nie będę.

– Nie będziesz!? – zawołał Hugh i spojrzał zdumiony na króla. – A kiedy to się nawróciłeś?

– Co przez to rozumiesz?

– Co ja rozumiem? No, przecież całe życie żebrałeś na ulicach Londynu?

– Ja!? Ty kretynie!

– Oszczędzaj na komplementach, żeby ci nie zabrakło w przyszłości. Twój ojciec mówił, że zawsze żebrałeś. Może kłamał, co? Przez przypadek chcesz powiedzieć, że kłamał – zadrwił Hugh.

– Ten, którego nazywasz moim ojcem? Tak, kłamał!

– No, nie rób ze mnie wariata. Może to zabawne dla ciebie, ale dosyć niebezpieczne. Gdybym mu to powtórzył, zdrowo byś oberwał.

– Możesz się nie trudzić. Sam mu to powiem.

– Podoba mi się twoja odwaga, ale nie podziwiam twojego rozumu. Życie i tak nie głaszcze po głowie, żeby jeszcze ściągać na siebie dodatkowe kłopoty. Ale dość gadania. Ja wierzę twojemu staremu. Nie wątpię, że potrafi kłamać. Wiem, że nieraz kłamał, kiedy było trzeba, ale w tym przypadku nie miał potrzeby. Rozsądny człowiek nie kłamie bez wyraźnej potrzeby. Ale chodźmy już. Jeżeli nie masz nastroju do żebrania, to czym będziemy się zajmować? Może rabować kuchnie?

Król odpowiedział niecierpliwie:

– Skończ z tymi głupstwami. Nudzisz mnie już!

Hugh rozgniewał się i rzekł:

– Słuchaj no, bratku. Nie chcesz żebrać, nie chcesz kraść, twoja wola. Więc powiem ci, co musisz robić. Musisz być moją przynętą, kiedy będę żebrał, i radzę ci, nie próbuj mi się sprzeciwiać!

Chłopiec już chciał odmówić z pogardą, lecz Hugh przerwał mu szybko:

– Cicho! Idzie jakiś jegomość z poczciwą gębą. Będę udawał, że dostałem drgawek. Kiedy zbliży się do mnie, padnij na kolana i zacznij wyć jakby cię diabeł opętał. Jęcz i wołaj: „Dobry panie, to mój biedny, chory brat, jesteśmy sierotami. Na miłość Boga, zechciejcie zwrócić łaskawe oczy na tego chorego, opuszczonego biedaka. Dajcie nam, biednym sierotom, chociaż pensa ze swego bogactwa. Ciężko dotknęła nas ręka boska, bliski jest już nasz kres!" – tak masz krzyczeć i skarżyć się nie przestając ani na chwilę, aż sięgnie do sakiewki. Jeżeli tego nie zrobisz, będzie z tobą źle!

I Hugh zaczął się wić i biadolić, wywracać oczami, zataczać się na nogach, a gdy nieznajomy był już zupełnie blisko, nagle padł z głośnym jękiem na ziemię, rzucając się i miotając po ziemi, niby w śmiertelnych konwulsjach.

– Ach, Boże, Boże! – zawołał wrażliwy przechodzień – biedaku, jak strasznie musisz cierpieć! Czekaj, zaraz cię podniosę.

– O, szlachetny panie, nie dotykajcie mnie! Niech was Bóg wynagrodzi za wasze miłosierdzie, ale odczuwam straszliwy ból przy każdym dotknięciu. Mój brat, stojący tutaj, może waszej miłości powiedzieć jak okropnie cierpię, gdy przychodzi atak choroby. Jednego pensa, szlachetny panie, jednego pensa na chleb, a potem zostawcie mnie memu nieszczęściu.

– Jednego pensa! Dam ci trzy, biedaku – rzekł nieznajomy szukając w kieszeni pieniędzy. – Weź to, z całego serca ci daję. Chodź tu, mały, pomóż mi zanieść twego brata do tego domu, gdzie...

– Nie jestem jego bratem – przerwał król.

– Co? Nie jesteś jego bratem?

– Słyszeliście go! – zawołał Hugh zgrzytając zębami. – Wypiera się rodzonego brata, który już jedną nogą stoi w grobie!

– Chłopcze, twarde masz serce, jeżeli to jest twój brat. Wstydź się! Przecież biedak nie może ruszyć ręką ani nogą. Jeżeli, jak mówisz, nie jest twoim bratem, to kim jest?

– Żebrakiem i złodziejem! Wziął od pana pieniądze, a przy okazji opróżnił kieszenie. Jeśli chce pan dokonać cudu uzdrowienia, to wystarczy zamachnąć się kijem, a resztę pozostawić Opatrzności.

Ale Hugh nie czekał na cud. W tej samej chwili zerwał się i pomknął jak wicher, zaś nieznajomy puścił się za nim z kijem w ręku, głośno wyklinając.

Podziękowawszy niebiosom za ocalenie, król puścił się w przeciwnym kierunku i nie zwolnił kroku, dopóki znalazł się poza zagrożeniem. Wybrał pierwszą napotkaną ścieżkę i wkrótce pozostawił miasteczko za sobą.

Podbiegał jeszcze co jakiś czas, oglądając się z trwogą za siebie, czy nikt go nie ściga. Ale obawa szybko ustąpiła miejsca miłemu poczuciu bezpieczeństwa.

Teraz jednak uprzytomnił sobie, że jest głodny i bardzo zmęczony. Podszedł więc do najbliższego gospodarstwa. Nim jednak zdołał cokolwiek powiedzieć, szorstko go przepędzono. Jego łachmany świadczyły przeciwko niemu.

Oburzony i dotknięty ruszył dalej, postanawiając nie narażać się więcej na tak lekceważące traktowanie. Ale głód silniejszy był od dumy i gdy tylko zapadł zmierzch, chłopiec spróbował szczęścia w innej chacie. Tutaj było jeszcze gorzej. Pogoniono go wyzwiskami i zagrożono więzieniem, jeżeli się natychmiast nie wyniesie.

Zapadła pochmurna i wietrzna noc, a biedny monarcha mimo zmęczenia i poobcieranych nóg włókł się dalej. Zresztą musiał ciągle się ruszać, bo kiedy tylko chciał przez chwilę odpocząć, chłód przenikał go do szpiku kości.

Wszystko, co widział i czuł idąc tak wśród ciszy i głębokiego mroku nocy, było dla niego nowe i dziwne. Od czasu do czasu słyszał jakieś głosy. Zbliżały się one do niego, potem milkły w nocnej ciszy, nie widział jednak ludzi, lecz tylko ciemne, bezkształtne zarysy. Wszystko to wydawało mu się niesamowicie upiorne i napawało dreszczem grozy.

Chwilami dostrzegał migoczące światełka, ale musiały znajdować się bardzo daleko, gdyż połyskiwały jakby z innego świata. Dzwonki owiec dźwięczały niewyraźnie i głucho, a wiatr przynosił stłumione, żałobne w tonacji porykiwania bydła. Niekiedy dochodziło do niego na rozległym polu lub w lesie wycie psa. Ale wszystkie te dźwięki były dalekie i mały król miał wrażenie, że życie z jego wszystkimi sprawami odsunęło się od niego, i znalazł się samotny i opuszczony wśród niezmierzonego pustkowia.

Wlókł się jednak naprzód, poddając się nowemu dla niego uczuciu zgrozy. Niekiedy drętwiał ze strachu słysząc szelest suchych liści, przypominający ludzki szept. Nagle tuż przed sobą ujrzał migoczący promyk światła wydostający się z blaszanej latarni. Cofnął się w cień i rozejrzał dokoła. Latarnia stała w otwartych wrotach stodoły. Chłopiec przeczekał chwilę – panowała cisza, nic się nie poruszało. Stojąc w bezruchu znowu zaczął mu dokuczać chłód, a gościnnie otwarte wrota wyglądały tak kusząco, że zebrał się wreszcie na odwagę i postanowił spróbować wejść do środka. Błyskawicznie i bezszmerowo wślizgnął się do stodoły. W momencie, gdy przekraczał próg, usłyszał za sobą głosy. Ukrył się za stojącą nieopodal beczką i przykucnął w oczekiwaniu.

Weszli dwaj parobcy, którzy wnieśli latarnię i zaczęli krzątać się po stodole rozmawiając ze sobą. Kiedy tak chodzili dokoła z latarnią, król rozejrzał się po stodole i spostrzegł, że w drugim końcu znajduje się obszerna przegroda. Postanowił przedostać się tam, gdy tylko pozostanie sam. Niedaleko stamtąd odkrył końskie derki i zdecydował kilka z nich powołać do służby na jedną noc w imieniu korony angielskiej.

Wkrótce parobcy ukończyli swoją robotę i wyszli z latarnią zaryglowawszy wrota. Zmarznięty król najszybciej jak mógł namacał w ciemnościach koce, wziął parę z nich i po omacku dotarł do przegrody. Z dwóch koców sporządził sobie posłanie, a w pozostałe się zawinął.

Czuł się teraz niemal po królewsku, chociaż derki były stare, poprzecierane i nie grzały dostatecznie, a zapach koni był tak silny, że z trudnością mógł go wytrzymać.

Chociaż głodny i przemarznięty, poczuł jednak tak silne zmęczenie i senność, że natychmiast popadł w stan drzemki. Ale w chwili, gdy miał już zasnąć, poczuł, że go coś dotknęło! Natychmiast się ocknął, ale strach odjął mu oddech. Z przerażenia pod wpływem tajemniczego dotknięcia w ciemności serce przestało bić. Przez dłuższy czas leżał cicho i bez ruchu, nasłuchując i nie mając odwagi oddychać. Ale nic się nie poruszyło, nigdzie nie słychać było najmniejszego dźwięku. Nasłuchiwał czekając, jak mu się zdawało, bardzo długi czas, lecz nic się nie poruszyło. Ale gdy już miał ponownie zasnąć, nagle znowu poczuł to tajemnicze dotknięcie! Coś przeraźliwego było w tym lekkim dotknięciu czegoś niewidzialnego i niesłyszalnego i chłopiec zamarł z trwogi.

Co miał zrobić? To było pytanie, na które nie znajdował odpowiedzi. Czy miał opuścić ciepłe schronienie, żeby uciec przed niewyjaśnioną grozą? Ale dokąd uciekać? Ze stodoły nie mógł się wydostać. A na myśl, żeby poruszać się na oślep w ciemnościach, zamknięty w czterech ścianach, przewidując, że tajemniczy upiór pójdzie za nim, muskając w policzek czy w ramię, na tę myśl ogarniało go przerażenie.

Może lepiej pozostać na miejscu i nadal znosić tę śmiertelną trwogę? Nie! Więc co miał robić? Było tylko jedno wyjście; zdawał sobie z tego jasno sprawę. Trzeba było wyciągnąć rękę i zbadać, co to jest!

Łatwo pomyśleć, ale trudno zdecydować się, a jeszcze trudniej wykonać postanowienie. Trzy razy nieśmiało wyciągał rękę w ciemności, ale za każdym razem cofał ją ze zdławionym okrzykiem strachu. Nie dlatego, że coś znalazł, ale że sądził, iż w następnej chwili będzie musiał dotknąć tajemniczego przedmiotu. Jednak za czwartym razem sięgnął odrobinę dalej i dotknął czegoś miękkiego i ciepłego. Skamieniał ze strachu, przekonany, iż przedmiot, którego dotknął, musi być trupem kogoś niedawno zmarłego i dlatego jest jeszcze ciepły. Wolałby raczej umrzeć niż dotknąć tą ohydę po raz drugi. Jednak zdawało mu się to tylko dlatego, że nie znał potęgi swojej ciekawości. Toteż po chwili wyciągnął znowu drżącą rękę, chociaż uważał to za głupie i właściwie nie chciał tego zrobić. Nagle dotknął wiązki splątanych włosów. Drgnął, ale ręka mimo woli sunęła dalej śladem włosów i natrafiła na coś, co sprawiało w dotknięciu wrażenie ciepłego sznura. Idąc dalej, okazało się, że natrafiła na... niewinne cielę!

Chłopiec bardzo się zawstydził, że aż tak przeraziło go śpiące cielątko. Z drugiej strony ucieszył się niezmiernie, że tajemnicza istota okazała się cielaczkiem. Teraz nie czuł się już tak samotny i opuszczony. Od swoich bliźnich doznał tyle przykrości i upokorzeń, że poczuł ulgę znalazłszy się w towarzystwie istoty łagodnej i dobrej, choć może pozbawionej wybitnych zalet rozumu. Postanowił więc nie bacząc na jakiekolwiek różnice stanu i urodzenia zawrzeć ze zwierzęciem przyjaźń.

Cielę leżało na tyle blisko, że gładząc je po ciepłym, miękkim grzbiecie, chłopcu przyszło na myśl, że może mieć z niego pożytek. Szybko pościelił sobie derki tuż przy cielątku, potem przytulił się do jego grzbietu, naciągnął koce na siebie i swego nowego przyjaciela i po chwili było mu tak ciepło i miło jak niegdyś w puchowym łożu w pałacu Westminsterskim.

Jego głową zawładnęły teraz przyjemniejsze myśli, a życie wydało mu się znowu weselsze. Był wolny od zadań, które chciał mu narzucić rzekomy ojciec-przestępca. Uciekł od bandy brutalnych i okrutnych włóczęgów. Nie odczuwał już zimna, znalazł dach nad głową – słowem, czuł się szczęśliwy.

Wiatr szalał po polu. Niekiedy uderzał gwałtownie, i wówczas stara stodoła cała się trzęsła. Niekiedy gdy wiatr ustawał, pod pokryciem dachu rozlegały się tylko jego poświsty i wycie, ale dla króla, który odpoczywał teraz bezpieczny i rozgrzany, brzmiało to jak najpiękniejsza muzyka. Wiatr mógł sobie dąć i wyć, mógł dobijać się do wrót i wstrząsać słupami, mógł gwizdać i zawodzić – króla to nic nie obchodziło, przeciwnie, było mu to nawet miłe. Wichura miotała potoki deszczu na dach, ale jego królewska mość, król angielski spał spokojnie, a wraz z nim spało cielątko – stworzenie prostoduszne, które niełatwo było wytrącić z równowagi, czy przez wichurę, czy przez królewskiego towarzysza snu.

ROZDZIAŁ XIX

Książę wśród wieśniaków

Gdy król zbudził się wczesnym rankiem, spostrzegł, że jakiś zmokły, ale sprytny szczur podkradł się w nocy i ulokował się na jego piersi. Jednak przy pierwszym poruszeniu, szczur wypłoszył się. Chłopiec uśmiechnął się i pomyślał:

– Nie miałeś się czego bać. Jestem tak samo samotny jak ty. Byłoby mi wstyd, gdybym prześladował bezbronnych, takich jak ja. Jestem ci zresztą wdzięczny za dobrą przepowiednię. Jeżeli król upadł tak nisko, że szczury robią sobie z niego legowisko, to znaczy, że jego los musi się poprawić, bo przecież niżej już upaść nie można.

Wstał i wyszedł z przegrody, gdy nagle usłyszał na zewnątrz dziecięce głosy. Wrota stodoły otworzyły się i weszły dwie małe dziewczynki. Gdy ujrzały chłopca, przestały rozmawiać i śmiać się. Zatrzymały się zmieszane, spojrzały na niego zaciekawione, potem poszeptały, zbliżyły się nieco, znowu się zatrzymały i znowu zaczęły przyglądać się szepcząc coś jedna do drugiej. Po pewnym czasie nabrały odwagi i zaczęły głośno wygłaszać swoje spostrzeżenia.

– Niebrzydką ma twarz.

A druga dodała:

– Piękne włosy.

– Ale nędznie ubrany.

– I wygląda na głodnego.

Potem podeszły jeszcze bliżej, przyglądając mu się

z ukosa, jakby był nieznanym gatunkiem zwierzęcia. Patrzyły na niego lękliwie i niepewnie, jakby się obawiały, że mógłby je ugryźć. Wreszcie stanęły tuż przed nim, dla większej pewności trzymając się za ręce, i długo wpatrywały się w niego naiwnymi oczami. Potem jedna zebrała się na odwagę i zapytała:

– Kim jesteś, chłopczyku?

– Jestem królem – padła spokojna odpowiedź.

Dziewczynki drgnęły, a oczy powiększyły się im ze zdumienia. Przez dobre pół minuty spoglądały po sobie bez słowa. Wreszcie jednak ciekawość zwyciężyła:

– Królem? Jakim królem?

– Królem Anglii.

Dziewczynki spojrzały na siebie, potem na niego, a potem znowu jedna na drugą, stropione i zmieszane. Wreszcie jedna spytała:

– Słyszałaś, Margery? On mówi, że jest królem. Czy to może być prawda?

– Oczywiście, Prissy! Przecież nie skłamałby! Bo widzisz, Prissy, gdyby to nie była prawda, to byłoby kłamstwo. Pomyśl! Wszystko, co nie jest prawdą, jest kłamstwem – przecież wiesz o tym.

Przeciw takiemu argumentowi nic nie można było powiedzieć. Wątpliwości Prissy nie mogły mu się oprzeć. Po chwili zastanowienia zwróciła chłopcu jego królewski honor mówiąc:

– Jeżeli naprawdę jesteś królem, to ci wierzę.

– Naprawdę jestem królem.

To rozstrzygnęło sprawę. Królewskość jego królewskiej mości została uznana bez dalszych wątpliwości i pytań, po czym dziewczynki zaczęły wypytywać, jak tu się dostał i dlaczego ubrany jest tak nie po królewsku, dokąd się wybiera i w ogóle co chce dalej robić.

Dla młodego króla było wielką ulgą móc się pożalić na swój los przed kimś, kto z niego nie drwił, ani nie powątpiewał w jego słowa. Opowiedział więc szczegółowo swoje dzieje, zapominając zupełnie o głodzie. Dziewczynki wysłuchały jego opowiadania z najżywszym współczuciem. Ale gdy dobrnął do ostatnich wydarzeń i wyznał jak długo nic nie jadł, przerwały mu i natychmiast zaprowadziły do domu, aby przygotować mu śniadanie.

Król był teraz pogodny i zadowolony. W duchu pomyślał:

– Kiedy odzyskam znowu swoje prawa, będę zawsze otaczał dzieci szczególną opieką. Dzieci uwierzyły i zaufały mi w ciężkiej chwili, a ludzie starsi, którzy powinni mieć więcej rozumu, wydrwili mnie uważając mnie za kłamcę.

Matka dziewczynek przyjęła króla życzliwie, okazując mu wielkie współczucie. Opłakany wygląd i widoczny zamęt w jego głowie wzruszył kobiece serce.

Była niezamożną wdową, która zniosła w życiu wiele cierpienia i wiedziała, co czują nieszczęśliwi. Przypuszczała, że ten chory umysłowo chłopiec uciekł od swoich krewnych czy opiekunów, starała się więc wybadać, skąd pochodził, aby odprowadzić go z powrotem do domu.

Ale wszelkie jej uwagi, dotyczące okolicznych miasteczek i wsi, oraz wszelkie pytania o inne miejscowości pozostawały bez echa. Zarówno twarz chłopca jak i jego odpowiedzi wskazywały, że to, o czym mówiła, było mu zupełnie nieznane. Natomiast swobodnie i wyczerpująco opowiadał o sprawach dotyczących dworu, a nieraz ogarniało go wzruszenie, gdy wspominał zmarłego króla, rzekomo swojego ojca. Gdy jednak rozmowa schodziła na sprawy bardziej pospolite, zupełnie nie okazywał zainteresowania i zapadał w milczenie.

Wdowa nie bardzo wiedziała, co o tym sądzić, ale jednak nie zrezygnowała ze swoich zamiarów. Krzątała się koło kuchni zastanawiając się ciągle, w jaki sposób wydobyć z chłopca jego tajemnice. Gdy mówiła o krowach i wołach – nie okazywał żadnego zainteresowania. O owcach, z takim samym skutkiem. Przekonała się więc, że jej przypuszczenie jakoby był pastuszkiem było mylne. Potem zaczęła wspominać o młynarzach i tkaczach, o blacharzach, kowalach, o różnych kupcach. Mówiła o zakładzie dla obłąkanych, o więzieniu i przytułkach. Wszystko na nic.

Mimo to, nie uważała, żeby jej wysiłki poszły na marne. Doszła do wniosku, że nie pozostaje nic innego, jak to, że musiał być służącym w domu jakichś dostojnych państwa. Była pewna, że tym razem wpadła na właściwy trop i rozmowę pokierowała w tym kierunku. Ale gdy mówiła o zamiataniu, chłopiec okazywał znudzoną minę, rozpalanie ognia także go nie rozpalało. Zmywanie naczyń i czyszczenie ubrań nie budziło w nim żadnego zainteresowania. Wreszcie dobra kobieta nie mając już większych nadziei i właściwie tylko *pro forma* poruszyła temat gotowania.

Ku jej wielkiej radości twarz króla rozjaśniła się nagle. Aha – pomyślała – nareszcie go mam, i poczuła się dumna ze swego podstępu i rozwagi, z jaką wybadała chłopca.

Nareszcie mogła dać odpocząć zmęczonemu językowi. Król pobudzony szarpiącym go głodem i miłymi zapachami, unoszącymi się z garnków i patelni, stał się rozmowny i zaczął z takim zapałem opowiadać o rozmaitych smakołykach, że kobieta natychmiast pomyślała:

– To oczywiste, miałam rację – on był kuchcikiem!

Król rozwodził się na temat swoich ulubionych potraw, a mówił z takim ożywieniem i znawstwem przedmiotu, że wieśniaczka pomyślała:

– Wielki Boże, skąd on zna tyle potraw i to tak wykwintnych? Takie rzeczy są przywilejem ludzi dostojnych i bogatych. No tak, już rozumiem! Chociaż jest obdarty i wygląda jak włóczęga, to nim zwariował musiał służyć w kuchni dworskiej. Może był pomocnikiem kucharza samego króla. Muszę go sprawdzić.

Pragnąc przed sobą dowieść swojej przebiegłości poprosiła króla, aby uważał przez jakiś czas na garnki, i dodała, że jeżeli chce, to może dorobić jeszcze do tego co jest jedno, albo dwa dania. Potem wyszła z kuchni dając znak dzieciom, aby poszły za nią.

Król zamruczał do siebie:

– Jeden król angielski otrzymał takie samo polecenie. Nie uchybia więc mojej godności zrobić to, co raczył zrobić sam wielki Alfred. Postaram się jednak lepiej wywiązać ze swego zadania, gdyż on pozwolił, żeby placki się przypaliły*.

Zamiar był godny pochwały, ale wykonanie nie najwyższej próby. Nasz król, podobnie jak jego poprzednik, szybko popadł w głębokie zamyślenie nad skomplikowanymi sprawami tego świata, i dopuścił do podobnej katastrofy. Potrawy przypaliły się. Na szczęście gospodyni wróciła jeszcze dość wcześnie, aby uratować jedzenie przed zupełnym zniszczeniem. Jej gwałtowne napomnienie zbudziło chłopca z rozmarzenia przypominając o rzeczywistości. Gdy jednak wdowa spostrzegła jak bardzo król był zatroskany z powodu swojej nieuwagi, szybko złagodniała i znowu była dla niego dobra i uprzejma.

Chłopiec jadł z wielkim apetytem, a pod wpływem pożywnego śniadania przybyło mu sił i humoru. Sytuacja przy stole była o tyle osobliwa, że obie strony sądziły, że rezygnują z należnych ich pozycji przywilejów, ale żadna ze stron nie była świadoma zaszczytu, który ją spotyka. Gospodyni miała zamiar dać małemu włóczędze resztki jedzenia w kącie jak psom i in-

---

* Alfred Wielki – król angielski (848–899), który według legendy schronił się podczas najazdu duńskich plemion w wiejskiej chacie. Gospodyni nie poznała go i kazała mu pilnować smażących się placków. Placki jednak się przypaliły, za co król otrzymał policzek od wieśniaczki (przyp. wyd.).

nym żebrakom. Żal jej się jednak zrobiło, że tak gwałtownie zbeształa chłopca, więc robiła co mogła, aby naprawić swój błąd, i pozwoliła zasiąść mu przy rodzinnym stole, jak gdyby był jej naprawdę równy. Król ze swej strony szczerze ubolewał, iż zawiódł pokładane w nim zaufanie, a biorąc pod uwagę jak życzliwi byli ci ludzie, postanowił zniżyć się do ich poziomu i zamiast zażądać od gospodyni i jej córeczek, by mu usługiwały stojąc, kiedy on będzie spożywać posiłek w samotnym majestacie jak przystało jego urodzeniu i godności.

Ale czasami każdemu dobrze robi, jak zrezygnuje ze swoich ambicji.

Zacna kobieta przez cały dzień czuła wielkie zadowolenie, że tak wspaniałomyślnie postąpiła z biednym włóczęgą. Król również był rozradowany z powodu swojej dobroci dla prostej wieśniaczki.

Po śniadaniu gospodyni kazała królowi pozmywać naczynia. W pierwszej chwili chłopiec chciał zaprotestować z oburzeniem, ale chwilę potem pomyślał sobie:

– Alfred Wielki pilnował pieczenia placków. Na pewno zdecydowałby się i na zmywanie naczyń. Mogę więc i ja spróbować.

Nie popisał się i przy tej robocie, czemu bardzo się dziwił, bo wydawało mu się, że zmywanie drewnianych misek i łyżek jest rzeczą prostą. Przekonał się jednak, iż było to zajęcie nużące i wymagające wiele czasu, choć w końcu uporał się z tym.

Niepokój gnał króla w dalszą drogę. Ale nie łatwo było uwolnić się od zapobiegliwej gospodyni. Ciągle wydawała mu różne drobne polecenia, a chłopiec wywiązywał się z nich jak mógł najlepiej. Kazała mu usiąść z dziewczętami i obierać jabłka, ale król okazał się tak niezręczny, że odebrała mu tę robotę i zamiast tego miał naostrzyć nóż kuchenny. Potem musiał gręplować wełnę i pomyślał sobie, że dawno już prześcignął w dobrych uczynkach króla Alfreda. Jego heroiczne prace, na pewno będą kiedyś szczegółowo opisane w kronikach i podręcznikach historii. Doszedłszy do takiego wniosku postanowił zrzec się dalszych czynności. Po obiedzie otrzymał od gospodyni polecenie utopienia całego koszyka młodych kociaków, oparł się temu, a raczej postanowił się oprzeć. Uznał bowiem, że teraz musi położyć temu kres, a żądanie topienia kociąt jest najlepszą sposobnością po temu. Nagle jednak pojawiła się niespodziewana przeszkoda w postaci Johna Canty'ego z węzełkiem na plecach, za którym podążał Hugh!

Król ujrzał obu włóczęgów zbliżających się do furtki od strony drogi, zanim jeszcze oni zdołali go dostrzec. Nie zdradzając, że miał zamiar położyć kres rozkazom gospodyni, w milczeniu wziął koszyk z kociakami i bez słowa szybko wyszedł przez tylnie drzwi.

W szopie postawił koszyk z kotkami i co sił puścił się boczną dróżką za domem.

ROZDZIAŁ XX

Książę i pustelnik

Wysokie ogrodzenie, biegnące dokoła domu, zasłaniało go przed wzrokiem znajdujących się w chacie ludzi. Pędzony śmiertelnym lękiem co sił w nogach biegł w stronę pobliskiego lasu. Dopiero gdy znalazł się pod ochroną gęstych drzew obejrzał się i dostrzegł w oddali dwie sylwetki. Chłopiec nie przyglądając się im dokładniej, pobiegł dalej i nie zwolnił, aż znalazł się w środku gęstego lasu. Wówczas przystanął i zaczął nasłuchiwać z uwagą. Dokoła panowała głęboka, głucha cisza, działająca na niego przygnębiająco i zatrważająco. Tylko co jakiś czas jego ucho chwytało odległe dźwięki, ale były tak dalekie, słabe i tajemnicze, że wydawały się brzmieniem nierzeczywistym. Działały niestety jeszcze bardziej posępnie niż cisza, którą przerywały.

Początkowo zamierzał do końca dnia zostać w swojej leśnej kryjówce, ale biegnąc tak się spocił, że teraz zrobiło mu się zimno i aby się rozgrzać musiał się choć trochę poruszać. Poszedł prosto przed siebie mając nadzieję, że wkrótce natknie się na jakąś drogę, ale czuł się coraz bardziej rozczarowany. Im dalej szedł, tym las wydawał się gęstszy. Pod drzewami robiło się już ciemno i król obawiał się, że zaraz zapadnie noc. Zimny pot go oblał na myśl, że miałby ją spędzić w tak okropnym miejscu. Starał się więc iść jak najszybciej, ale nie było to łatwe, bo ciągle potykał się o korzenie i ranił się o kolczaste krzaki.

Poczuł się więc naprawdę szczęśliwy, gdy wreszcie ujrzał światełko!

Zbliżał się ostrożnie, często przystając, żeby rozejrzeć się dokoła i nasłuchiwać. Światło wydobywało się z małego, pozbawionego szyb okienka nędznej lepianki. Chłopiec usłyszał głos i już chciał uciekać, zrezygnował jednak, gdy rozpoznał, że głos ten mruczał modlitwy. Podkradł się więc do okienka, wspiął na palce i zajrzał do środka.

Była to maleńka cela, której podłogę stanowiła goła ziemia, ubita od chodzenia. W kącie znajdowało się posłanie z sitowia z kilkoma grubymi kocami. Nieopodal stało wiadro, kubek, miska, kilka garnków i glinianych naczyń. Pod ścianą stała ława i zydel na trzech nogach. Na ognisku tlił się dogasający żar.

Przed małym ołtarzem, oświetlonym tylko jedną świecą, klęczał starzec, a obok niego, na drewnianej skrzyni, leżała otwarta księga i trupia czaszka. Mężczyzna był wysoki i chudy, siwe włosy i brodę miał bardzo długie, ubrany był od ramion aż do stóp w owcze skóry.

– Święty pustelnik – pomyślał król. – Tym razem miałem szczęście!

Kiedy pustelnik powstał z klęczek, król zapukał do drzwi. Odpowiedział mu głęboki głos:

– Wejdź! Ale grzechy swe pozostaw za drzwiami, gdyż miejsce, do którego wkraczasz, jest święte.

Król wszedł i zatrzymał się niezdecydowany. Pustelnik obserwował go błyszczącym, niespokojnym wzrokiem, potem zapytał:

– Kim jesteś?

– Jestem królem – zabrzmiała spokojna odpowiedź.

– Witaj, królu! – zawołał pustelnik z zapałem. I krzątając się w gorączkowym pośpiechu po celi raz po raz powtarzał: – Witaj, witaj!

Przysunął ławę do ogniska, posadził na niej króla, dorzucił drew do ognia i znowu zaczął nerwowo przechadzać się po celi.

– Witaj! Wielu szukało schronienia w tym świętym

miejscu, lecz byli tego niegodni, więc ich odprawiłem. Ale król, który zdejmuje koronę i ze wzgardą odrzuca czcze błyskotki swojej godności przyoblekając łachmany, aby poświęcić życie świętości i umartwieniu ciała, godny jest przyjęcia i pozdrowienia. Niech pozostanie tutaj aż do kresu swoich dni!

Król próbował mu przerwać, aby wyjaśnić swoje położenie, ale starzec nie zwracał na niego uwagi, lecz ciągle mówił podniesionym głosem i ze wzrastającą gwałtownością.

– Tutaj znajdziesz spokój! Nikt nie odkryje miejsca twego schronienia, aby cię napastować prośbami i kusić cię do powrotu do pustego i niedorzecznego życia, które Bóg kazał ci opuścić natchnąwszy twoje serce. Będziesz się tutaj modlił, będziesz zgłębiał Pismo, będziesz rozmyślał nad pustką i błędami świata i nad wspaniałością przyszłego życia. Będziesz się żywił korzonkami i ziołami i co dzień biczował swe ciało umartwiając je dla zbawienia swej duszy. Wdziejesz włosiennicę, a jedynym napojem będzie woda. A za to znajdziesz spokój, tak, spokój doskonały. Ci zaś, co przybędą cię szukać, odejdą z niczym. Nikt cię tutaj nie znajdzie, nikt nie zmąci twego spokoju.

Starzec ciągle jeszcze chodził tam i z powrotem, ale nie mówił już głośno, lecz mruczał coś pod nosem. Król skorzystał z tej sposobności, aby opowiedzieć mu o swoich losach, co uczynił nader wymownie, gdyż odczuwał jakiś lęk i niepokój.

Ale pustelnik ciągnął dalej swój mruczany monolog nie zwracając na króla najmniejszej uwagi. Potem zbliżył się do chłopca i szepnął:

– Ciiii! Powierzę ci tajemnicę!

Pochylił się nad królem, zamilkł na moment i stał tak jakby nasłuchując. Po chwili podszedł do okna, wytknął głowę, rozejrzał się po ciemnościach, powrócił cicho na palcach, pochylił twarz do ucha króla i szepnął:

– Jestem archaniołem!

Król wzdrygnął się nerwowo i pomyślał:

– O Boże, trzeba było zostać z włóczęgami! Teraz, znalazłem się na łasce szaleńca!

Na twarzy króla rysowało się coraz większe przerażenie, ale niezrażony pustelnik ciągnął stłumionym i pełnym przejęcia głosem:

– Widzę, że odczuwasz już otaczającą mnie aurę! Zdradza mi to wyraz twojego oblicza. Nikt nie może przebywać blisko mnie nie odbierając tego wrażenia, gdyż jest to jasność niebiańska. Podczas jednej chwili wznoszę się do niebios i z nich powracam. Przed pięciu laty tutaj właśnie wyniesiony zostałem do godności archanioła przez aniołów, które zostały zesłane, aby mnie obdarzyć tą dostojną godnością. Ich obecność wypełniła tę izdebkę światłością, której żadne oko by nie zniosło. Ale one uklękły przede mną, królu! Tak, uklękły przede mną, gdyż jestem większy od nich. Kroczyłem przez przedsionki niebios i wiodłem rozmowy z patriarchami. Ujmij moją dłoń, nie lękaj się – ujmij ją. Oto dotknąłeś dłoni, którą ściskał Abraham, Izaak i Jakub. Wkroczyłem bowiem do złotych dziedzińców i stanąłem przed Bogiem twarzą w twarz!

Urwał, aby jego słowa wywarły tym większe wrażenie. Potem nagle zmienił wyraz twarzy. Zerwał się i zawołał gwałtownie:

– Tak, jestem archaniołem! Tylko archaniołem! Ja, który mogłem zostać papieżem! Przed dwudziestu laty we śnie, niebo objawiło mi, że mam zostać papieżem. I zostałbym nim naprawdę, gdyż niebo tak postanowiło. Ale król rozwiązał nasz klasztor, a ja, biedny, zwykły, bezbronny mnich, wyrzucony zostałem w świat i ograbiony przez to ze swej wspaniałej przyszłości!

Potem zaczął znowu mówić półgłosem, tłukąc się z pasją pięścią w czoło. Czasami miotał straszliwe przekleństwa, a czasami wtrącał żałosnym głosem:

– Dlatego jestem tylko archaniołem – ja, który mogłem zostać papieżem!

Trwało to przynajmniej godzinę, a biedny mały król musiał cicho siedzieć i cierpliwie słuchać. Potem atak wściekłości minął i starzec stał się przykładem łagodności i poczciwości. Jego głos brzmiał teraz miękko, nie mówił już nic o swojej dostojnej godności, lecz gawędził tak spokojnie i przyjaźnie, że bardzo szybko podbił serce młodego króla. Stary mnich przysunął króla bliżej ognia i wygodniej usadowił gościa. Wprawną i delikatną ręką opatrzył zadrapania i sińce, potem zabrał się do przygotowania wieczerzy gawędząc cały czas i od czasu do czasu gładząc chłopca po włosach, tak iż po krótkim czasie lęk i niechęć, jakie odczuwał król wobec archanioła, zmieniły się w szacunek i sympatię.

Ten pomyślny stan rzeczy trwał przez całą wieczerzę. Po modlitwie przed ołtarzykiem, pustelnik ułożył chłopca na posłaniu w sąsiedniej małej komorze, okrył go czule jak matka i pogłaskawszy raz jeszcze, wyszedł. Usiadł przy ognisku i z wyrazem roztargnienia i obłędu zaczął grzebać w żarze. Nagle przerwał swoje zajęcie, uderzył się kilka razy w czoło, jakby sobie coś przypomniał. Zerwał się gwałtownie, wpadł do izdebki gościa i zapytał:

– Więc jesteś królem?

– Tak – brzmiała senna odpowiedź.

– Jakim królem?

– Angielskim.

– Angielskim? Więc Henryk nie żyje?

– Niestety, to prawda. Jestem jego synem.

Pustelnik zmarszczył się posępnie, mściwym ruchem zacisnął kościstą pięść. Przez chwilę stał ciężko dysząc i starając się zaczerpnąć powietrza, aż wreszcie zachrypiał:

– A czy wiesz, kto wygnał nas, mnichów, w świat, pozbawiając dachu nad głową?

Nie otrzymał odpowiedzi. Starzec pochylił się, spojrzał na pogodną twarz chłopca i usłyszał jego równomierny oddech.

– Śpi, mocno śpi – mruknął, a gniewne zmarszczki na czole ustąpiły miejsca wyrazowi dzikiej, mściwej radości. W tej chwili chłopiec uśmiechnął się przez sen.

– Tak... jego serce jest szczęśliwe! – mruknął pustelnik do siebie i odszedł.

Chodził cicho po izbie jakby czegoś szukając, od czasu do czasu zatrzymywał się nadsłuchując lub rzucając szybkie spojrzenie w kierunku posłania, ciągle przy tym mówił i mamrotał do siebie. Wreszcie znalazł to, czego szukał: stary, zardzewiały nóż rzeźnicki i osełkę. Potem przysiadł w pobliżu ognia i ciągle mrucząc do siebie, zaczął bez hałasu i pośpiechu ostrzyć nóż na osełce.

Wiatr wył naokoło pustelni, z daleka dochodziły z lasu stłumione odgłosy nocy. Ośmielone myszy i szczury wychylały się ze swych dziur i kryjówek, przyglądając się starcowi połyskującymi oczkami, ale pustelnik był tak pochłonięty swoim zajęciem, że nie zwracał uwagi na nic, co się wokół niego działo.

Od czasu do czasu przeciągał palcem po ostrzu noża i z zadowoleniem kiwał głową.

– Jest coraz ostrzejszy – szeptał – coraz ostrzejszy.

Zajęty swoimi myślami, nie zdawał sobie sprawy z upływu godzin. Tylko od czasu do czasu pomrukiwał:

– Jego ojciec wyrządził nam wielką krzywdę, zburzył klasztory, a teraz za to przeniósł się do ognistego piekła! Tak, do piekła! Uszedł naszej zemście. Widać taka była wola boża, nie wolno nam więc sarkać. Ale nie uszedł przed ogniem piekielnym, który będzie go bez zmiłowania palić przez całą wieczność!

Ostrzył nóż mrucząc i chichocząc pod nosem, a czasami rzucając znane już słowa:

– Wszystkiemu winien jego ojciec. Jestem tylko archaniołem. Gdyby nie on, byłbym papieżem!

Król poruszył się przez sen. Pustelnik podbiegł bez szmeru do posłania, uklęknął i pochylił się nad śpiącym, trzymając nóż w podniesionej ręce. Chłopiec poruszył się znowu, otworzył oczy nie budząc się, a chwilę potem równomierny oddech świadczył, że król jednak cały czas śpi. Pustelnik obserwował go przez chwilę, nasłuchując, ale nie ruszając się i prawie nie oddychając. Potem wolno opuścił ramię i odszedł bez szmeru, mrucząc:

– Dawno już minęła północ. Mógłby krzyczeć, a ktoś przypadkowo może przechodzić w pobliżu.

Potem zaczął szperać po wszystkich kątach szukając sznurków i szmat, z którymi powrócił do posłania i tak zręcznie związał królowi nogi, że śpiący wcale tego nie poczuł. Chciał jeszcze związać ręce, ale chłopiec przez sen stale usuwał raz jedną, raz drugą. Gdy pustelnik zwątpił już w powodzenie, śpiący nagle sam skrzyżował ręce, które już po chwili były skrępowane. Następnie pustelnik założył chłopcu pod brodą opaskę, którą mocno związał na głowie. Zrobił to wszystko tak ostrożnie i zręcznie, chociaż węzły związane były bardzo mocno, że chłopiec nie poruszył się nawet i spał dalej spokojnie.

ROZDZIAŁ XXI

Przybywa ratunek

Starzec cicho jak kot wyślizgnął się z pomieszczenia i przyniósł sobie ławę. Usiadł na niej tak, że jego postać była na wpół oświetlona słabym blaskiem ogniska, a na wpół spowita mrokiem. Utkwił dzikie spojrzenie w śpiącym i obserwował go cierpliwie, nie zwracając uwagi na czas. Mrucząc i chichocząc zabrał się bez pośpiechu za ostrzenie noża. Robił wrażenie wielkiego szarego pająka radującego się widokiem małego owada złapanego w sieć.

Po pewnym czasie starzec, pogrążony w myślach, nagle spostrzegł, że chłopiec ma otwarte oczy! Szeroko otwarte i patrzące na niego! Spoglądały z największym przerażeniem na niego i na nóż. Szatański uśmiech przemknął po twarzy starca. Nie zmieniając pozycji i nie przestając ostrzyć noża zapytał:

– Synu Henryka VIII, czy zmówiłeś już modlitwę?

Król daremnie usiłował uwolnić się od więzów, a mając zawiązane szczęki mógł wydawać tylko zduszone dźwięki, które starzec uznał za odpowiedź twierdzącą.

– Więc pomódl się jeszcze raz. Zmów modlitwę za konających!

Przez ciało chłopca przebiegł dreszcz, twarz mu pobladła. Znowu zaczął się szarpać, rzucać się w prawo i lewo natężając rozpaczliwie siły, aby rozluźnić sznury. Stary potwór spokojnie kiwał głową i ostrząc cierpliwie nóż mruczał pod nosem:

– Czas jest cenny, niewiele go już masz przed sobą. Zmów więc modlitwę za konających!

Chłopiec wydał głęboki jęk rozpaczy i dysząc przerwał daremne wysiłki. Łzy pociekły z jego oczu spływając po policzkach, ale ten wzruszający widok nie zrobił wrażenia na krwiożerczym starcu.

Ranek już szarzał. Pustelnik spostrzegł to i rzekł szybko i nieco lękliwie:

– Dłużej nie wolno mi się napawać tą rozkoszą. Noc już minęła. Minęła mi jak jedna chwila, a mógłbym cały rok sycić się tym triumfem. Potomku wroga Kościoła, zamknij swe umierające oczy, jeżeli obawiasz się widoku...

Starzec zaczął znowu bełkotać. Padł na kolana wznosząc nóż w dłoni i pochylając się nad jęczącym chłopcem...

Ale nagle za domem rozległy się jakieś głosy. Starzec wypuścił nóż z ręki, szybko nakrył chłopca owczą skórą i zerwał się drżąc na całym ciele. Gwar słychać było coraz bliżej, pogmatwane głosy krzyczały gniewnie i gwałtownie. Potem rozległa się wrzawa bójki i wołania o pomoc, później hałas oddalających się szybko kroków. Chwilę później ktoś załomotał do drzwi i zawołał:

– Hej tam! Otwierać! Prędzej, do wszystkich diabłów!

Dźwięk tego głosu zabrzmiał w uchu króla jak najwspanialsza muzyka. Był to głos Milesa Hendona!

Pustelnik szybko wyszedł z komórki zgrzytając zębami w bezsilnej wściekłości. Zamknął za sobą drzwi, po czym król usłyszał w sąsiednim pomieszczeniu następującą rozmowę:

– Witajcie z Bogiem, wielebny panie, gdzie chłopiec... mój chłopiec?

– Jaki chłopiec, przyjacielu?

– Jaki chłopiec!? Nie kłam, mnichu, i nie staraj się mnie oszukać. Nie mam nastroju do żartów. Koło twojej chaty złapałem łotrów, których podejrzewałem, że go uprowadzili. Wymusiłem na nich wyznanie i powiedzieli, że wymknął im się i szli jego tropem aż do twoich drzwi. Pokazali mi nawet ślady jego nóg. No, a teraz nie zwlekaj dłużej i wiedz, świątobliwy starcze, że jeżeli mi go tu zaraz nie sprowadzicie... Gdzie chłopiec?

– Ach, łaskawy panie, zapewne mówicie o tym małym królewskim obdartusie, któremu wczoraj użyczyłem noclegu? Jeśli wasza miłość interesuje się tym chłopcem, to wiedzcie, że wysłałem go z poleceniem. Niezadługo wróci.

– Kiedy? Kiedy? Nie chcę tracić czasu, może go jeszcze dogonię? Mów kiedy wróci?

– Nie fatygujcie się, panie. Wróci niedługo.

– Dobrze. Zaczekam tutaj. Ale zaraz! Ty go wysłałeś z poleceniem? Ty? To wierutne kłamstwo! On nie spełniłby twojego rozkazu. Prędzej wyrwałby ci tę brodę, niż pozwolił sobie rozkazywać. Łżesz, stary. To jest łgarstwo. On żadnemu człowiekowi nie pozwoliłby się wysłać z poleceniem.

– Człowiekowi na pewno nie, to prawda. Ale ja nie jestem człowiekiem.

– Co? A kim ty jesteś, na miłość boską?

– To tajemnica, powiem ci, ale zachowaj ją dla siebie. Jestem archaniołem!

Miles Hendon wydał okrzyk podobny do przekleństwa i rzekł:

– To mi tłumaczy jego uległość. Bo jedno jest pewne, że dla zwykłego śmiertelnika nie podjąłby się żadnego zadania. No tak, ale gdy rozkazuje archanioł, nawet król musi być posłuszny. Pozwól mi... ale ciii!.. co to za szmer?

Podczas tej rozmowy mały król albo drżał ze strachu, albo cieszył się, i wytężając wszystkie siły wydawał jęki w nadziei, że usłyszy je Miles Hendon. Ale za każdym razem jego wysiłki były bezowocne. Z bolesnym rozczarowaniem musiał sobie powiedzieć, że Miles bądź nie słyszał, bądź nie zwracał na jego jęki uwagi. Ostatnia uwaga rycerza ożywiła w chłopcu nową nadzieję, jak świeży powiew z łąk orzeźwia śmiertelnie chorego człowieka. Uczynił jeszcze jeden rozpaczliwy wysiłek, ale w tej samej chwili pustelnik odpowiedział:

– Szmer? Słyszę tylko wiatr.

– Możliwe, że to był tylko wiatr. Najprawdopodobniej. Przez cały czas słyszałem ten dziwny szmer. O!... Teraz znowu! To nie wiatr! Dziwny dźwięk! Musimy zbadać tę sprawę!

Król ledwo mógł wytrzymać z radości.

Wyczerpany zdobył się na jeszcze jeden zryw, ale związane usta i nakrywająca go owcza skóra udaremniały wszelkie wysiłki. Biedny chłopiec upadł zupełnie na duchu, gdy usłyszał jak pustelnik powiedział:

– Ach, ten szmer rozlega się przecież za domem. Tam w krzakach... chodźmy, zobaczymy, co to jest. Zaprowadzę cię.

Król słyszał jak obaj oddalili się. Ich głosy i kroki ucichły. Teraz był sam pośród głębokiej, niesamowitej ciszy.

Zdawało mu się, że minęła wieczność, nim znowu usłyszał zbliżające się głosy. Tym razem były zmieszane ze stukotem kopyt. Potem usłyszał słowa Hendona:

– Nie mogę już dłużej czekać. Na pewno zabłądził gdzieś w gęstym lesie. W którą stronę poszedł? Pokaż mi szybko!

– On... poczekaj. Odprowadzę cię.

– Dobrze, dobrze! Chyba jednak jesteś lepszy niż myślałem. W każdym razie jesteś archaniołem, który ma serce na właściwym miejscu. Chcesz pojechać ze mną? Może dosiądziesz tego osiołka, którego sprowadziłem dla chłopca, a może wolisz tego upartego muła, którego kupiłem dla siebie?

– Nie, nie, jedź sobie na mule, a osła poprowadź za cugle. Ja pewniej się czuję na swoich nogach.

– W takim razie potrzymaj osła, zanim uczynię tę samobójczą próbę, żeby dostać się na muła.

Rozległo się tupanie, rżenie, uderzenia bata, czemu towarzyszyły głośne przekleństwa i złorzeczenia, a wreszcie urągliwa tyrada do muła wyraźnie odniosła skutek.

Z nieopisanym przerażeniem związany król słuchał oddalających się głosów i kroków. Stracił teraz wszelką nadzieję, a głucha rozpacz zawładnęła jego sercem.

– Jedyny mój przyjaciel został oszukany i odszedł – pomyślał – jak wróci pustelnik to...

Zakończył głębokim westchnieniem i znowu zaczął się miotać tak zajadle z krępującymi go więzami, że wreszcie zrzucił nakrywającą go owczą skórę.

Po chwili usłyszał, że drzwi znowu się otworzyły! Na ten dźwięk dreszcz przeszedł go aż do szpiku kości. Zdawało mu się, że czuje już ostrze noża na gardle. Potwornie przerażony zamknął oczy... ale ta sama trwoga zmusiła go do otworzenia ich. Przed nim stali John Canty i Hugh.

– Dzięki Bogu! – zawołałby chłopiec, gdyby mógł otworzyć usta.

Kilka sekund później był już uwolniony z więzów, a jego zbawcy mocno go ujęli pod ramiona i szybko pobiegli z nim w gęstwinę leśną.

ROZDZIAŁ XXII

Ofiara zdrady

Król Fu-Fu Pierwszy znowu musiał wałęsać się w towarzystwie włóczęgów i przestępców. Znowu był celem ich brutalnych żartów i płaskich dowcipów albo znosić złośliwości, jakich dopuszczali się wobec niego Canty i Hugh, gdy ich herszt nie widział. Tylko ci dwaj, Canty i Hugh, czuli do niego prawdziwą niechęć, inni polubili go i podziwiali jego rozum i odwagę. Podczas pierwszych dwóch czy trzech dni Hugh, pod którego opieką był chłopiec, robił wszystko aby mu dokuczyć, a podczas wieczornych pijaństw zabawiał się drażnieniem i poniżaniem chłopca. Robił to jednak zawsze tak, jakby stało się to przypadkiem.

Dwa razy, niby niechcący, nadepnął chłopcu na nogę, ale król w poczuciu swojej godności udał, że tego nie spostrzegł i zachował pogardliwy chłód. Gdy jednak Hugh powtórzył swój żart po raz trzeci, chłopiec szybko porwał kij i jednym uderzeniem rozciągnął go na ziemi ku najwyższej uciesze całej bandy. Zawstydzony i wściekły Hugh chwycił także kij i rzucił się na małego przeciwnika. Dokoła walczących utworzył się natychmiast krąg widzów, zagrzewano ich do walki i robiono zakłady kto zwycięży. Ale szanse Hugha były minimalne. Niewiele pomagały mu wściekłe i niezręczne uderzenia wobec ręki, którą wyćwiczyli najwięksi mistrzowie Europy według najlepszych zasad szermierczego kunsztu. Król stał w miejscu czujny, ale spokojny i swobodny, podchwytując spadającą na niego nawałnicę uderzeń i ciosów ze zręcznością i lekkością, która wprawiała otaczających go widzów w najwyższy zachwyt. Od czasu do czasu jego wprawne oko dostrzegało odsłonięte miejsce przeciwnika i wtedy z błyskawiczną szybkością spadał na Hugha cios, a okrzyki zachwytu ze strony widzów rosły bez miary.

Po kwadransie walki Hugh opuścił plac boju zbity i posiniaczony, a na dodatek bezlitośnie wydrwiony. Nietkniętego zwycięzcę rozbawiona gawiedź triumfalnie poniosła na ramionach i posadziła na honorowym miejscu obok herszta, mianując go z wielką pompą Królem Kogutów Bojowych. Zarazem uroczyście unieważniono poprzednie przezwisko nakładając karę wygnania z bandy na każdego, kto by się odważył nazwać chłopca tym obraźliwym mianem.

Jednak wszelkie usiłowania wykorzystania króla dla celów bandy były bezskuteczne. Bronił się przed temu z największym uporem, a nawet przy każdej okazji próbował uciekać.

Pierwszego dnia po powrocie wepchnięto go do nie strzeżonej kuchni, żeby coś zwędził. Chłopiec nie tylko wrócił z pustymi rękami, ale robił wszystko, aby ostrzec mieszkańców domu. Później włóczędzy wysłali go do kotlarza, aby mu pomagał przy robocie, chłopiec nie tylko nie chciał nic robić, ale nawet groził kotlarzowi jego własną kolbą do lutowania. W rezultacie prosta, wydawało się, sprawa powstrzymania chłopca przed ucieczką, na dłuższy czas dała zatrudnienie kotlarzowi i Hughowi.

W królewskim gniewie oburzał się na wszystkich, którzy chcieli ograniczać jego wolność lub nakłaniać do jakiejkolwiek pracy.

Pod okiem Hugha wysłano go wreszcie, aby żebrał w towarzystwie starej, brudnej kobiety z chorowitym dzieckiem na ręku. Rezultat był łatwy do przewidzenia: chłopiec stanowczo odmówił proszenia o jałmużnę i pomagania innym w tym procederze.

Tak mijały dni, a nędza wędrownego życia, niedostatek, wysiłek i brutalność nowego otoczenia stały się w końcu dla biednego więźnia tak dalece nieznośne, iż doszedł do przekonania, że ucieczka spod noża pustelnika tylko na krótko odroczyła wyrok śmierci. Ale w nocy, we śnie, zapominał o wszelkich strapieniach. Widział się wówczas na tronie, znowu czuł się władcą. Oczywiście potęgowało to tylko zgryzotę po przebudzeniu i dlatego upokorzenia, jakich doznawał, wydawały mu się z każdym nowym rankiem dotkliwsze i boleśniejsze.

Następnego dnia po pamiętnej walce, Hugo wstał z sercem przepełnionym pragnieniem zemsty. Przeciwko królowi uknuł dwa plany. Pierwszy polegał na tym, aby szczególnie upokorzyć chłopca z jego rzekomą godnością królewską. Gdyby jednak ten plan mu się nie udał, chciał rzucić na króla podejrzenie jakiegoś przestępstwa i wydać go w ręce prawa.

Dla osiągnięcia pierwszego celu zamierzał wywołać na nodze chłopca ranę, która by wzbudzała litość, bo jak sądził, upokorzy to dumnego króla, tym bardziej, iż chciał przy pomocy Canty'ego zmusić go do wystawienia tej rany na widok publiczny na gościńcu, aby w ten sposób wyłudzać jałmużnę.

Do sporządzenia takiej rany, zwanej w gwarze włóczęgów „plastrem", przygotowywało się specjalną maść z niegaszonego wapna, mydła i rdzy, którą nakładano na skórę i przywiązywano mocno do nogi. Opatrunek taki szybko przeżerał ciało wydobywając na wierzch żywe mięso. Potem ranę smarowano dokoła krwią, która krzepnąc czyniła widok jeszcze bardziej odrażający i budzący litość. Dodawano do tego brudne łachmany, którymi owijano nogę, tak rozmyślnie, aby rana była widoczna, co miało spotęgować współczucie u przechodniów*.

---

* Z książki „The English Rogue („Angielski złoczyńca"), Londyn, 1665 (przyp. autora).

Hugh zapewnił sobie pomoc kotlarza, któremu król groził jego własną kolbą do lutowania. Podstępnie wywabili chłopca poza obozowisko, powalili go na ziemię, kotlarz go trzymał, zaś Hugh nałożył mu „plaster".

Król bronił się ze wszystkich sił, grożąc, że każe obu powiesić, gdy tylko odzyska znowu władzę. Ale włóczędzy trzymali go mocno, radując się z jego bezsilnego oporu i szydząc z pogróżek. „Plaster" zaczął już palić nogę chłopca i zamierzony skutek nastąpiłby szybko, gdyby łotrom nie przeszkodzono w ich dziele.

Niespodzianie nadszedł ów człowiek sprzedany za niewolnika, który pierwszego wieczoru oskarżał okrutne prawa angielskie. Odpędził obu złoczyńców i zdjął królowi opatrunek z „plastrem".

Chłopiec poprosił swego zbawcę o pożyczenie kija, aby natychmiast przetrzepać kurtki swoich prześladowców. Ten jednak odmówił obawiając się nowych przykrości i radząc królowi zaczekać z tym do wieczora, gdy zbierze się cała banda i nikt niepowołany nie wmiesza się do walki.

Odprowadził całą trójkę do obozowiska i opowiedział o zajściu hersztowi, który spokojnie wysłuchał opowiadania, zamyślił się, a w końcu orzekł, że króla nie należy już wysyłać na żebranie, gdyż jak widać przeznaczony on jest do rzeczy lepszych i wyższych. Awansował go więc z klasy żebraków do gromady złodziejów.

Hugh był bardzo zadowolony z tej decyzji. Już wielokrotnie próbował namawiać króla do kradzieży, ale nigdy mu się nie udawało. Teraz ten opór musiał się skończyć, bo chłopiec nie odważy sprzeciwić się wyraźnemu rozkazowi przywódcy. Zaplanował więc na jeszcze ten wieczór kradzież, podczas której zamierzał wydać chłopca w ręce stróżów porządku. Postanowił przy tym zadziałać tak sprytnie, aby zatrzymanie to wydawało się zupełnie przypadkowe. Bowiem Król Kogutów Bojowych był powszechnie lubiany i banda na pewno nie obeszłaby się łagodnie z tym, kto w zdradziecki sposób wydałby chłopca w ręce wspólnego wroga – sprawiedliwości.

Wszystko szło świetnie. O upatrzonej porze Hugh ruszył ze swą ofiarą do sąsiedniego miasteczka. Obaj szli wolno gościńcem, pierwszy z zamiarem wykonania swego podstępnego planu, drugi – rozglądając się uważnie, czy nie nadarzy się okazja ucieczki i uwolnienia się na zawsze od haniebnej niewoli.

Zlekceważyli kilka obiecujących okazji, gdyż obaj postanowili sobie, że tym razem muszą bezwarunkowo osiągnąć swój cel, i dlatego żaden z nich nie dał się skusić na próby zagrożone niepowodzeniem.

Hugh pierwszy doczekał się dogodnej sposobności do zrealizowania swego planu. Na drodze ujrzał kobietę niosącą w koszyku spore zawiniątko. Oczy Hugha zabłysły podstępną radością i włóczęga pomyślał:

– Życiowa okazja! Jeżeli uda mi się wsunąć mu ten pakunek, niech Koguciego Króla ma Bóg w swojej opiece!

Zatrzymał się wyczekując odpowiedniej chwili, aż kobieta minęła ich, a moment wydał mu się odpowiedni. Potem szepnął:

– Zaczekaj tu, zaraz wrócę – i cichutko ruszył za upatrzoną ofiarą.

Serce króla zabiło mocniej. Postanowił, że gdy tylko Hugh wystarczająco się oddali, ucieknie od niego. Hugh podkradł się do kobiety, chwycił węzełek i zaczął szybko z nim uciekać, owijając go w kawałek starej szmaty, którą miał wcześniej przygotowaną. Chociaż kobieta nie spostrzegła kradzieży, wyczuła jednak po mniejszym ciężarze kosza, co się wydarzyło i natychmiast podniosła krzyk: łapaj złodzieja! Hugh rzucił węzełek w ramiona króla i zawołał uciekając:

– Leć za mną i krzycz jak wszyscy: łapaj złodzieja! Ale potem wyprowadź ich w pole!

W następnej chwili Hugh znalazł się na zakręcie

gościńca i wpadł za jakiś dom. Po niewielu sekundach ukazał się znowu z miną pełną swobody i obojętności i ukrył się za słupem, aby się przyjrzeć dalszemu biegowi wypadków.

Król z najwyższą pogardą rzucił węzełek na ziemię, a okrywająca go szmata zsunęła się właśnie w chwili, gdy nadbiegła okradziona kobieta, a za nią coraz większy tłum ludzi. Kobieta jedną ręką chwyciła króla za ramię, drugą złapała swoje zawiniątko i wylała potok obelg i złorzeczeń na chłopca, który daremnie bronił się przed nią i usiłował się wyrwać.

Hugh zobaczył to o czym marzył – jego wróg został schwytany i nie mógł już uniknąć sądu. Oddalił się więc z uśmiechem triumfu, skierował się w stronę obozowiska i rozmyślał co opowiedzieć bandzie, aby postępek króla odmalować w jak najbardziej niekorzystnym świetle.

Chłopiec bronił się przed atakami wieśniaczki i wołał z gniewem:

– Puść mnie, głupia kobieto! Przecież to nie ja ukradłem ci ten nędzny dobytek!

Król otoczony był teraz przez krzyczący i złorzeczący tłum. Jakiś kowal, czarny od dymu, w skórzanym fartuchu, z zakasanymi rękawami, chciał go właśnie chwycić grożąc, że wygarbuje mu skórę na grzbiecie, gdy nagle został silnie uderzony w ramię płazem długiego miecza, zaś dziwacznie wystrojony właściciel tej broni zawołał żartobliwie:

– Hejże! Dobrzy ludzie, przecież taką sprawę można załatwić spokojnie, bez tak wielkiego gniewu i ordynarnych złorzeczeń. Tą rzecz powinien rozstrzygnąć sąd, nie możecie sami wydawać wyroków. Wypuść chłopca, dobra kobieto!

Kowal od pierwszego spojrzenia ocenił olbrzymią przewagę wojaka, więc mrucząc potarł obolałe ramię i oddalił się bez sprzeciwu. Kobieta, choć niechętnie,

uwolniła rękę chłopca, zaś świadkowie wydarzenia nie-
życzliwym wzrokiem spoglądali na nieznajomego, ale
zachowali rozsądne milczenie.

Mały król podbiegł do swego wybawcy i zawołał z za-
rumienionymi z radości policzkami i błyszczącymi oczami:

– Długo kazałeś na siebie czekać, sir Milesie, ale
przybywasz we właściwym momencie! Posiekaj mi tę
hołotę na kawałki!

ROZDZIAŁ XXIII

Książę więźniem

Hendon z trudnością stłumił uśmiech i szepnął królowi do ucha:

– Spokojnie, spokojnie mój książę. Zapanuj nad swoimi słowami albo raczej nie odzywaj się wcale. Zaufaj mi, wszystko dobrze się skończy.

W duchu zaś dodał:

– Sir Milesie! Na Boga, zupełnie zapomniałem o swoim wysokim stanie. Ale jest twardy i niewzruszony z tymi obłąkanymi pomysłami! Chociaż mój tytuł jest tylko pustym dźwiękiem, to jednak miło, że zasłużyłem na niego w jego oczach. Większym dla mnie zaszczytem być rycerzem w jego Królestwie Snów i Cieni, niż hrabią w rzeczywistym, brutalnym świecie.

Tłum rozsunął się, aby przepuścić posterunkowego, który miał właśnie położyć dłoń na ramieniu króla, gdy Hendon rzekł:

– Powoli, przyjacielu, zabierz rękę, on pójdzie z tobą dobrowolnie. Ręczę za to. Prowadź, idziemy za tobą.

Posterunkowy ruszył naprzód z kobietą, która niosła węzełek. Za nimi szli Hendon i król, dalej postępował rozgadany tłum. Król chciał się opierać, ale Hendon szepnął mu:

– Zastanówcie się, wasza dostojność. Wszak prawa są podporą wszelkiej władzy królewskiej. Jeśli więc twórca praw będzie się im sprzeciwiał, czy może wymagać, aby poddani byli posłuszni? Niewątpliwie jakieś prawo zostało tu przekroczone. Gdy wasza wysokość odzyska kiedyś tron, z pewnością nie pożałuje tego wspomnienia, że niegdyś będąc na pozór tylko prywatną osobą, starał się być raczej obywatelem niż królem i poddał się autorytetowi władzy.

– Masz rację. Więcej o tym nie mówmy, a przekonasz się, że król angielski, póki znajduje się w położeniu poddanego, podda się prawu tak jak wymaga tego od każdego ze swoich poddanych.

Gdy kobieta stanęła przed sędzią pokoju, złożyła przysięgę, że kradzieży dopuścił się ten sam chłopiec, który stoi teraz za kratkami. Nie było nikogo, kto potrafiłby dowieść, że wydarzyło się inaczej, wina króla została więc uznana za stwierdzoną. Otworzono węzełek, a gdy jego zawartością okazało się tłuste, upieczone prosię, twarz sędziego nagle stężała, zaś Hendon zbladł i zadrżał. Tylko król nieświadomy tego, co mu grozi, został nieporuszony.

Sędzia milczał przez chwilę znacząco, po czym zwrócił się do wieśniaczki z pytaniem:

– Ile warta jest wasza własność?

Kobieta skłoniła się i odpowiedziała:

– Trzy szylingi i osiem pensów, wielmożny panie – ani pensa mniej, taka jest cena!

Sędzia pokoju kręcił się niespokojnie na krześle i rozkazał posterunkowemu:

– Usunąć wszystkich z sali i zamknąć drzwi.

Kiedy to się stało, pozostali tylko sędzia, posterunkowy, oskarżony, oskarżycielka i Miles Hendon. Ten ostatni był blady jak trup, a grube krople potu spływały mu z czoła aż na policzki.

Sędzia zwrócił się jeszcze raz do kobiety i rzekł tonem współczującym:

– To biedny, nieświadomy, może zagłodzony chłopiec. Dla takich biedaków są teraz najcięższe czasy. Spójrzcie na niego, nie wygląda na złego chłopca, ale gdy człowiekowi głód dokuczy... Dobra kobieto, chyba

wiecie, że według prawa każdy, kto ukradnie rzecz
o wartości większej niż trzynaście i pół pensa, musi być
powieszony?

Mały król drgnął i aż mu oczy wyszły na wierzch
z przerażenia. Opanował się jednak i milczał.

Inaczej zareagowała na tę wiadomość wieśniaczka.
Zerwała się prawie w histerii i zaczęła biadać drżąc ze
zgrozy:

– O, Boże! Co ja narobiłam najlepszego! Za wszystkie skarby świata nie chciałabym być winna śmierci
tego chłopca! Ratujcie mnie przed tym nieszczęściem,
wielmożny panie... co mam robić... co mogę zrobić?

Sędzia, zachowując powagę swego urzędu, odparł
spokojnie:

– Można zmienić wartość przedmiotu, póki suma
nie została wpisana do protokołu.

– Na miłość boską, wyceńcie więc prosiaka na osiem
pensów i niech niebu będą dzięki, że nie będę miała na
swoim sumieniu tak okropnego uczynku!

Z radości Miles Hendon zapomniał o wszelkich for-
mach etykiety i zaskoczył króla, a nawet uraził jego
godność porywając go w ramiona i raz po raz przyci-
skając do serca.

Kobieta serdecznie podziękowała sędziemu i odeszła z prosiakiem, zaś posterunkowy, który otworzył
jej drzwi, wyszedł zaraz za nią do wąskiej sieni. Sędzia
zapisywał coś jeszcze w protokole. Ale czujny i podejrz-
liwy Hendon bardzo był ciekawy, dlaczego posterunkowy wyszedł razem z wieśniaczką. Poszedł więc i on do
mrocznej sieni i zaczął nasłuchiwać. I oto co usłyszał:

– Tłusty prosiak, wygląda znakomicie. Kupuję go
od ciebie, masz tu osiem pensów.

– Osiem pensów, jeszcze czego! Wolne żarty! Dałam
za niego trzy szylingi i osiem pensów dobrą monetą,
jaką bił tylko zmarły król Henryk. Figę ci dam za osiem
pensów!

– To teraz tak śpiewasz! Składałaś w sądzie przysięgę, popełniłaś więc krzywoprzysięstwo mówiąc, że prosiak wart jest osiem pensów. Razem pójdziemy przed pana sędziego i wytłumaczysz się ze swej zbrodni! A chłopak będzie wisieć!

– Cicho, cicho, dobry człowieku, nie krzycz tak, zgadzam się. Dawaj osiem pensów i nie mów o tym nikomu!

Kobieta odeszła się z płaczem. Hendon powrócił do sali sądowej, chwilę potem wszedł także posterunkowy, ukrywszy najpierw swój łup w bezpiecznym miejscu.

Sędzia pokoju pisał jeszcze przez chwilę, potem poważnym i przyjaznym tonem udzielił królowi napomnienia i skazał go na krótki areszt w więzieniu oraz publiczną chłostę.

Król oniemiał ze zdziwienia i właśnie chciał powiedzieć uprzejmemu panu, że natychmiast po wstąpieniu na tron każe mu ściąć głowę, gdy jego wzrok spotkał się z ostrzegawczym spojrzeniem Hendona i chłopiec zmusił się do milczenia. Hendon wziął go za rękę, ukłonił się sędziemu i obaj z chłopcem ruszyli za posterunkowym do aresztu.

Na ulicy urażony władca wyrwał rękę z dłoni przyjaciela i zawołał:

– Głupcze, chyba nie myślisz, że żywego zaprowadzisz mnie do gminnego aresztu?

Hendon pochylił się i rzekł stanowczym głosem:

– Musisz mi zaufać, panie! Milcz i nie pogarszaj naszego położenia szkodliwymi wypowiedziami. Jak Bóg postanowił, tak się stanie. Nie przyśpieszysz tego, ani nie unikniesz. Czekaj więc i bądź cierpliwy. Będziemy mieli czas płakać albo radować się, gdy stanie się to, co nam jest przeznaczone*.

---

* Patrz 13. przypis autora na str 249.

ROZDZIAŁ XXIV

Ucieczka

Krótki zimowy dzień chylił się ku końcowi. Ulice opustoszały, niewielu przechodniów było widać, a i ci wyraźnie zajęci byli jak najszybszym załatwieniem swoich spraw, aby czym prędzej schronić się w zaciszne ciepło własnych domów przed wzrastającym wichrem i ciemnością. Nie rozglądali się więc w prawo ani lewo i nie zwracali uwagi na naszą trójkę. Zdawało się nawet, że ich wcale nie zauważyli.

Edward VI zadawał sobie pytanie, czy kiedykolwiek prowadzono króla do więzienia przy tak wielkiej obojętności widzów.

Tymczasem posterunkowy prowadził dwóch przyjaciół przez pusty rynek, a gdy się znaleźli na środku, Hendon położył mu dłoń na ramieniu i szepnął:

– Poczekaj chwileczkę, dobry panie, tutaj nikt nas nie usłyszy, a muszę coś ważnego powiedzieć.

– Regulamin zabrania mi tego, panie. Proszę was, nie zatrzymujcie mnie, noc się zbliża.

– Ależ zaczekaj! Sprawa powinna cię zainteresować. Odwróć się na chwilę i popatrz w niebo. Pozwól uciec chłopcu.

– Do mnie mówisz? Aresztuję cię w imieniu...

– Nie tak szybko, przyjacielu. Lepiej uważaj, żebyś nie zrobił jakiegoś głupstwa – odparł Hendon, a zniżając głos do szeptu rzekł posterunkowemu na ucho: – Człowieku, prosiak, za którego dałeś osiem pensów, może cię kosztować głowę!

Zdumiony policjant w pierwszej chwili oniemiał z przerażenia, jednak po pewnym czasie opanował się i zaczął kląć i złorzeczyć. Ale Hendon wysłuchał go spokojnie i cierpliwie, a gdy stróż prawa zmęczył się już krzykiem, rzekł:

– Podobasz mi się, przyjacielu i nie chciałbym cię wpędzać w nieszczęście, o ile mogę temu zapobiec. Wszystko słyszałem – co do jednego słowa! Udowodnię ci to.

Po czym słowo w słowo powtórzył całą rozmowę z wieśniaczką, jaka miała miejsce w sieni sądu, i zakończył:

– No, tak było? Jak widzisz wszystko zapamiętałem. W razie potrzeby mógłbym powtórzyć to samo sędziemu!

Posterunkowy oniemiał z przerażenia. Po chwili odzyskał jednak panowanie nad sobą i odpowiedział z wymuszoną wesołością:

– Robicie wielką rzecz z niewinnego żartu. Przecież ja tylko zażartowałem sobie z tej kobieciny!

– A prosiaka wziąłeś też żartem? – wtrącił Hendon.

Posterunkowy odpowiedział gniewnym głosem:

– Dosyć tego! Mówiłem już, że to był żart!

– No trudno, zaczynam ci wierzyć – rzekł Hendon, a jego głos brzmiał na wpół drwiąco, na wpół z przekonaniem – ale zaczekaj tu chwileczkę, skoczę do sędziego pokoju i zapytam go. To uczony człowiek, on się na pewno zna na żartach i na...

Odwrócił się, jakby chciał odejść. Ale posterunkowy wyraźnie zaniepokoił się. Zaklął kilka razy i zawołał:

– Stój, stój, wielmożny panie... zaczekaj chwileczkę... sędzia! Ten człowiek, zna się na żartach, tyle co nieboszczyk! Lepiej załatwmy tę sprawę między sobą. Cholera! Zdaje się, że się wpadłem w śmierdzącą sprawę z powodu niewinnego żartu. Jestem ojcem rodziny... mam żonę i dzieci... Zlituj się, panie, czego od mnie chcecie?

– Tylko żebyś był ślepy, głuchy i sparaliżowany przez czas, aż doliczysz do stu tysięcy, licząc powoli – rzekł Hendon z taką miną, jakby prosił o drobną, należną mu przysługę.

– To będzie koniec ze mną! – zawołał posterunkowy z rozpaczą. – Ach, niech pan będzie rozsądny, i zastanowi się nad tym jeszcze raz. To przecież naprawdę był tylko żart. A nawet jeśli było coś więcej, jest to tylko drobne wykroczenie, a sędzia co najwyżej udzieli mi nagany.

Hendon odpowiedział na to z lodowatym spokojem:

– Ten żart ma swoją nazwę w prawie – chcesz usłyszeć?

– Ja przecież nie wiedziałem! Byłem tylko nierozważny! Ani przez głowę mi nie przeszło, że taki drobiazg może mieć swoją nazwę w kodeksie. O psia kość, a ja myślałem, że to mój oryginalny pomysł!

– Nie, to ma swoją nazwę. W prawie przestępstwo to nazywa się: *Non compos mentis lex talionis sic transit gloria mundi**.

– O, Boże!

– I karane jest śmiercią.

– Boże, bądź miłościw mnie grzesznemu!

– Skorzystałeś z cudzej pomyłki, z cudzego nieszczęścia, z bezradności człowieka znajdującego się w twojej władzy. Zawładnąłeś przedmiot, który wart jest więcej niż trzynaście i pół pensa, a za który zapłaciłeś znacznie mniej niż wynosi jego wartość: w oczach prawa jest to oszustwo z premedytacją, wymuszenie, nadużycie władzy, *ad hominem expurgatis in statu quo*** – i karane jest śmiercią na szubienicy, bez nadziei zbawienia duszy, gdyż bez pokuty, pociechy religijnej lub rozgrzeszenia – ciągnął Hendon.

– Trzymajcie mnie, dostojny panie, bo upadnę! Zmi-

_____
* i ** Luźne, bez większego związku zestawione słowa łacińskie (przyp. red.).

175

łujcie się, zaoszczędźcie mi tego losu, nie wtrącajcie mnie w nieszczęście, niech będzie, odwrócę się i nic nie będę widział!

– Świetnie! Teraz zaczynasz mówić rozsądnie. A prosiaka oddasz?

– Oddam, oddam naprawdę! I nie dotknę już nigdy prosięcia, choćby mi z nieba spadło. Idźcie już, jestem ślepy, nic nie widzę. Powiem, że to wy włamaliście się do więzienia i siłą uwolniliście chłopca. Drzwi są stare, w złym stanie. Sam je w nocy wyłamię.

– Zrób tak, dobra duszo, nic złego się nie stanie.

Sędzia współczuł temu biednemu chłopcu, więc nie ukarze surowo osoby, która pomogła mu w ucieczce.

ROZDZIAŁ XXV

Hendon Hall

Gdy tylko król z opiekunem oddalili się nieco od posterunkowego, Hendon poprosił jego królewską mość, aby zaczekał na niego w umówionym miejscu w pobliżu miasteczka, sam zaś pobiegł do oberży zapłacić rachunek. Pół godziny później dwaj przyjaciele, dosiadłszy wymizerowanych wierzchowców Hendona, zadowoleni jechali obok siebie w kierunku wschodnim. Królowi było teraz ciepło i wygodnie, gdyż zrzucił łachmany i przywdział ubranie, które Hendon kupił dla niego na London Bridge. Hendon chciał zaoszczędzić chłopcu niewygód i zmęczenia podróżą. Sądził, że długotrwała jazda w ciągu dnia, nieregularne posiłki i niedostateczna ilość snu mogłyby jeszcze powiększyć duchowy zamęt chłopca. Natomiast spokój, systematyczny tryb życia i ruch odpowiadający siłom przyśpieszyłyby jego wyzdrowienie. Hendon z całego serca pragnął, aby zmącony umysł jego młodego przyjaciela odzyskał znowu jasność, a prześladująca go mania znikła z jego głowy. Postanowił więc wbrew ponaglającej tęsknocie, małymi etapami zbliżać się do rodzinnych stron, których od bardzo dawna nie widział.

Po przebyciu około dziesięciu mil*, znaleźli się w niewielkim miasteczku i noc spędzili w przyzwoitym za-

---

* mil angielskich, około 16 kilometrów (przyp. red.).

jeździe. Znowu zapanował niedawny zwyczaj. Gdy król jadł, Hendon stał za jego krzesłem i mu usługiwał. Pomagał mu też ułożyć się do łóżka, sam zaś owinąwszy się kocem spał na podłodze pod drzwiami. Drugiego i trzeciego dnia jechali wolno, rozmawiając o swoich przygodach i przeżyciach od chwili rozłąki. Oczywiście każdy z nich okazywał najżywsze zainteresowanie przejściami przyjaciela. Hendon opisał swoje wędrówki w poszukiwaniu króla i opowiedział jak pustelnik wodził go długo po lesie, a wreszcie widząc, że się go nie pozbędzie, sprowadził go z powrotem do swojej chatki. Przybywszy tam – opowiadał Hendon – starzec wszedł do środka i zaraz wyszedł z drżącymi kolanami i zrozpaczoną miną mówiąc, iż przypuszczał, że chłopiec już wrócił i położył się spać, ale tak się nie stało. Hendon czekał przez cały dzień w pustelni, kiedy jednak stracił nadzieję na powrót króla, udał się na dalsze poszukiwania.

– Ten świątobliwy starzec naprawdę był bardzo nieszczęśliwy, że wasza królewska mość nie powrócił do niego – zakończył Hendon. – To można było zauważyć na jego twarzy.

– Nie mam najmniejszych wątpliwości! – odpowiedział król i opowiedział o swoich przeżyciach w pustelni. Po wysłuchaniu, Hendon bardzo żałował, że nie wykończył archanioła.

Ostatniego dnia podróży Hendon był w coraz lepszym nastroju. Ani na chwilę nie przestawał opowiadać. Opisywał swojego starego ojca i brata Arthura, wymieniał wiele znaczących szczegółów, świadczących o ich szlachetnym i wspaniałomyślnym charakterze. Z marzycielską miłością opisywał Edith i tak się cieszył z powrotu, że nawet o drugim bracie – Hughu potrafił powiedzieć w serdeczny i pojednawczy sposób. Jego myśli błądziły radośnie wokół oczekującego go przyjęcia w Hendon Hall. Wyobrażał sobie, jak wszyscy będą zdumieni jego przybyciem i jaka stąd powstanie wdzięczność i nieopisana radość.

Okolica była piękna, usiana folwarkami i owocowymi sadami, zaś droga wiodła wśród bujnych łąk, ciągnących się bez kresu, wznoszących się i opadających niby fale morza. Po południu Miles zbaczał od czasu do czasu z drogi i wjeżdżał na jakiś niewielki pagórek, aby z niego rozejrzeć się, czy nie widać upragnionego domu rodzinnego. Wreszcie go dojrzał i zawołał uradowany:

– Tam jest wioska, panie mój, a tuż obok niej widać dwór. Można stąd dojrzeć wieże, a tamte zarośla to park mojego ojca. Tak, teraz dopiero zobaczysz coś wspaniałego i pięknego! Pomyśl tylko, dom o siedemdziesięciu pokojach i dwudziestu siedmiu służących! Takie mieszkanie przyda nam się obu! Pośpieszmy się, moja niecierpliwość nie pozwala mi już na tak powolną jazdę!

Ruszyli teraz najszybciej jak mogli. Było już jednak po trzeciej, gdy przybyli do wsi. Galopem przemknęli główną drogą, a Hendon nie przestawał mówić.

– To jest kościół. Jak dawniej cały obrośnięty bluszczem. Nic się nie zmienił. A tam gospoda. Nazywa się „Pod czerwonym lwem". A tam dalej to nasz rynek. Tutaj jest słup, na który się wdrapywaliśmy podczas zabaw, i studnia. Nic się nie zmieniło. Nic, prócz oczywiście ludzi. Niektórzy wyglądają znajomo, ale mnie już nikt nie poznaje.

Mówił tak bez ustanku. Wkrótce dojechali na koniec wsi, potem wjechali na obramioną żywopłotami, wijącą się drogę, którą przebyli szybko i znaleźli się w wielkim ogrodzie, pełnym kwiatów. Minąwszy jeszcze wspaniałą bramę wjazdową, ozdobioną wielkimi kamiennymi kolumnami i rzeźbionymi w kamieniu herbami, podjechali pod okazały dwór.

– Witaj w Hendon Hall, królu mój! – zawołał Miles.

– Ach, co za wspaniały dzień! Mój ojciec, brat i panna

Edith będą z pewnością tak uradowani, że w pierwszej chwili tylko na mnie będą zwracać uwagę. Mogłoby ci się więc zdawać, że jesteś chłodno przyjęty, ale nie zrażaj się tym. To się szybko zmieni. Bo jeśli im powiem, że jesteś pod moją opieką, to przekonasz się, że z uczucia do mnie otworzą ramiona i tobie, i dadzą ci gościnę na zawsze.

Hendon zeskoczył z muła przed drzwiami wejściowymi, pomógł królowi zejść z osiołka, chwycił go za rękę i wbiegł do domu. Kilka kroków zaprowadziło ich do obszernej komnaty. Hendon wszedł, z pośpiechem raczej niż z zachowaniem dworskich form, kazał królowi usiąść i podbiegł do młodego mężczyzny, który siedział pisząc przy stole, przysuniętym do palącego się kominka.

– Hugh, uściskaj mnie – zawołał – i powiedz, że cieszysz się, że nareszcie wróciłem! A przede wszystkim zawołaj naszego ojca! Nie zaznam uczucia, że jestem znowu w domu, póki nie ucałuję jego ręki, nie spojrzę w jego oczy i nie usłyszę jego głosu!

Hugh wyprostował się, przez chwilę daremnie starał się ukryć swoje zdumienie, potem spojrzał na przybysza bystrym wzrokiem, w którym można było dojrzeć urażoną godność. Jednak szybko zmienił wyraz oczu i spojrzał na intruza z niejaką ciekawością, do której przyłączyło się rzeczywiste czy udane współczucie. Potem powiedział tonem już zupełnie swobodnym:

– Chyba jesteś niespełna rozumu, biedny wędrowcze. Musiałeś doświadczyć w życiu wiele niedoli i trudów, dowodzi tego twoja twarz i twój ubiór. Za kogo mnie bierzesz?

– Za kogo cię biorę? Za pozwoleniem, za tego, kim jesteś! Uważam, że jesteś Hughem Hendonem – odpowiedział Miles gwałtownie.

Hugh zapytał teraz tym samym łagodnym tonem co poprzednio:

– W takim razie wyobrażasz sobie, że kim jesteś?

– Wyobraźnia nie ma tu nic do rzeczy! Czy chcesz mi wmówić, że nie poznajesz we mnie swego brata, Milesa Hendona?

Hugh spojrzał na niego z błyskiem radosnego zdziwienia.

– Co? Chyba żartujesz sobie ze mnie! Od kiedy umarli wracają z grobów? Bogu niechaj będą dzięki, jeżeli tak jest! Więc nasz drogi zmarły powróciłby do nas po tylu latach! No nie, to zbyt piękne, żeby mogło być prawdziwe! Błagam cię, zlituj się nad nami i nie żartuj sobie! Prędko, podejdź tu do światła, abym mógł przyjrzeć się dokładniej twojej twarzy.

Chwycił Milesa za ramię, pociągnął go do okna, oglądał badawczym wzrokiem od góry do dołu, obracał w tę i tamtą stronę, chodził dokoła niego, aby przyjrzeć się ze wszystkich stron, podczas gdy przybyły do domu syn marnotrawny śmiał się z radości i żartował kiwając mu głową i dogadując:

– No, dalej, bracie, dalej, obejrzyj mnie dokładnie, każdy szczegół się zgadza. Oglądaj mnie ile chcesz, mój drogi, stary Hughu. Jestem twoim dawnym Milesem, twoim zaginionym bratem. Ach, co za radosny dzień. Wiedziałem, że to będzie radosny dzień! Podaj mi rękę! Pozwól się ucałować. O, Boże, chyba umrę z radości!

Chciał uścisnąć brata, ale Hugh podniósł odpychająco rękę, potem z ponurą miną spuścił głowę i rzekł zbolałym głosem:

– Boże, zlituj się i daj mi siły, abym zniósł to ciężkie rozczarowanie!

Miles był tak zdumiony, że w pierwszej chwili nie mógł wymówić słowa. Potem opanował się i zawołał:

– Jakiego rozczarowania? Czy nie jestem twoim bratem?

Hugh pokręcił głową z bolesnym wyrazem twarzy i powiedział:

– Daj Boże, abyś mówił prawdę i żeby inne oczy dopatrzyły się podobieństwa, którego moje nie widzą. Ale, boję się... że ten list mówił prawdę.

– Jaki list?

– List, który nadszedł zza morza sześć albo siedem lat temu. Było w nim, że mój brat padł w bitwie.

– To kłamstwo! Zawołaj ojca! On mnie na pewno pozna!

– Nie można wzywać zmarłych.

– Zmarłych? – Miles zaniemówił na moment, a jego wargi drgały. – Mój ojciec nie żyje! O, co za straszna wiadomość! Ona zabija połowę mojej radości! Więc niech przyjdzie mój brat, Arthur, on mnie pozna. On mnie sobie na pewno przypomni i pocieszy mnie.

– On też nie żyje!

– Boże, bądź mi miłościw! Umarli. Obaj umarli. Godni poumierali, a ja niegodny żyję. Ach! zlituj się nade mną! nie mów, że i lady Edith...

– Umarła? Nie, ona żyje!

– No to niechaj Bogu będą dzięki! Teraz znów jestem szczęśliwy. Pośpiesz się bracie, zawołaj ją! Jeżeli i ona powie, że ja nie jestem sobą... Ale ona tego nie powie. Nie, nie, ona mnie pozna! Byłoby szaleństwem wątpić w to. Sprowadź też starą służbę, oni mnie na pewno poznają.

– Wszyscy umarli z wyjątkiem Petera, Halsey'a, Davida, Bernarda i Margarety.

Po tych słowach Hugh wyszedł z pokoju. Miles przez chwilę zatopiony był w myślach. Potem zaczął przechadzać się po komnacie mrucząc do siebie:

– Pięcioro arcyłotrów przeżyło dwudziestu dwóch uczciwych służących – to bardzo dziwne.

Cały czas chodził tam i z powrotem po komnacie, zupełnie zapomniawszy o obecności króla. Teraz jednak chłopiec odezwał się w tonie szczerego współczucia, choć jego słowa można by było zrozumieć ironicznie:

– Nie bierz sobie tak do serca tej historii, przyjacielu. Na świecie są i inni ludzie, którym zaprzecza się ich tożsamości i należnych im praw. Nie jesteś odosobniony.

– Ach, królu mój – zawołał Hendon lekko się rumieniąc – nie osądzaj mnie przedwcześnie, zaczekaj, dowiesz się prawdy. Nie jestem oszustem. Ona potwierdzi to swoimi najpiękniejszymi ustami w całej Anglii. Ja miałbym być oszustem? Znam tę starą komnatę, portrety moich przodków, znam wszystko, co nas tu otacza tak, jak dziecko zna swój pokój dziecięcy. Tutaj się urodziłem i wychowałem. O panie mój, prawdę mówię, nie okłamuję cię! A choćby mi nikt inny nie wierzył, ty jeden nie wątp. Musisz wierzyć w moje słowa, inaczej nie przeżyłbym tego!

– Nie wątpię w to, co mówisz – rzekł król z dziecięcą ufnością i przekonaniem.

– Dziękuję ci za to z całego serca! – zawołał Hendon wzruszony.

Król zapytał z tą samą prostotą i ufnością:

– A czy ty też nie wątpisz w to, co ja mówię?

Hendon poczuł się głęboko zawstydzony i ucieszył się, że w tej samej chwili otworzyły się drzwi i powrócił Hugh, dzięki czemu mógł uniknąć odpowiedzi.

Za Hughem szła piękna i bogato ubrana pani, a za nią postępowało kilkoro służby w dworskich barwach. Dama szła wolno, z opuszczoną głową i oczami utkwionym w ziemi. Miles Hendon podbiegł do niej i zawołał:

– Ach, Edith, ukochana moja...

Ale Hugh stanął między nimi i zwrócił się do Edith:

– Spójrz na niego. Znasz tego człowieka?

Na dźwięk głosu Milesa dama drgnęła. Jej policzki zarumieniły się i zadrżała na całym ciele. Przez długą chwilę stała bez ruchu, potem wolno podniosła oczy i spojrzała na Hendona nieruchomym, zatrwożonym wzrokiem. Krew powoli uciekła z jej twarzy i nabrała trupiej barwy. Głosem równie martwym jak jej twarz wreszcie wyszeptała:

– Nie znam go!

Potem głęboko oddychając i tłumiąc ciężkie westchnienia odwróciła się i chwiejnym krokiem opuściła komnatę.

Miles padł na fotel i zakrył twarz w obu rękach. Po chwili jego brat zwrócił się do służby i zapytał:

– Mogliście się dokładnie przyjrzeć temu człowiekowi. Znacie go?

Wszyscy potrząsnęli przecząco głowami. Hugh zaś ciągnął dalej:

– Służba nie poznaje was, panie. To jakieś nieporozumienie. Widzieliście przecież, że i moja żona was nie poznała.

– Twoja żona!

W następnej chwili Miles przycisnął brata do ściany, a jego żelazna pięść zacisnęła się na gardle nikczemnika.

– Nędzny łotrze, teraz wszystko rozumiem! To ty sam napisałeś ten kłamliwy list, żeby w ten sposób zawładnąć moją narzeczoną i moją częścią spadku. A teraz precz mi z oczu, aby moja uczciwa żołnierska ręka nie splamiła się twoją krwią!

Hugh, z twarzą nabiegłą krwią, na wpół uduszony padł na najbliższy fotel i rozkazał służącym pochwycić i związać potężnego napastnika. Lokaje wahali się, a jeden z nich powiedział:

– Sir Hughu, on jest uzbrojony, a my jesteśmy bez broni.

– Uzbrojony! Co to was obchodzi, ale za to ilu was jest? Bierzcie go, rozkazuję!

Ale Miles ostrzegł ich, by się mieli na baczności, i rzekł:

– Znacie mnie z dawnych czasów, nie zmieniłem się, spróbujcie, jeżeli macie ochotę!

Przypomnienie to nie dodało lokajom odwagi. Woleli trzymać się z daleka.

– Więc wynoście się, podłe tchórze, weźcie broń i pilnujcie drzwi, dopóki nie poślę po straż! – zawołał Hugh. Na progu odwrócił się jeszcze i rzekł do Milesa:

– A tobie radzę, nie pogarszaj swojego położenia i nie próbuj uciekać!

– Uciekać? Możesz sobie darować, jeśli to twoje jedyne zmartwienie. Miles Hendon jest panem Hendon Hall i wszystkiego, co do dworu należy. Pozostanę tutaj, możesz być tego pewien!

ROZDZIAŁ XXVI

Wydziedziczony

Król siedział przez kilka chwil zamyślony, potem podniósł wzrok i powiedział:

– Dziwne, bardzo dziwne. Nie umiem sobie tego wytłumaczyć.

– Niestety nie takie dziwne, jak ci się zdaje. Znam go, on tak zwykle postępuje. Od urodzenia był łajdakiem.

– Ale ja nie o nim mówię, sir Milesie.

– Nie o nim? A o kim? Co ci się wydaje takie dziwne?

– Że nikt nie zauważył braku króla.

– Co? Jak? Nie rozumiem cię.

– Naprawdę? Czy nie wydaje ci się dziwne, że nie wysyła się na wszystkie strony gońców, którzy by mnie poszukiwali, nie widzi się afiszy z opisami mojej osoby. Zniknęła głowa państwa i nie jest to powodem do powszechnej rozpaczy i największego zmartwienia!

– Oczywiście, królu mój. Zapomniałem o tym.

Po czym Hendon dodał w duchu:

– Biedna, obłąkana głowa! Ciągle jeszcze męczy go ta mania prześladowcza!

– Ale mam plan, który pomoże nam obydwu odzyskać swoje prawa. Napiszę list w trzech językach – po łacinie, grecku i po angielsku – a ty jak najszybciej pojedziesz z nim jutro wczesnym rankiem do Londynu. Nie wręczaj go nikomu innemu, jak tylko mojemu stryjowi, lordowi Hertfordowi. Kiedy on zobaczy ten list, pozna moje pismo i natychmiast przyśle po mnie.

– Czy nie byłoby rozsądniej, królu mój, abyśmy zaczekali, aż ja zostanę uznany za prawego dziedzica mych posiadłości? Wówczas łatwiej mi będzie...

Król przerwał mu gwałtownie:

– Milcz! Co znaczą twoje nędzne posiadłości i twoje banalne troski wobec dobra całego narodu i zachowania tronu?

Potem dodał łagodniejszym głosem, jakby żałując gwałtownego tonu:

– Bądź mi posłuszny i nie niczego się lękaj. Przywrócę ci twoje prawa i dopomogę ci w odzyskaniu mienia – ba, dam ci nawet o wiele więcej. Nie zapomnę o twoich zasługach i wynagrodzę je.

Z tymi słowami mały król chwycił pióro i zaczął pisać. Hendon obserwował go z miłością, rozmyślając:

– Gdyby w tym pokoju było ciemno, mógłbym pomyśleć, że to prawdziwy król mówił do mnie. Nie można zaprzeczyć, że przemawia prawdziwie po królewsku – skąd to u niego? A teraz zadowolony gryzmoli sobie, przekonany, że to po łacinie i po grecku. A jeżeli teraz nie wpadnę na jakiś dobry pomysł, żeby mu wybić z głowy to przedsięwzięcie, jutro rano będę musiał udawać, że wykonuję jego szalony zamiar.

W następnej chwili myśli Milesa powróciły do jego własnych przeżyć i tak się nad nimi zadumał, że gdy król podał mu pismo, wziął je do ręki i schował nie wiedząc, co czyni.

– Bardzo dziwne było jej zachowanie – mruknął. – Miałem wrażenie, jakby mnie poznała, a z drugiej strony wydawało się, że mnie nie poznaje. To jest sprzeczne ze sobą, wiem o tym. Sprawa zapewne wygląda po prostu tak: musiała mnie poznać, bo inaczej być mogło, ale powiedziała, że mnie nie poznaje. Taka jest prawda, bo ona niezdolna jest do kłamstwa. Teraz zaczynam rozumieć! Z pewnością on zmusił ją, kazał jej tak kłamać. Oto wyjaśnienie! To jest rozwiązanie zagadki! Widać było, że ledwie panowała nad sobą. Nie miała odwagi zrobić inaczej w jego obecności. Muszę ją odszukać. Znajdę ją, a gdy jego nie będzie, powie mi prawdę. Przypomni sobie nasze lata dziecięce, gdy razem bawiliśmy się. Zmięknie wtedy jej serce i już nie zaprze się mnie, lecz uzna za tego, kim jestem. W niej nie ma fałszu – zawsze była szczera i otwarta. Kochała mnie, wiem to, więc nie zdradzi kogoś, kogo kochała.

Szybko ruszył w kierunku drzwi, ale w tej samej chwili otworzyły się i weszła lady Edith. Była bardzo blada, ale szła pewnym krokiem, a przy tym ruchy miała pełne wdzięku i godności. Twarz miała równie posępną co wcześniej.

Miles podbiegł do niej z radością i nadzieją. Powstrzymała go jednak ledwie dostrzegalnym gestem dłoni i Hendon zatrzymał się jak przygwożdżony. Potem usiadła i poprosiła aby zrobił to samo. Traktując go jak obcego i jako gościa, pozbawiła go przyjacielskiej równości. Hendona był tak zdumiony jej niespodziewanym zachowaniem, że przez chwilę sam sobie zadawał pytanie, czy jest rzeczywiście tym, za kogo się uważa. Lady Edith zaczęła:

– Przychodzę was ostrzec, panie. Wiem, że nie jest możliwe przekonać człowieka szalonego o jego szaleństwie, ale chociaż można go ostrzec, by się nie narażał na niebezpieczeństwo. Wierzę, że wasze złudzenia wydają się wam czystą prawdą i dlatego nie jest to karygodne. Ale nie rozgłaszajcie ich tutaj, ponieważ może wam to przynieść szkodę.

Przez chwilę spoglądała mu spokojnie w twarz, po czym ciągnęła dalej z naciskiem:

– Szkodę tym większą, że w istocie jesteście bardzo podobni do zmarłego.

– Ależ na Boga, Edith, przecież to ja nim jestem!

– Wierzę, że jesteście o tym przekonani. Co więcej, możecie być o tym szczerze przekonani – a jednak ostrzegam was raz jeszcze. Mój mąż jest tutaj panem. Jego władza jest tu prawie nieograniczona. Panuje on nad życiem i śmiercią swoich poddanych. Gdybyście nie byli podobni do człowieka, za którego się podajecie, mój mąż spokojnie pozwoliłby wam pielęgnować te urojenia. Ale niech mi pan wierzy, znam go dobrze i wiem, co zrobi. Poda was za obłąkanego i oszusta, a wszyscy jemu uwierzą.

Znowu spojrzała na Milesa spokojnie i dodała:

– Nawet gdybyście byli naprawdę Milesem Hendonem i gdyby on o tym wiedział i gdyby wszyscy o tym wiedzieli... Uważajcie na moje słowa i dobrze się zastanówcie nad nimi... Nawet wówczas znajdowalibyście się w takim samym niebezpieczeństwie, a jego zemsta dosięgłaby was z równą pewnością. On by się was wyparł i oskarżyłby i nie byłoby nikogo, kto ośmieliłby się stanąć po waszej stronie.

– Całkowicie w to wierzę – odparł Miles z goryczą. – Potęga, która umie wymusić posłuszeństwo, kiedy idzie o zdradę przyjaciela młodości, potrafi też skłonić do uległości i wtedy, gdy w grę wchodzi zwykłe życie i chleb powszedni. Łatwo wówczas wzgardzić wiernością i przywiązaniem.

Przelotny rumieniec zakwitł na chwilę na policzkach Edith, potem spuściła oczy, ale gdy mówiła dalej, jej głos nie zdradzał wzruszenia:

– Ostrzegłam was i ostrzegam jeszcze raz. Odejdźcie stąd, bo w innym razie czeka was zguba. To tyran, nie znający litości. Ja, która jestem jego niewolnicą, wiem o tym najlepiej. Biedny Miles i Arthur i mój drogi opiekun sir Richard wolni są już od niego na zawsze i bezpieczni w grobach. Lepiej by wam było z nimi, niż w mocy tego potwora! Wasze roszczenia są zamachem na jego tytuły i jego własność. Czynnie obraziliście go w jego własnym domu – jesteście zgubieni, jeżeli dłużej tu zostaniecie. Uciekajcie, nie czekając ani chwili!

Jeśli nie macie pieniędzy, weźcie, proszę, tę sakiewkę i przekupcie służących, żeby was wypuścili. Ach, posłuchajcie co mówię i uciekajcie, póki jeszcze czas.

Miles odepchnął sakiewkę dumnym gestem, podniósł się z fotela i stanął przed Edith.

– Zrób dla mnie tylko jedno – rzekł. – Spójrz mi prosto w oczy, abym się mógł przekonać, czy wytrzymasz mój wzrok. Tak. A teraz odpowiedz mi: czy jestem Milesem Hendonem?

– Nie. Nie znam was.

– Przysięgnij!

Odpowiedź była cicha, ale wyraźna:

– Przysięgam.

– O nie! To wprost nie do wiary!

– Uciekajcie! Dlaczego tracicie drogocenny czas? Uciekajcie i ratujcie się!

W tej chwili do komnaty wpadła straż i wywiązała się zacieła walka. Hendon szybko został pokonany i obezwładniony. Króla również ujęto, związano i poprowadzono do więzienia.

ROZDZIAŁ XXVII

W więzieniu

Wszystkie cele więzienne były przepełnione, dwóch przyjaciół zaprowadzono więc do obszernej sali, w której siedzieli ludzie oskarżeni o drobniejsze przestępstwa, i przykuto ich łańcuchem do ściany. Przebywało tu liczne towarzystwo. W sali było ponad dwudziestu więźniów obojga płci i wszelkiego wieku, z kajdanami na rękach i nogach. Była to wrzaskliwa i mało przyzwoita zgraja.

Król był oburzony tak niesłychaną obrazą jego majestatu. Hendon był ponury i milczący. Czuł się jeszcze zupełnie ogłuszony i oszołomiony. Z radosnym sercem powracał do rodzinnego domu, przekonany, że powracający syn marnotrawny powitany będzie z miłością, a tymczasem wyparto się go i wtrącono do więzienia. Nadzieje i rzeczywistość pozostawały ze sobą w tak jaskrawej sprzeczności, że nie mógł się z tym jeszcze oswoić. Nie wiedział już, czy jego sytuacja jest tragiczna czy komiczna. Czuł się jak człowiek, który wybiegł przed dom zachwycać się widokiem tęczy, a został rażony piorunem.

Stopniowo jednak rozproszone i zbolałe myśli zaczęły skupiać się wokół Edith. Zastanawiał się nad jej zachowaniem i rozważał je ze wszelkich stron, nie mogąc sobie wytłumaczyć pobudek jej postępowania. Poznała go, czy nie? To dręczące pytanie nieustannie trapiło go. Ostatecznie doszedł do przekonania, że musiała go poznać, ale wyparła się z dla własnego interesu. Myśl ta wzniecała w nim gorzkie oskarżenia przeciw niej, ale jej imię tak długo było dla niego święte, że nie chciał jej złorzeczyć.

Owinięci w brudne i postrzępione więzienne koce Hendon i król spędzili niespokojną noc. Przekupiony dozorca dostarczył kilku więźniom wódki, czego naturalnym skutkiem były nieprzystojne piosenki, krzyki i kłótnie. Po północy jakiś człowiek pobił jedną z kobiet bijąc ją kajdanami po głowie. Dozorca nadbiegł, żeby ratować kobietę przed śmiercią i zaczął przywracać porządek bijąc z kolei napastnika. Potem nastąpiła względna cisza i można byłoby spać, gdyby nie budziły wszystkich jęki i wyrzekania dwojga poranionych.

Podczas następnego tygodnia, dni i noce mijały z przygnębiającą jednostajnością. W ciągu dnia przychodzili rozmaici ludzie, których twarze Hendon przypominał sobie mniej lub bardziej wyraźnie. Wszyscy oni przyglądali mu się uważnie, po czym wyszydzali go jako „samozwańca". Nocami zaś trwały nieustanne pijatyki i bójki. Wreszcie jedna z wizyt przybrała niespodziewany obrót. Dozorca wprowadził jakiegoś starca i powiedział do niego:

– Ten łobuz jest tutaj. Rozejrzyj się swoimi starymi ślepiami i spróbuj go rozpoznać.

Hendon podniósł wzrok i po raz pierwszy od czasu uwięzienia doznał drgnienia radości. Pomyślał:

– To stary Blake Andrews, który przez całe życie wiernie służył naszemu domowi. To uczciwy człowiek o szlachetnym sercu. Taki przynajmniej był kiedyś. Ale dzisiaj nie wiadomo, teraz oni wszyscy są łgarzami. Tak, on mnie pozna, ale pewnie zaprze się mnie jak wszyscy inni.

Staruszek rozejrzał się dokoła, przyglądając się twarzom, i powiedział:

– Widzę tu tylko zwyczajną hałastrę uliczną. Który to ma być?

Dozorca więzienny roześmiał się i odpowiedział:

– Ten tutaj. Spójrz no na tego łotra i powiedz, co o nim sądzisz.

Staruszek podszedł bliżej, przyjrzał się Hendonowi uważniej i potrząsnął głową mówiąc:

– Na pewno ten człowiek nie jest żadnym z Hendonów i nigdy nim nie mógł być.

– Masz rację! Twoje stare oczy jeszcze dobrze widzą. Gdybym ja był na miejscu sir Hugha, wziąłbym tego łajdaka i...

Dozorca wspiął się na palcach i z ruchem takim, jakby miał stryczek na szyi, zaczął rzęzić, jak skazaniec w ostatniej chwili życia. Staruszek zaś ciągnął:

– Będzie mógł być zadowolony, jeżeli go coś gorszego nie spotka. Gdyby to ode mnie zależało, upiekłbym go w ogniu...

Dozorca zachichotał sympatycznym piskiem hieny i dodał:

– Powiedz mu prawdę, stary, jak wszyscy, którzy tu przychodzili, żeby mu się przyjrzeć. Mieli niezłą zabawę, mówię ci.

Z tymi słowami dozorca odwrócił się i wyszedł z sali. W tej chwili starzec padł na kolana i szepnął:

– Chwała niech będzie Bogu, że cię z powrotem sprowadził, szlachetny panie! Od siedmiu lat myśleliśmy, że nie żyjesz! Poznałem cię od pierwszej chwili, kiedy cię zobaczyłem i wiele mnie kosztowało, żeby nie zdradzić wzruszenia i zachowywać się, jak ta uliczna hałastra. Jestem biedny i stary, ale jeśli powiesz tylko słowo, sir Milesie, to wszędzie będę głosił, że naprawdę jesteś tym, za kogo się podajesz, choćby miało to mnie zaprowadzić na szubienicę.

– Nie – odpowiedział Hendon – nie rób tego. Zaszkodziłbyś tylko sobie, a mnie to niewiele pomoże. Ale dziękuję ci, że znowu zbudziłeś we mnie wiarę w ludzi.

Staruszek stał się dla Hendona i króla cennym

sprzymierzeńcem. Odtąd przychodził nawet kilka razy dziennie, rzekomo żeby naigrywać się z oszusta, a naprawdę przemycał wiadomości ze świata i różne przysmaki, które wobec skąpego wiktu więziennego były dla nich bardzo pożądane.

Hendon pozostawiał przynoszone przez staruszka smakołyki królowi, który bez tych dodatków mógłby zmarnieć w więzieniu, bo jedzenie, jakie dostawali było ohydne i w niewystarczającej ilości.

Nie chcąc wzbudzać podejrzeń Andrews musiał ograniczać się do krótkich odwiedzin, ale mimo to udawało mu się nieraz przekazać szeptem Hendonowi jakąś ważną wiadomość, podczas gdy złorzeczenia, którymi głośno szafował, miały na celu wprowadzenie w błąd otoczenia. W ten sposób Miles dowiedział się o wydarzeniach, które zaszły w jego rodzinie. Arthur umarł osiem lat temu. Strata ta, w połączeniu z brakiem jakichkolwiek wiadomości od Milesa, podkopała zdrowie ojca. Spodziewając się rychłej śmierci pragnął już tylko pobłogosławić związek Hugha z Edith. Ale Edith błagała go o zwłokę mając ciągle nadzieję, że Miles powróci. Potem nadszedł list donoszący o jego śmierci. Cios ten rzucił sir Richarda na łoże boleści. Spodziewał się, że koniec jego życia jest już bliski. Hugo nalegał na przyśpieszenie małżeństwa, ale Edith ciągle prosiła o zwłokę i wyjednała sobie najpierw miesiąc, potem drugi, wreszcie trzeci. Jednak w końcu ślub odbył się przy łożu śmierci sir Richarda.

Nie było to szczęśliwe małżeństwo. W okolicy opowiadano sobie, że młoda żona wkrótce po ślubie znalazła kilka brudnopisów owego złowieszczego listu i oskarżyła męża, iż przez to oszustwo przyśpieszył zarówno ślub jak i śmierć ojca. Słyszano, jak okrutnie Hugh obchodził się z żoną i służbą. Po śmierci ojca zrzucił zupełnie maskę i okazał się wobec wszystkich podwładnych bezlitosnym tyranem.

Jedna nowina przyniesiona przez Andrewsa szczególnie zainteresowała króla.

– Opowiadają, że król jest obłąkany – powiedział kiedyś staruszek. – Ale na Boga, nikomu nie mówcie, że wam o tym opowiadałem, bo podobno każdy, kto roznosi takie wiadomości, daje głowę.

Jego królewska mość spojrzał na staruszka gniewnie i rzekł:

– Król nie jest obłąkany... nie zawracaj sobie głowy sprawami, które cię nie dotyczą. Twoje buntownicze słowa mogłyby sprowadzić na ciebie nieszczęście.

– Co się temu chłopcu stało? – zapytał Andrews zaskoczony nagłym atakiem. Hendon dał znak, żeby więcej nie pytał, a staruszek dalej przekazywał informacje:

– Zmarły król za kilka dni – szesnastego lutego, zostanie pochowany w Windsorze, zaś dwudziestego odbędzie się w Westminsterze koronacja nowego króla.

– Żeby tak się stało, trzeba go najpierw odnaleźć – rzekł król do siebie półgłosem. Następnie dodał z przekonaniem:

– Już oni się o to postarają, a i ja też.

– Ależ w imię...

Widząc ostrzegawczy ruch Hendona starzec nie dokończył i zamilkł.

Po chwili ciągnął swoje opowiadanie:

– Sir Hugh jedzie na koronację i to z wielkimi nadziejami. Jest pewny, że otrzyma godność para, gdyż cieszy się wielkimi łaskami u lorda protektora.

– U jakiego lorda protektora? – zapytał chłopiec.

– U dostojnego księcia Somerset.

– Cóż to za książę Somerset?

– Jest tylko jeden – Seymour, hrabia Hertford.

– A od kiedy to jest księciem i lordem protektorem? – zapytał król gwałtownie.

– Od ostatniego dnia stycznia.

– A wiesz kto go mianował na to stanowisko?

– On sam i Wielka Rada, za zgodą króla.

Jego królewska mość zerwał się gwałtownie.

– Króla! – zawołał. – Jakiego znowu króla, drogi panie?

– No, po prostu króla! (Co się temu chłopcu porobiło?) Mamy tylko jednego króla – jego królewskiej mości Edwarda Szóstego, którego niech Bóg ma w opiece.

Ach, co to za piękny i miły młodzieniec, a czy jego umysł jest zdrowy czy nie, to przecież wszystko jedno. Powiadają zresztą, że choroba ustępuje każdego dnia, a że wszyscy głoszą jego chwałę, więc też każdy z poddanych żarliwie się modli, aby długo panował nad Anglią. Jego panowanie zaczęło się od miłosiernego gestu: darował życie staremu księciu Norfolk. A teraz zamierza znieść najcięższe i najbardziej okrutne prawa, gnębiące ubogi lud.

Król słysząc te wiadomości zaniemówił ze zdumienia. Popadł w tak głębokie zamyślenie, że nie słyszał już dalszych słów staruszka.

Zadawał sobie pytanie, czy tym „pięknym i miłym młodzieńcem" może być ów żebrak, którego pozostawił na zamku we własnym ubraniu. Wydawało mu się to zupełnie nieprawdopodobne. Jego język i zachowanie szybko by go zdradziły, gdyby chciał się podać za księcia Walii. Musiało by to doprowadzić do jego zdemaskowania, a wtedy przecież zaczęto by szukać prawdziwego księcia. Chyba, że dworacy podsunęli jakiegoś innego chłopca szlachetnie urodzonego? Ale nie! Na to nie pozwoliłby jego wuj. Był na tyle wszechmocny, że taką intrygę zlikwidowałby w zarodku.

Wszelkie przypuszczenia były daremne. Im bardziej zastanawiał się nad zagadką, tym bardziej wydawała mu się zagmatwana, tym bardziej bolała go głowa i tym gorzej spał. Z każdą godziną wzrastała jego niecierpliwość, by powrócić do Londynu, a uwięzienie coraz bardziej mu ciążyło.

Wysiłki Hendona by pocieszyć króla, były zupełnie bezowocne. Natomiast lepiej się to udało dwóm kobietom, które od kilku dni były przykute w pobliżu nich. Ich łagodne słowa przywróciły mu spokój i nauczyły cierpliwości.

Był im za to wdzięczny z całego serca i nabrał do nich szczerej życzliwości z przyjemnością poddając się łagodnemu i kojącemu wpływowi ich obecności. Na pytanie, za co zamknięto je w więzieniu, kobiety odpowiedziały, że są baptystkami. Król uśmiechnął się i zapytał:

– Czy to jest przestępstwo zasługujące na karę więzienia? Bardzo szkoda, że niedługo stracę wasze towarzystwo, bo przecież z tak błahego powodu nie będą was długo więzić.

Kobiety nie odpowiedziały, ale wyraz ich twarzy zaniepokoił króla, ciągnął więc dalej z ożywieniem:

– Nic nie mówicie, ale proszę was, okażcie mi tę życzliwość i powiedzcie, jakiej kary możecie się jeszcze spodziewać? Chyba już niczego więcej nie musicie się obawiać?

Kobiety starały się wykręcić od odpowiedzi, ale to jeszcze bardziej spotęgowało obawy króla, który zawołał:

– Czy będą was bili rózgami? Nie, nie, tak okrutnie nie mogą z wami postąpić!...

Kobiety spojrzały po sobie ze smutkiem i zmieszaniem. Nie mogły jednak nie odpowiedzieć, więc jedna z nich powiedziała zdławionym głosem:

– Rozdzierasz nam serca, kochany chłopcze! Bóg nam dopomoże znieść naszą...

– Więc jednak! – zawołał król. – Ci nikczemnicy będą was chłostać! Nie, nie płaczcie! Nie mogę na to patrzeć! Bądźcie odważne, niedługo odzyskam swoje prawa, a wtedy wezmę was pod opiekę!

Następnego ranka, gdy się zbudził, poczciwych kobiet już nie było.

- Wypuszczono je! – zawołał uradowany, a potem dodał smutno: – To źle, bo były dla mnie jedyną pociechą.

Poprzedniego dnia obie kobiety przypięły do jego ubrania kawałek wstążki. Król ślubował zachować tą pamiątkę, a gdy tylko odzyska wolność, odszuka swoje przyjaciółki i zaopiekuje się nimi.

Nagle do pomieszczenia wszedł dozorca z kilkoma pomocnikami, którym kazał wyprowadzić wszystkich więźniów na dziedziniec. Król bardzo się z tego ucieszył. Co za rozkosz znowu ujrzeć błękit nieba i odetchnąć świeżym powietrzem! Niecierpliwił się i narzekał na opieszałość dozorców. Wreszcie przyszła i na niego kolej. Zdjęto mu kajdany i kazano iść za Hendonem i innymi więźniami na dziedziniec.

Dziedziniec był czworokątny, wybrukowany kamiennymi płytami, otwarty tylko od góry. Więźniowie weszli przez bramę i ustawiono ich w szeregach, plecami do muru. Przed nimi rozpięto linę, a więzienna warta nie spuszczała z nich oka.

Był zimny, pochmurny ranek. Śnieg, który spadł w nocy, pokrywał cały dziedziniec potęgując ponure wrażenie, gdy chwilami zrywał się wiatr i wprawiał płatki w szalone wiry.

Na środku dziedzińca stały dwa drewniane pale, do których przykuto kobiety. Król od pierwszego wejrzenia poznał je. Przeszedł go dreszcz.

– Nie wypuszczono ich na wolność, jak mi się zdawało – pomyślał. – I takie dobre kobiety smaga się w Anglii rózgami! A co najhaniebniejsze, że nie jesteśmy w jakimś pogańskim kraju, ale właśnie w chrześcijańskiej Anglii! Będą je chłostać, a ja, którego one pocieszały w niedoli i pokrzepiały na duchu, muszę się temu przyglądać i nie mogę przeszkodzić tej wielkiej niesprawiedliwości. Dziwne to, bardzo dziwne, że ja, władca tego wielkiego kraju, nie mam dość mocy, aby je obronić. Ale niech drżą nikczemnicy, bo bliski jest dzień, gdy pociągnę ich do surowej odpowiedzialności. Za każde uderzenie rózgi jakie zadają, otrzymają sto uderzeń.

W tej chwili otwarto wielkie wrota, przez które wtargnął tłum mieszczan. Otoczył kobiety tak zwartym kołem, że król już więcej ich nie widział. Potem przez tłum przeszedł duchowny, którego król ledwo mógł dostrzec. Słyszał tylko, że odbywa się rozmowa, ale poszczególnych słów nie mógł zrozumieć. Potem nastąpiła krzątanina i zamieszanie. Więzienni dozorcy biegali tam i z powrotem wśród tłumu otaczającego kobiety. Nagle zapadła cisza. Wtedy tłum rozstąpił się jakby na rozkaz i król ujrzał obraz, wobec którego krew zakrzepła mu w żyłach. Związane kobiety otoczone były stosem drewna, a jakiś klęczący na ziemi człowiek właśnie go podpalał!

Kobiety z tłumu pochyliły głowy i rękami zakryły twarze. Po suchych drwach strzeliły w górę żółte płomienie, a wiatr uniósł ku niebu kłąb szarego dymu. Duchowny wzniósł ręce do modlitwy, gdy nagle przez bramę wbiegły dwie dziewczyny, które z rozdzierającym krzykiem rzuciły się w kierunku skazanych na stos kobietom. Pomocnicy kata odciągnęli je natychmiast, ale jedną z nich za słabo widocznie trzymali, gdyż wyrwała się z okrzykiem, że chce umrzeć z matką, i zanim zdołano jej przeszkodzić, podbiegła do matki i otoczyła ją ramionami. Odciągnięto ją znowu, ale jej suknia zajęła się już od ognia. Kilku mężczyzn chwyciło ją i zdarło z niej płonące części ubrania. Dziewczyna ciągle opierała się i biadała, że została teraz sama na świecie, więc niech jej lepiej pozwolą umrzeć razem z matką. Obie nieustannie zawodziły, usiłując wyrwać się, ale nagle ich jęki zostały zagłuszone przez straszny, rozdzierający krzyk. Król spojrzał w stronę stosu – i natychmiast odwrócił śmiertelnie bladą twarz.

– To, co ujrzałem przez tę krótką chwilę – pomyślał – zostanie mi na zawsze w pamięci! Przez wszystkie dni swojego życia będę to widział przed oczami, a po nocach będzie mi się to śniło. Hendon obserwował króla. W duchu mówił sobie z zadowoleniem:

– Jego szaleństwo ustępuje. Zmienił się, stał się spokojniejszy i posłuszniejszy. Dawniej rzuciłby się na tych oprawców z niepohamowaną wściekłością, krzyczałby, że jest królem i natychmiast kazałby uwolnić kobiety. Mam nadzieję, że jego przywidzenia zupełnie znikną, a umysł niedługo dojdzie do normy. Daj Boże, żeby to się stało jak najszybciej!

Tego dnia przyprowadzono kilkoro nowych aresztantów, którzy mieli zostać tylko przez noc, a potem być wywiezieni do różnych miejsc w królestwie, gdzie mieli odsiedzieć wyroki do końca. Król rozmawiał z nimi. Od początku pobytu w więzieniu uznał za swój obowiązek przygotowywać się do królewskiego urzędu poprzez rozmowy z więźniami. Dzieje ich cierpień szarpały mu serce.

Wśród przybyłych znajdowała się stara, chora psychicznie kobieta, która ukradła tkaczowi kilka łokci sukna i miała być za to powieszona. Dalej człowiek, którego pierwotnie oskarżono o kradzież konia, i gdy z braku dostatecznych dowodów, spodziewał się już, że ujdzie śmierci, zarzucono mu potem, że upolował jelenia w królewskich lasach i teraz już nic nie mogło go uratować od szubienicy.

Król szczególnie współczuł młodemu rzemieślnikowi, który pewnego wieczoru złapał na drodze sokoła. Ptak zapewne uciekł od właściciela, a czeladnik zabrał go do domu nie mając żadnych złych zamiarów. Sędzia orzekł jednak, że popełnił kradzież i skazał go na karę śmierci.

Król był oburzony na te nieludzkie traktowanie i domagał się od Hendona, aby razem uciekli z więzienia i udali się do Westminsteru, gdyż pragnie on jak najszybciej zasiąść na tronie i roztoczyć łagodne rządy nad swoimi poddanymi.

– Biedny chłopiec – pomyślał Hendon – opowiadania o tych strasznych losach znowu pomieszały mu rozum i spotęgowały dawną chorobę. Gdyby nie to, niedługo byłby zupełnie zdrowy.

Wśród więźniów znajdował się także pewien stary prawnik, którego twarz zdradzała energię i odwagę. Przed trzema laty opublikował on oskarżenie przeciw lordowi kanclerzowi zarzucając mu niesprawiedliwość. Skazano go za to na obcięcie uszu pod pręgierzem, wydalenie z jego stanu, karę trzech tysięcy funtów szterlingów i dożywotnie zamknięcie w więzieniu. Ale niedługo po tym wyroku stary prawnik ogłosił nowe oskarżenie i został tym razem skazany na obcięcie resztek z tego, co zostało z jego uszu, karę pięciu tysięcy funtów, napiętnowanie na policzkach i znowu dożywotnie więzienie.

– Zaszczytne to blizny – rzekł odgarniając siwe, długie włosy i pokazując królowi okaleczone miejsca.

Oczy króla zapłonęły oburzeniem.

– Nikt mi nie wierzy – rzekł – i ty mi też nie uwierzysz. Ale to nic nie szkodzi – za miesiąc będziesz wolny. Co więcej: prawa, które cię skrzywdziły i zhańbiły imię Anglii, zostaną wykreślone z naszego kodeksu. Nie dobrze dzieje się na świecie. Królowie powinni od czasu do czasu przekonywać się osobiście, jak wykonywane są ich prawa, a wtedy nauczą się miłosierdzia*.

---

* Patrz 14. przypis autora na str. 249.

ROZDZIAŁ XXVIII

Ofiara

Tymczasem Hendon miał zupełnie dość więzienia i przymusowej bezczynności. Nareszcie, ku jego wielkiemu zadowoleniu, nadszedł dzień jego procesu, a Miles sądził, że każdy wyrok wyda mu się lepszy, od dalszego przebywania w więzieniu. Srogo się jednak mylił pod tym względem. Wściekł się, gdy w oskarżeniu nazwano go „zuchwałym włóczęgą" i skazano za napaść na właściciela Hendon Hall na dwie godziny pręgierza. O tym, że Miles twierdził, iż oskarżyciel jest jego bratem, on zaś posiada prawo do dziedziczenia majątku i tytułu Hendonów, w oskarżeniu nawet nie wspomniano, jakby sprawa ta nie była warta rozpatrzenia. W drodze do pręgierza wyładował swój gniew groźbami i złorzeczeniami, ale nic to nie dało. Przeciwnie, pachołkowie tym mocniej go trzymali, a za opór dostał mu się niejeden nadliczbowy szturchaniec.

Król nie mógł się przecisnąć przez motłoch biegnąc za skazanym, musiał więc iść z dala od ukochanego przyjaciela i sługi. On sam omało nie dostał się w dyby za przyjaźń z takim przestępcą, ale ze względu na młody wiek, ograniczono się tylko do surowego upomnienia.

Gdy pochód wreszcie się zatrzymał, zrozpaczony król biegał dokoła starając się przecisnąć przez tłum. Gdy mu się to w końcu udało, ujrzał swojego wiernego rycerza jak siedział zakuty w dyby, przywiązany do hańbiącego pręgierza, wystawiony na pośmiewisko gawiedzi. Gdy teraz zrozumiał, jaką obelgę wyrządzono przez to i jemu samemu, zagotował się z oburzenia. Gdy w następnej chwili zgniłe jajko trafiło Hendona w policzek, a tłum na ten widok wybuchnął nieposkromionym śmiechem, król nie mógł się już dłużej pohamować.

Nieprzytomny z gniewu przebiegł przez plac i zawołał do wartownika:

– To hańba! On jest moim sługą! Puśćcie go natychmiast! Ja jestem...

– Milcz! – zawołał Hendon przerażony. – Ściągasz na siebie zgubę tym, co mówisz! Nie słuchajcie go, panie, on jest obłąkany!

– Nie myśl sobie, że mogę zwracać na niego uwagę. Ani mi się śni! Ale mimo to dam mu drobną nauczkę, żeby wiedział jak się należy zachowywać – rzekł wartownik i zwrócił się do jednego ze swych pachołków:

– Wsyp no temu malcowi kilka batów, żeby się nauczył grzeczności.

– Pół tuzina mu nie zaszkodzi! – zawołał sir Hugh, który właśnie nadjechał, aby się przypatrzyć widowisku.

Schwytano króla. Nawet się nie opierał, tak był oszołomiony na myśl o niesłychanej zniewadze, jaka miała być zadana jego szacownej królewskiej osobie. Historia notowała już wprawdzie, jak obito jednego króla angielskiego. Jednak nieznośna wydawała mu się myśl, że oto on ma dostarczyć dziejom duplikatu tej haniebnej karty. Wpadł w matnię i nie widział wyjścia. Albo musiał znieść karę, albo błagać o przebaczenie. Trudny wybór. Wolał ścierpieć razy – to było możliwe dla króla, ale błagać o łaskę – nie, błagać mu nie wolno.

Lecz Hendon znalazł wyjście z sytuacji.

– Dajcie spokój temu dziecku – zawołał. – Czy nie widzicie, jaki jest mały i wychudzony? Ja wezmę na siebie jego chłostę.

– Świetny pomysł, muszę przyznać – zarechotał sir Hugo. – Puśćcie tego malca, a zamiast jemu, wsypcie temu łotrzykowi tuzin batów. Ale pełny tuzin i nie żałować ręki!

Król chciał z gniewem zaprotestować, ale sir Hugh zmusił go do milczenia wymowną uwagą:

– Dobrze, gadaj, gadaj, ulżyj sobie. Ale wiedz, że za każde twoje słowo dołożą mu jeszcze sześć razów!

Hendona uwolniono z dyb i zdarto mu koszulę z pleców, a gdy dało się słyszeć pierwsze uderzenie bicza, mały król odwrócił twarz i nie zwracając uwagi na swoją królewską godność pozwolił gorzkim łzom płynąć po policzkach.

– Ach, masz takie szlachetne i dzielne serce – pomyślał – ta ofiara na zawsze zostanie w mojej pamięci. Nigdy jej nie zapomnę. O nich też nie zapomnę! – dodał z gniewem i groźbą. Kiedy się nad tym zastanawiał, znaczenie wspaniałomyślnego czynu Hendona coraz bardziej w nim rosło rosło i w tym samym stopniu rosła jego wdzięczność.

– Kto ratuje swego władcę przed ranami lub niebezpieczeństwem śmierci – pomyślał – wyświadcza mu wielką przysługę, ale jest niczym, jeżeli porówna się z czynem, który chroni króla przed HAŃBĄ!

Hendon znosił chłostę w milczeniu i z żołnierską swobodą. Okoliczność ta, jak również wzgląd, że przyjął na siebie dobrowolnie razy, żeby uchronić przed nimi chłopca, zjednały mu jednak uznanie nikczemnego motłochu, który przyglądał się widowisku. Drwiny i obelgi ucichły. Słychać było tylko odgłos spadającego bicza. Cisza trwała nadal, gdy z powrotem zakuto go w dyby. Stanowiła ona wymowny kontrast wobec wrzawy, jaka panowała na początku.

Król podszedł do Hendona i szepnął mu do ucha:

– Król nie może obdarzyć cię szlachectwem, gdyż Ten, który jest ponad królami, obdarował cię swoim szlachectwem. Twój król może tylko twoje szlachectwo potwierdzić w oczach ludzi.

Podniósł z ziemi bicz, dotknął nim skrwawionego ramienia Hendona i szepnął:

– Edward Angielski mianuje cię hrabią!

Hendon był wzruszony. Oczy zaszły mu łzami, chociaż wyraźnie uświadamiał sobie tragikomiczny wydźwięk tej sytuacji. Z największą trudnością zachował powagę na twarzy. Oto półnagi i pokrwawiony nagle wyniesiony został na niedosiężne wyżyny godności hrabiowskiej – wydało mu się to szczytem komizmu.

– No, teraz to zrobiłem karierę! – powiadał sobie. – Rycerz z Krainy Snów i Cieni stał się teraz hrabią z Krainy Snów i Cieni. Wyżej nie można się chyba wznieść na nie opierzonych skrzydłach. Niedługo będę obwieszony tymi widmowymi godnościami jak słup na placu zabaw świecidełkami. A jednak, chociaż same przez się nie mają one wartości, przywiązuję do nich wielką wagę ze względu na miłość, którą wyrażają. Droższe mi są te widmowe zaszczyty dobrowolnie szafowane z czystego serca i wdzięcznej ręki, niż by to były rzeczywiste honory, które bym musiał poniżając się wyżebrać od chciwego i okrutnego tyrana.

Groźny sir Hugh zawrócił konia, a gdy odjeżdżał, tłum w milczeniu rozsunął się aby go przepuścić i w milczeniu zamknął się znowu za nim.

Milczenie trwało. Nikt nie odważył się odezwać na korzyść skazańca, ani skierować do niego słowa otuchy. Ale już powstrzymanie się od drwin i złorzeczeń było w tym tłumie wyrazem wielkiego uznania. Jakiś człowiek, który nadszedł dopiero co i nie uczestniczył w poprzednim zajściu, zaczął szydzić z zakutego w dyby. Dla podkreślenia swych słów chciał rzucić w Milesa zdechłym kotem, lecz uderzenie pięści zniechęciło go do tego i bez pardonu wyrzuciło z tłumu. Potem znowu zapanowała pełna szacunku cisza.

ROZDZIAŁ XXIX

Do Londynu

Po odsiedzeniu swej kary pod pręgierzem Hendon został wypuszczony, przy czym kazano mu wynosić się z okolicy i nigdy tu więcej nie wracać. Zwrócono mu szpadę, muła i osła. Hendon dosiadł swego wierzchowca i wraz z królem odjechał z miejsca kary, zaś tłum gapiów w milczeniu i z szacunkiem rozstępował się przed nimi. Gdy więźniowie oddalili się, gawiedź rozproszyła się na wszystkie strony. Hendon jechał zatopiony w myślach. Trapiły go poważne zagadnienia. Co miał teraz robić? Dokąd jechać? Jeśli nie uda mu się uzyskać pomocy jakiegoś potężnego człowieka, nie odzyska swojego dziedzictwa, a ponadto przylgnie do niego podejrzenie, że jest oszustem. Gdzie jednak mógł liczyć na skuteczną pomoc? Tak, gdzie? Oto pytanie, na które trudno było znaleźć odpowiedź.

Wtem przyszła mu do głowy myśl, która dawała mu nikłą nadzieję – nadzieję wprawdzie bardzo słabą – ale przecież trzeba było wziąć ją pod uwagę, jeżeli nie było innego wyjścia. Przypomniał sobie, że stary Andrews chwalił dobroć młodego króla i wspominał, iż szlachetnie ujmuje się za pokrzywdzonymi i nieszczęśliwymi. Dlaczego miałby nie spróbować dostać się do króla i wybłagać u niego sprawiedliwy wyrok? Tak, ale czy taki włóczęga jak on mógł się dostać przed oblicze króla? Ale co tam, nad tym będzie później łamać sobie głowę. Był starym żołnierzem i przywykł radzić sobie w najtrudniejszych sytuacjach. Niewątpliwie znajdzie środki i drogi, aby zrealizować swój plan. Postanowił więc udać się najkrótszą drogą do stolicy. Może mu coś doradzi dawny przyjaciel ojca, sir Humphrey Marlow, „poczciwy, stary sir Humphrey", który na dworze zmarłego króla zarządzał kuchnią, stajniami, czy czymś podobnym.

Teraz, gdy całą energię mógł skupić na jednym celu, gdy musiał osiągnąć coś realnego, mgła przygnębienia rozwiała się zupełnie. Śmiało znowu podniósł głowę. Ze zdumieniem spostrzegł, że przejechali już spory kawałek drogi, a miasteczko mieli znacznie za sobą. Król jechał za nim z nisko opuszczoną głową. On też zatopiony był w myślach.

Jeszcze jedna obawa trapiła Hendona: czy chłopiec będzie chciał powrócić do miasta, w którym podczas całego życia zaznał tylko podłego traktowania i gorzkiej nędzy. Trzeba było jednak postawić to pytanie. Nie można go było uniknąć, więc Hendon zwolnił bieg swojego rumaka i zawołał:

– Nie zapytałem jeszcze, dokąd jedziemy? Jak rozkażesz, panie?

– Do Londynu!

Hendon odwrócił się niezmiernie uradowany, choć bardzo zdziwiony tą odpowiedzią.

Dalsza podróż minęła bez ciekawszych wydarzeń. Jednak skończyła się przygodą.

Dziewiętnastego lutego około godziny dziesiątej wieczorem wjechali na London Bridge, który był pełen gęstego, gwarnego tłumu. Rozradowane twarze oświetlone były blaskiem mnóstwa pochodni. Właśnie ktoś zrzucił z pręta bramy rozkładającą się głowę jakiegoś księcia czy innego dostojnika, która uderzyła Hendona w łokieć, potoczyła się na ziemię i znikła potrącana butami gawiedzi. Tak szybko mijają rezultaty działań minionej władzy. Król Henryk VIII nie żył dopiero od trzech tygodni; zaledwie przed trzema dniami został pochowany, a już strącano ozdoby, jakie dobierał spośród najlepszej szlachty dla upiększenia mostu. Ktoś z tłumu potknął się o strąconą głowę, przy czym własną głową uderzył w plecy stojącego przed nim. Ten odwrócił się z gniewem i uderzeniem pięści rozciągnął na ziemi przygodnego sąsiada, za co z kolei oberwał od jego przyjaciela. Moment do bójki był bardzo odpowiedni, gdyż wyznaczona na następny dzień uroczystość koronacji już się właściwie zaczęła. Piwo i entuzjazm uderzyły już ludziom do głowy, toteż pięć minut później z opisanego wydarzenia powstała ogólna bijatyka, która z szybkością błyskawicy obejmowała coraz szersze kręgi, zmieniając się szybko w rozruchy uliczne. W ogólnym zamieszaniu Hendon i król zostali rozdzieleni i natychmiast zgubili się w rozkrzyczanej i oszalałej ciżbie ludzkiej. Więc i my porzucimy ich na pewien czas.

ROZDZIAŁ XXX

Postępy Tomka

Gdy prawowity król, głodny i w łachmanach wędrował po kraju, często wyszydzany i poniewierany przez włóczęgów, gdy siedział ze złodziejami i mordercami w więzieniu, uważany przez wszystkich za oszusta lub obłąkanego, przeżycia przypadkowego króla, Tomka Canty, były zupełnie innego rodzaju. Kiedy widzieliśmy go ostatni raz, właśnie zaczął się rozsmakowywać w godności królewskiej. I tych jaśniejszych stron z każdym dniem dostrzegał coraz więcej, tak że w końcu zapłonęły pełnym blaskiem. Obawy znikły, troski rozwiały się całkowicie, nawet dawne uczucie zakłopotania ustąpiło teraz miejsca spokojnej pewności siebie. Coraz większe korzyści ciągnął też z przebywania z chłopcem do bicia.

Gdy miał ochotę na zabawę lub rozmowę, zapraszał do siebie księżniczkę Elizabeth i lady Jane Gray, a gdy już miał dość ich towarzystwa, żegnał je z taką swobodą, jakby od dzieciństwa tak postępował. Nie odczuwał już zakłopotania, gdy te wytworne panienki na pożegnanie całowały go w rękę.

Wreszcie sprawiało mu nawet przyjemność, gdy wieczorem kładziono go uroczyście spać, a rano ubierano z wyszukanym ceremoniałem. Czuł dumę idąc do stołu w towarzystwie strojnie odzianych dostojników i swojej gwardii honorowej. Był z tego nawet tak dalece zadowolony, że podwoił tę gwardię i zabierał ze sobą prawie stuosobową świtę. Lubił wsłuchiwać się w dźwięk rogów rozlegających się na długich korytarzach i okrzyki: „miejsce dla króla!"

Sprawiało mu nawet przyjemność przewodniczenie w królewskim stroju na posiedzeniach rady stanu i starał się wtedy być nie tylko marionetką lorda protektora. Sprawiało mu przyjemność przyjmowanie obcych poselstw ze wspaniałymi świtami, słuchanie zapewnień życzliwości, jakie składali mu ustami ambasadorów inni monarchowie, którzy nazywali go swoim „bratem". O, szczęśliwy Tomku Canty, były mieszkańcu Offal Court! Nabrał upodobania do swoich wyszukanych strojów i zamawiał sobie coraz to nowe. Doszedł do przekonania, że czterystu służących to za mało i potroił ich liczbę. Pochlebstwa dworaków brzmiały dla jego ucha jak najmilsza muzyka. Nadal był jednak łagodny i uprzejmy i pozostał dzielnym i wytrwałym obrońcą najbiedniejszych, walczącym z niesłusznymi prawami. Gdy jednak sam poczuł się obrażony, potrafił rzucić hrabiemu lub księciu tak gniewne spojrzenie, że winowajca drżał od stóp do głowy.

Gdy pewnego razu jego surowa „siostra", fanatyczna Maria, czyniła mu wyrzuty, że ułaskawił tak wielu ludzi, którzy powinni być wtrąceni do więzień, spaleni lub powieszeni, gdy mu przypomniała, że za życia jego ojca w więzieniach znajdowało się nieraz równocześnie sześćdziesiąt tysięcy skazańców, a podczas jego błogosławionego panowania siedemdziesiąt dwa tysiące złodziejów i rabusiów zginęło z ręki kata*, chłopiec wybuchnął szlachetnym oburzeniem i rozkazał jej wrócić do swoich pokojów i błagać Boga, aby wyjął kamień, który miała w piersi i darował jej w zamian serce.

Czy jednak Tomek Canty nie miał wyrzutów sumienia wspominając los prawdziwego księcia, który potraktował go tak szlachetnie i tak wspaniałomyślnie obronił go przed brutalnością wartownika? Oczywiście, podczas pierwszych dni i nocy bardzo martwił się losem zaginionego księcia i szczerze pragnął jego szybkie-

---

* Hume, *Historia Anglii* (przyp. autora).

go i szczęśliwego powrotu i objęcia należnych mu godności. Ale z biegiem czasu, gdy książę nie wracał, a Tomek coraz lepiej czuł się w nowych warunkach, zupełnie zapomniał o zaginionym dziedzicu tronu, a choć jeszcze od czasu do czasu zjawiał się w jego pamięci, to jednak już tylko jako niegroźne widmo. Tomek czuł się w takich chwilach zawstydzony i doznawał wyrzutów sumienia. Podobnie sprawy się miały z jego matką i siostrami. Początkowo nie przestawał o nich myśleć, tęsknił za nimi i martwił się o nie. Potem wręcz drżał na myśl, że mogłyby się pojawić w łachmanach, zdradzić go swymi czułościami, strącić go z zawrotnej wysokości i ściągnąć z powrotem w nędzę i brud. Ale i ta obawa z wolna minęła. Był zadowolony, nawet szczęśliwy, gdy ich postacie pojawiały się z wyrzutem w jego myślach. Wtedy samokrytycznie wydawał się sobie nędzniejszy od robaka pełzającego po ziemi.

O północy dziewiętnastego lutego Tomek Canty zasnął spokojnie w swoim miękkim łożu na zamku, strzeżony przez wiernych wasali, otoczony przepychem godności królewskiej, w niewypowiedzianym uczuciu szczęścia. Następnego dnia miał być uroczyście koronowany na króla Anglii.

O tej samej godzinie Edward, prawowity król, głodny i spragniony, obryzgany błotem i w podartym ubraniu, co zawdzięczał owej bójce ulicznej, stał ściśnięty w tłumie przyglądając się chmarom służby, wchodzącej i wychodzącej z Opactwa Westminsterskiego. Służba ta krzątała się kończąc ostatnie przygotowania do koronacji króla.

ROZDZIAŁ XXXI

Pochód koronacyjny

Gdy Tomek Canty obudził się następnego ranka, w powietrzu rozlegały się ze wszystkich stron stłumione, dochodzące jakby z dali, odgłosy. Brzmiało to dla niego jak muzyka, gdyż świadczyło, że naród angielski wyległ już na ulice, aby powitać wielki dzień. Niebawem Tomek ponownie stał się ośrodkiem wspaniałej kawalkady na Tamizie. Wedłług starodawnej tradycji pochód koronacyjny przemieszczający się przez Londyn musi wyjść z Tower. Tam więc przede wszystkim musiał się udać Tomek.

Kiedy tam dotarł, mury imponującej twierdzy jakby pękły w niezliczonych miejscach naraz, a wszędzie strzelały w górę czerwone języki ognia i białe kłęby dymu. Po chwili nastąpiła ogłuszająca salwa, która zagłuszyła odgłosy tłumu i od której zadrżała ziemia. Z niebywałą szybkością wystrzelały raz po raz płomienie i dym, grzmiały wystrzały dział, tak że po chwili stary zamek spowity był dymem i widać było tylko sam jego szczyt, tak zwaną Białą Wieżę z łopoczącymi chorągwiami, sterczącą ponad obłokami dymu, niby wierzchołek góry nad ścianą chmur. Tomek Canty ubrany w przepyszne szaty dosiadł wspaniałego rumaka, którego drogocenna kapa sięgała niemal ziemi. Jego „wuj", lord protektor, książę Somerset jechał tuż za nim na równie wspaniałym koniu. Gwardia przyboczna w lśniących zbrojach tworzyła po obu stronach szpaler. Za lordem protektorem postępowały nieprzejrzane chmary wykwintnie ubranych dostojników ze świtami. Za nimi lord major z władzami miejskimi w aksamitnych, czerwonych togach i ze złotymi łańcuchami na piersiach. Potem następowali naczelnicy i członkowie wszystkich londyńskich cechów, w znakomitych szatach, ze sztandarami cechowymi.

Jako specjalna gwardia honorowa w pochodzie przez miasto na końcu szła tradycyjna i zasłużona kompania artylerii, istniejąca już wtedy od trzech stuleci – jedyny oddział armii angielskiej, który korzystał wówczas z przywileju, zachowanego po dzień dzisiejszy, pełnej niezależności od parlamentu.

Wspaniały to był widok, a pochód posuwający się wolno wśród stłoczonej ciżby mieszczan wszędzie witany był entuzjastycznymi okrzykami.

Kronikarz zapisał, że «gdy król wjeżdżał do miasta, lud witał go błogosławieństwami, okrzykami zachwytu, radości i entuzjazmu, wszelkimi oznakami szczerej miłości poddanych wobec swego władcy. Gdy król uniósł w górę swoje radosne oblicze, ludzie, którzy stali z dala, mogli go widzieć doskonale, zwracając się zaś z łaskawymi słowami do stojących bliżej dowodził, że przyjmował hołd swego ludu równie serdecznie jak mu ten hołd składano. Dziękował wszystkim, którzy wydawali okrzyki na jego cześć. Tym, co wołali; „Boże, zbaw waszą miłość!", odpowiadał: „Boże, zbaw was wszystkich!" i dodawał, że „dziękuje im z całego serca". Te uprzejme słowa i zachowanie króla wywoływały zachwyt powszechny».

Na ulicy Fenchurch na podwyższeniu stał „piękny, bogato ubrany chłopiec", który powitał króla w imieniu miasta. Ostatni wiersz jego powitania brzmiał następująco:

Witaj królu drogi, witaj władco luby,
Niech Bóg swoją łaską czyny twoje wspiera,
Prowadzi do glorii i strzeże od zguby,
Tego życzy ci, panie, nasza miłość szczera!

Tłum wybuchnął okrzykiem entuzjazmu, potwierdzając uczucia wyrażone w przemowie chłopca.

Tomek Canty spoglądał na kołyszące się fale wzniesionych ku górze, rozradowanych twarzy, a jego serce wzbierało radosną dumą. Czuł, że na świecie nie było nic bardziej wzniosłego od godności królewskiej podziwianej przez tłumy. Nagle w oddali dostrzegł dwóch dawnych towarzyszy zabaw z Offal Court. Jeden z nich był kiedyś lordem admirałem w jego wymarzonym królestwie, drugi piastował godność szambelana. Duma Tomka jeszcze bardziej wzrosła w tym momencie. Gdyby go mogli poznać! Jaką bezgraniczną rozkosz poczułby Tomek, gdyby dawni kompani zabaw poznali go i przekonali się, że wyszydzany, urojony książę z nędznego zaułka Londynu stał się prawdziwym królem, któremu z czcią usługiwali najdostojniejsi książęta i panowie, u którego stóp leżała cała Anglia. Ale musiał się wyrzec tego triumfu. Spełnienie takiej zachcianki mogłoby go drogo kosztować. Odwrócił więc głowę i pozwolił obu brudnym i obdartym ulicznikom dalej wydawać okrzyki, nie tłumacząc im na czyją cześć naprawdę je wydają.

Od czasu do czasu rozlegały się wołania domagające się królewskiej hojności. Wówczas Tomek rzucał garść nowiutkich, lśniących złotych monet w tłum, który chwytał je pożądliwie.

Kronikarz pisał dalej: «Na drugim końcu ulicy Gracechurch, obok gospody „Pod orłem", miasto wzniosło wspaniały łuk triumfalny, pod którym znajdowała się wielka scena, zajmująca całą szerokość ulicy. Na scenie odtwarzany był obraz historyczny przedstawiający najbliższych przodków króla. Elizabeth, księżna Yorku, siedziała pośrodku ogromnej białej róży, okolona płatkami kwiatu. Obok niej stał Henryk VII, którego postać wyłaniała się z róży czerwonej. Dłonie pary królewskiej były tak złączone, że było widać ślubny pierścień. Z czerwonej i białej róży wznosiła się winorośl sięgająca w górę w kierunku drugiej sceny, na której widać było Henryka VIII wyłaniającego się z róży biało-czerwonej, a obok niego widniała Jane Seymour, matka obecnego króla. Z tej pary wykwitała nowa gałązka sięgająca trzeciego pomostu, gdzie w całym przepychu królewskiego majestatu panowała postać Edwarda VI. Cały ten obraz otoczony był girlandami białych i czerwonych róż*».

To osobliwe i barwne widowisko wzbudziło taki zachwyt tłumu, że wrzawa zagłuszyła słaby głosik dziecka, które w wyszukanych zwrotkach miało wyjaśnić treść obrazu. Ale Tomek Canty wcale tego nie żałował. Okrzyki tłumu wydawały mu się milsze od najpiękniejszych nawet poezji na jego cześć. W jakąkolwiek stronę Tomek zwracał swoją rozpromienioną twarz, tłum zauważał jego podobieństwo do obrazu i okrzyki radości wybuchały z nową mocą.

Olbrzymi pochód posuwał się coraz dalej i dalej, przechodząc pod wieloma łukami triumfalnymi i obok coraz to nowych żywych obrazów lub scen alegorycznych, z których każda podkreślała jedną z zalet małego króla. „W całej dzielnicy Cheapside wszystkie kamienice i dachy upiększone były barwnymi chorągwiami, ze wszystkich okien zwisały piękne dywany lub drogocenne tkaniny, brokaty i złotogłowy, aby zademonstrować bogactwa jakie tu nagromadzono. Przepych zalewający jedne ulice przewyższał dekoracyjność następnych".

– A wszystkie te cuda, wszystkie te wspaniałości przeznaczone są dla mnie, tylko dla mnie! – szeptał Tomek Canty.

Policzki fałszywego króla zarumieniły się z podnie-

---

* Jest to apoteoza zakończenia tzw. wojny Białej i Czerwonej Róży o prawo do angielskiego tronu. Henryk VII Tudor, po matce spadkobierca rodu Lancaster, ojciec Henryka VIII, a dziadek bohatera książki Edwarda VI poślubił Elżbietę z rodu Yorków. Biała róża to godło Yorków, czerwona godło Lancasterów (przyp. wyd.).

cenia, jego oczy błyszczały. Ogarnął go szał zachwytu. Właśnie podnosił rękę, żeby znowu rzucić w tłum garść złota, gdy dostrzegł bladą, przerażoną twarz, której oczy były nieruchomo utkwione w jego twarzy. Była to twarz kobiety stojącej w drugim szeregu widzów. I nagle ogarnęło go przerażenie: poznał swoją matkę i dawnym, bezwiednym ruchem, który mu pozostał z czasów pamiętnego wybuchu prochu, zakrył oczy ręką. Chwilę potem, odtrącając straż, kobieta przedarła się przez tłum i podbiegła do niego. Objęła go w kolanach pokrywając je pocałunkami i zawołała:

– Moje dziecko, moje kochanie!

Przy tym okrzyku wzniosła do niego rozjaśnioną radością i szczęściem twarz. Jeden z oficerów straży podbiegł do niej z przekleństwem, oderwał ją od nóg chłopca i brutalnym uderzeniem pięści pchnął z powrotem w tłum.

– Nie znam cię, kobieto! – wyjąkał Tomek, gdy odrywano ją od niego. Ale natychmiast poczuł ostry ból w sercu, gdy ujrzał jak okrutnie z nią postąpiono. A gdy kobieta, którą w międzyczasie tłum odgrodził od niego, odwróciła się, aby jeszcze raz spojrzeć na niego, wydała mu się tak złamana i nieszczęśliwa, że poczuł palący wstyd, który zupełnie zniweczył jego poprzednią dumę. Na cały przepych jego przywłaszczonej królewskości padł zabójczy cień. Teraz wszystko wydało mu się bez wartości. Jak zniszczone, podarte łachmany opadała z niego nieprawdziwa wielkość.

Tymczasem pochód posuwał się dalej, wśród coraz większego przepychu, przy coraz większym zachwycie i radości tłumu, ale Tomek stał się teraz obojętny na wszystko. Nic już nie widział i nie słyszał. Królewska godność straciła dla niego cały powab, a składane mu hołdy brzmiały w jego uszach jak gorzkie szyderstwa. Skrucha żarła jego serce. Jego jedyną myślą było: – Daj Boże, abym się wyrwał z tej niewoli!

Nieświadomie powracał w ten sposób do uczuć z pierwszych dni swojej mimowolnej godności książęcej.

Wspaniały pochód ciągle wił się na kształt połyskującego olbrzymiego węża przez wąskie ulice starego miasta wśród okrzyków tłumu. Teraz jednak król jechał z głową opuszczoną, mając wzrok utkwiony nieruchomo w ziemię. Wszędzie widział przed sobą twarz matki. Widział bolesny wyraz oczu, kiedy się jej wyparł. Już nie zwracał uwagi na okrzyki tłumu domagającego się nowych darów.

– Niech żyje Edward Angielski! – zewsząd wołano. Zdawało się, że ziemia drży od tych okrzyków, ale król nie odpowiadał na nie. Słyszał je jakby odległy szum morza. Wszystkie te okrzyki zagłuszał głos w jego duszy, oskarżające go sumienie i powtarzające się ciągle haniebne słowa: „Nie znam cię, kobieto!"

Słowa te wstrząsnęły królem jak podzwonne targa duszą człowieka stojącego nad trumną przyjaciela, wobec którego dopuścił się zdrady. Każdy zakręt ulicy odsłaniał coraz to nowe niezwykłości i coraz wspanialsze cuda. Ciężkie działa grzmiały, a niezliczone mrowie ludzkie wznosiło okrzyki aż do ochrypnięcia. Ale król pozostawał na wszystko obojętny. Oskarżycielski głos wydobywający się z jego ściśniętej piersi zagłuszał wszelkie inne dźwięki. Z wolna twarze widzów stawały się mniej radosne, można było dostrzec na nich troskę i zakłopotanie. Ucichały także okrzyki entuzjazmu. Lord protektor natychmiast to spostrzegł, w lot też zrozumiał przyczynę zmiany ogólnego nastroju. Podjechał na koniu do króla, pochylił się w siodle, odsłonił głowę i szepnął:

– Panie mój, to nie jest właściwa pora, aby oddawać się rozmyślaniom. Lud widzi, że pochylasz głowę i twoje czoło jest pochmurne. Wytłumaczy to sobie jako złowróżbny znak. Pozwól udzielić sobie rady. Niechaj słońce twej królewskiej łaski zaświeci znowu w całej pełni, niechaj rozproszy tę złowieszczą mgłę. Podnieś głowę i uśmiechnij się do swego ludu. To mówiąc książę rzucił na prawo i lewo kilka garści monet i cofnął się. Rzekomy król uczynił co mu nakazano, chociaż jego uśmiech był wymuszony. Niewiele oczu znajdowało się na tyle blisko i było tak bystrych, aby zauważyć zmieszanie króla. Tomek pochylił uprzejmie głowę, zaczął obficie rozrzucać złoto, toteż chwilowy nastrój szybko minął i tłumy zaczęły znowu wznosić równie głośne okrzyki entuzjazmu jak poprzednio. Jednak jeszcze raz przed przybyciem kawalkady do celu książę musiał podjechać do króla i przypomnieć mu swoją radę.

– Dostojny panie – szepnął – rozpędź tę fatalną chmurę melancholii. Oczy całego świata patrzą na ciebie.

Potem dodał z gniewem:

– Przeklęta żebraczka! To ona zepsuła humor Waszej Królewskiej Mości!

Chłopiec spojrzał na księcia posępnym wzrokiem i rzekł martwym głosem:

– To była moja matka!

– O, Boże! – westchnął lord protektor powróciwszy na swoje miejsce w pochodzie. – To naprawdę był zły omen. Znowu oszalał!

ROZDZIAŁ XXXII

Dzień koronacji

Cofnijmy się o kilka godzin i udajmy się do Opactwa Westminsterskiego. Jest godzina czwarta nad ranem owego pamiętnego dnia koronacji. Chociaż jest jeszcze noc, galerie oświetlone pochodniami pełne są już ciekawskich, którzy gotowi są cierpliwie czekać siedem i więcej godzin, aby przeżyć coś, czego już pewno drugi raz w życiu nie doświadczą – koronacji króla. Tak, Londyn i Westminster są już na nogach od chwili, gdy o trzeciej rano oddano salwę z dział. Teraz tłoczy się już gęsta ciżba zamożnych mieszczan, którzy wykupili miejsca siedzące, i suną falą przez drzwi wejściowe. Godziny wloką się powoli. Od pewnego czasu zamarł już wszelki ruch, gdyż najgorsze nawet miejsca na galeriach są już zajęte. Możemy się więc spokojnie rozejrzeć.

W słabym oświetleniu katedry widać poszczególne galerie i balkony gęsto obsadzone ludźmi. Olbrzymia północna część kościoła jest jeszcze pusta, tam miejsca czekają na najwyższe i najdostojniejsze osobistości Anglii. Wielkie podwyższenie, wyłożone jest cennymi kobiercami, na którym ustawiono tron, do którego wiodą cztery stopnie. W siedzisko tronu wprawiony jest nie ociosany kamień, kamień ze Scone, na którym koronowano szereg królów szkockich, a który teraz uważany jest za dostatecznie święty, aby siedzieli na nim podczas koronacji królowie angielscy. Zarówno tron jak i stojący przed nim podnóżek pokryte są złotogłowiem.

219

Dokoła panuje głęboka cisza. Pochodnie płoną mętnym światłem, a oczekującym czas mija bardzo powoli. Wreszcie zaczyna świtać ranek. Służba nieśpiesznie gasi pochodnie i łagodne światło słoneczne rozjaśnia wielką katedrę. Wszystkie części wspaniałej budowli są teraz widoczne, ale tylko w słabych zarysach, gdyż chmury tłumią blask słońca.

O godzinie siódmej nuda oczekiwania zostaje po raz pierwszy przerwana, gdyż wraz z uderzeniem zegara do wielkiej nawy wchodzi jako pierwsza jakaś dama z arystokratycznego rodu. Jej strój dorównuje przepychem ubiorowi króla Salomona. Urzędnik, wystrojony w jedwabie i aksamity, odprowadza ją na miejsce, zaś drugi dworzanin, identycznie ubrany, niesie długi tren pani, a potem, gdy dama usiadła, składa go na jej kolanach. Następnie podsuwa jej podnóżek i kładzie w jej pobliżu diadem, aby wystarczyło jej tylko ręką sięgnąć po niego, gdy nadejdzie chwila, podczas której wszyscy dostojnicy koronują się jednocześnie.

Teraz, niby połyskujący potok, wchodzą do nawy małżonki parów, a bogato poubierani dworzanie uwijają się między nimi, odprowadzając damy na miejsca i układając ich treny. Wszędzie panuje zamieszanie, wszystko mieni się bajecznymi kolorami. Potem znowu nastaje poprzedni spokój i cisza, gdyż małżonki parów zebrały się już w komplecie i pozajmowały miejsca, tworząc jakby olbrzymi klomb kwiatów. Wszystkie pokolenia mają wśród nich swoje przedstawicielki. Zasiadają więc stare, pomarszczone i siwe wdowy, mające za sobą długie życie i pamiętające jeszcze koronację Ryszarda III i walki tamtych dawno minionych czasów. Obok nich widać poważne damy w średnim wieku, wdzięczne młode panie i czarujące dziewczęta o połyskujących oczach i świeżych policzkach, które zapewne z lękiem i wahaniem włożą na głowy ozdobione klejnotami małe korony, gdy nadejdzie wielka chwila. Dla najmłodszych dam jest to rzecz nowa i niewątpliwie ogarnia je dziwne napięcie. Postarano się jednak, aby wszystko odbywało się sprawnie, a fryzury dam są tak ułożone, aby mogły szybko i pewnie umieścić korony na właściwych miejscach, gdy tylko podane zostanie hasło. Barwny sznur dostojnych pań jest obficie usiany klejnotami i wspaniałe sprawiał wrażenie, ale przepych ten wzrośnie wkrótce jeszcze bardziej. O godzinie dziewiątej chmury rozwiały się, a promienie słoneczne wpadając do mrocznego kościoła i omiatając szeregi dam, połyskują barwnymi i płomiennymi blaskami. Widok ten przejmuje zebranych dreszczem zachwytu. W pochodzie posłów obcych mocarstw, nagle rozbłyska poseł z dalekiego Wschodu, gdy pada na niego ukośny promień słońca. Wszyscy wstrzymują oddech na widok blasku bijącego od jego osoby. Dostojnik ten od stóp do głowy usiany jest klejnotami, które przy każdym poruszeniu rozsypują potoki migoczących iskier. Czas leniwie posuwał się naprzód. Minęła godzina, dwie, dwie i pół, gdy nagle głuche grzmoty dział oznajmiły, że wreszcie przybył król. Wyczekujący tłum uradował się na tę wiadomość. Wszyscy spodziewali się jeszcze pewnej zwłoki, gdyż król musiał być przygotowany i przebrany do uroczystego aktu. Ale tę przerwę wypełniło w przyjemny sposób pojawienie się parów królestwa we wspaniałych strojach. Uroczyście odprowadzono ich na wyznaczone miejsca i położono im także korony pod ręką, zaś widzowie usadowieni na galeriach przypatrywali się temu z najwyższym zainteresowaniem. Większość z nich po raz pierwszy w życiu widziało na raz tak wielu dostojników, których imiona od pięciu stuleci miały historyczne znaczenie. Gdy wszyscy parowie pozasiadali wreszcie na swoich miejscach, widzowie na galeriach mieli się na co patrzeć. Był to naprawdę wyjątkowy i wspaniały widok.

Na podwyższeniu zebrali się dostojnicy duchowni w ornatach i biskupich mitrach. Otoczeni swoimi świtami, zajęli przeznaczone dla nich miejsca. Za nimi weszli lord protektor i inni wyżsi dygnitarze, a na końcu pokazał się oddział gwardii przybocznej w stalowych zbrojach.

Nastąpiła chwila niecierpliwego oczekiwania, po której, na dany znak zabrzmiała donośna muzyka. Tomek Canty ubrany w obszerną szatę ze złotogłowia wkroczył na podwyższenie. Wszyscy zebrani powstali i rozpoczęła się uroczystość koronacji. Potężne dźwięki podniosłego hymnu falami wypełniły wszystkie sale olbrzymiego opactwa. W rytm tej powitalnej melodii poprowadzono Tomka do tronu. Teraz niezwykle uroczyście dokonano tradycyjnego ceremoniału. Tłumy z najwyższym zainteresowaniem i zapartym tchem przypatrywały się następującym po sobie obrzędom. Jednak im bliżej było decydującego momentu, tym Tomek stawał się bledszy, zaś jego umysł coraz bardziej opanowywało beznadziejne przygnębienie, a wzbierająca zgryzota powiększała poczucie winy w jego sercu.

Wreszcie nadeszła ostatnia, najbardziej uroczysta chwila. Arcybiskup Canterbury podniósł z poduszki koronę i wzniósł ją wysoko ponad głowę drżącego z przejęcia nieprawdziwego króla. W tym samym momencie jakby tęcza zabłysła w olbrzymiej nawie katedry. Wszyscy dostojnicy i damy równocześnie unieśli nad głowy swoje korony i zastygli w tej pozie.

W opactwie zapanowała głęboka cisza.

Nagle w tej najbardziej uroczystej chwili oczom tłumu ukazała się nowa postać. Postać, którą obecni, zapatrzeni w przepyszne widowisko, dostrzegli dopiero gdy pojawiła się w długiej środkowej nawie. Był to chłopiec z gołą głową, w zniszczonych butach, prostym, wiszącym na nim w strzępach ubraniu. Uniósł rękę w dziwnie władczym ruchu, który niespotykanie kontrastował z jego żałosnym wyglądem, i zawołał groźnie:

– Zabraniam wkładać koronę Anglii na głowę tego oszusta! Ja jestem królem!

Natychmiast pochwyciło go kilkanaście rąk. Ale Tomek Canty w koronacyjnym płaszczu postąpił krok do przodu i zawołał grzmiącym głosem:

– Nie warzcie się go tknąć! Zostawcie go! On jest królem!

Wśród zebranych zapanował tumult, a nawet panika. Niektórzy z obecnych zerwali się, patrząc błędnym wzrokiem po sobie, albo przyglądając się w najwyższym zdumieniu głównym osobom ceremonii, zadając sobie pytanie, czy nie postradali rozumu.

Lord protektor był nie mniej zmieszany od innych, ale szybko się opanował i stanowczym tonem rozkazał:

– Nie zwracajcie uwagi na jego królewską mość. To nowy atak choroby! Zabrać tego włóczęgę!

Polecenie by wykonano, gdyby fałszywy król, nie tupnął groźnie nogą i krzyknął:

– Biada temu, kto go tknie! On jest królem!

Wszystkie ręce opadły. Obecni poczuli się jak sparaliżowani. Nikt się nie poruszył, nikt nie wypowiedział słowa, bo nikt nie wiedział, co mówić lub robić w tak niezwykłym przypadku.

Gdy każdy z osobna starał się odzyskać panowanie nad sobą, chłopiec w łachmanach ruszył do przodu. Jego ruchy były pewne i stanowcze. Widzowie nie zdołali się jeszcze opanować, kiedy wszedł już na podwyższenie. Fałszywy król z okrzykiem radości rzucił się naprzeciw, padł przed nim na kolana i zawołał:

– O mój władco i królu, pozwól, aby biedny Tomek Canty pierwszy ślubował ci wierność. Włóż koronę na głowę i odzyskaj to, co do ciebie należy!

Oczy lorda protektora rzuciły ostre spojrzenie na intruza, ale jego surowość szybko przeszła w zdumienie. Tak samo zareagowali wszyscy dostojnicy, stojący w pobliżu. Spoglądali po sobie zmieszani, cofając się w przerażeniu. Wszystkim mimo woli jedna myśl cisnęła się do głowy: jakie zdumiewające podobieństwo! Lord protektor chwilę się zastanawiał, a następnie zaczął poważnie i grzecznie:

– Pozwólcie, panie, że zadam wam kilka pytań, które...

– Chętnie na nie odpowiem, milordzie.

Książę zaczął go wypytywać o rozmaite wydarzenia dworskie, o zmarłego króla, o księżniczki i książęta. Chłopiec odpowiadał trafnie i bez wahania. Opisywał sale w pałacu, komnaty zmarłego króla i pokoje księcia Walii. Było to zdumiewające i niezwykłe. Tak, to było niepojęte, przyznawali wszyscy obecni. Panujący nastrój przepowiadał jak najlepiej dla Tomka, który był już pewien, że pozbędzie się swej niepożądanej godności, gdy lord protektor oświadczył potrząsając głową:

– Rzeczywiście to wszystko jest zdumiewające, ale przecież i nasz król wie to wszystko.

Słowa te, a zwłaszcza okoliczność, że lord protektor ciągle mianował go królem, zasmuciły Tomka i zadały poważny cios jego nadziejom.

– To nie są niezbite dowody – dodał książę Somerset.

Niespodziewanie, po tych słowach, powszechna opinia zwróciła się w zupełnie innym kierunku. Tomek Canty pozostawał więc na tronie, a drugiego chłopca chciano znowu strącić w odmęt poniżenia. Lord protektor zastanowił się chwilkę, potrząsnął głową i nie mógł się obronić przed myślą: to jest niebezpieczne dla państwa i dla nas wszystkich, gdy tak niepokojące zagadki pozostają nie rozwiązane. Może to spowodować rozłam w narodzie i podkopać tron.

Odwrócił się i rzekł:

– Sir Thomas, proszę aresztować tego... Albo nie, czekajcie!

Raptem przyszła mu szczęśliwa myśl i ponownie zwrócił się do chłopca w łachmanach:
— Gdzie znajduje się wielka pieczęć państwowa? Odpowiedz mi na to pytanie, a wszystko będzie jasne. Tylko prawdziwy książę Walii może to wiedzieć. Okazało się, że od tak błahej sprawy zawisły losy tronu i dynastii!

Istotnie, była to szczęśliwa myśl. Wysocy dostojnicy podobnie uznali, czego dowodem było milczące uznanie w oczach wszystkich i w porozumiewawczych spojrzeniach, jakie sobie rzucali. Rzeczywiście, nikt prócz prawdziwego księcia nie mógł rozwiązać tajemnicy nie wyjaśnionego zniknięcia wielkiej pieczęci państwowej. Tego małego, zuchwałego oszusta doskonale wyuczono jego roli. Ale tu kończyły się wszelkie kłamstwa, na nic wszelkie spiski. Na to pytanie nie mogli znać odpowiedzi nawet ci, co go instruowali. Była to wspaniała, niezrównana próba. Dzięki niej najszybciej można było rozwikłać tę groźną i zagadkową sytuację! Dlatego wszyscy dostojnicy potaknęli głowami w milczącej zgodzie i uśmiechnęli się w duchu na myśl, że ten głupi chłopiec będzie musiał się poddać.

Ale jakże byli zdumieni, gdy tak się nie stało. Byli w najwyższym stopniu zaskoczeni, gdy natychmiast odpowiedział spokojnym i pewnym siebie tonem:
— To prosta zagadka.

Po czym nikogo nie pytając o pozwolenie odwrócił się i tonem człowieka nawykłego do wydawania rozkazów, rzekł:
— Lordzie St. John, proszę udać się do mojego prywatnego gabinetu, nikt nie zna go przecież lepiej od ciebie. W kącie po lewej stronie, w najbardziej oddalonym od drzwi miejscu, tuż nad podłogą w obiciu ściany znajdziesz miedziany gwóźdź. Naciśnij ten gwóźdź, a wówczas otworzy się skrytka, której nikt nie zna oprócz mnie i zaufanego rzemieślnika, który wykonał

ten schowek. Pierwszą rzeczą, którą zobaczysz, będzie wielka pieczęć państwowa – przynieś ją tutaj!

Wszyscy zebrani zdumieli się tą przemową, tym bardziej, że mały włóczęga bez wahania lub zmieszania wybrał z całego świetnego otoczenia właśnie tego para i przemówił do niego z taką swobodą, jakby znał go całe życie.

Lord był tak zmieszany, że mimo woli chciał usłuchać. Zrobił już nawet krok, jakby zamierzał odejść, ale połapał się i zarumienił na myśl o niemalże popełnionym wykroczeniu. Lecz Tomek spojrzał na niego i rzekł szorstko:

– Cóż to za niezdecydowanie? Czy nie słyszałeś królewskiego rozkazu? Idź!

Lord St. John złożył głęboki ukłon, a wszyscy obecni zauważyli, że był to ukłon niezmiernie ostrożny, gdyż nie był skierowany do żadnego z królów, lecz jakby w stronę neutralnej strefy między nimi, po czym szybko się oddalił.

Wśród zebranych dworzan powstało teraz powolne, ale widoczne poruszenie, wzmagające się z każdą chwilą, podobnie jak w kalejdoskopie, gdy się go powoli obraca, tak że kolorowe cząsteczki to się rozpadają, to znowuż grupują się koło innego ośrodka. Takim właśnie ruchem wystrojone zgromadzenie opuszczało Tomka przesuwając się z wolna ku nowo przybyłemu.

Minuty mijały w napięciu. Nieliczni niezdecydowani, którzy jeszcze trwali przy Tomku, odzyskiwali odwagę i jeden po drugim przyłączali się do większości. Teraz Tomek stał w swym płaszczu koronacyjnym i klejnotach zupełnie sam, opuszczony przez cały świat, dla wszystkich krzycząco widoczny na tle wymownej pustki.

W tej chwili spostrzeżono powracającego lorda St. Johna. Gdy szedł przez nawę katedry, powszechne napięcie było tak wielkie, że cichy pomruk, dochodzący

z szeregów zebranych, nagle umilkł i zapanowało tak głębokie milczenie, taka przejmująca grozą cisza, iż jego kroki odbijały się przeraźliwie głośnym echem. Wszystkie oczy utkwione były w przybywającego do świątyni lorda. On zaś spokojnie podszedł do wzniesienia, stanął przed Tomkiem Canty i rzekł z głębokim ukłonem:
– Najjaśniejszy Panie, tam nie ma pieczęci!

Tłum ludzi nie odskoczyłby szybciej od zadżumionego, niż ta gromada bladych i przerażonych dworaków opuściła biednego i obdartego pretendenta do tronu. Już po chwili znalazł się sam, bez przyjaciela czy obrońcy, stając się celem groźnych i ponurych spojrzeń. Lord protektor zawołał gniewnie:
– Wypędzić tego żebraka na ulicę! Pognać go batami przez miasto. Ten nędzny oszust na nic więcej nie zasługuje!

Gwardziści już byli gotowi spełnić rozkaz, ale Tomek Canty znowu powstrzymał ich i krzyknął:
– Cofnąć się! Kto go dotknie, zapłaci głową!

Lord protektor był w najwyższym stopniu zdumiony i zapytał lorda St. Johna:
– Czy na pewno dobrze szukaliście? Ale to chyba zbyteczne pytanie. Bardzo to osobliwy przypadek. Gdy giną drobiazgi, to nic dziwnego, ale żeby bez śladu zaginął tak duży przedmiot jak angielska pieczęć państwowa... Taki gruby, złoty krążek...

Na te słowa Tomek podbiegł z płonącymi oczami i zawołał z radością:
– Już wiem! Więc to jest okrągłe i grube? I widać na tym litery i różne kształty? Tak? Nareszcie wiem, co to jest wielka pieczęć, o którą mnie tyle razy pytaliście! Gdyby ktoś mi ją opisał, dałbym ją wam już trzy tygodnie temu. Świetnie wiem, gdzie ona jest, chociaż ja jej tam nie kładłem, a przynajmniej nie ja pierwszy.
– A kto ją tam położył, panie mój? – zapytał lord protektor.

– Ten, który tam stoi. Prawowity król Anglii. I powie wam, gdzie się znajduje, a wtedy uwierzycie, że sam o tym wiedział. Przypomnij sobie, królu, poszukaj w swej pamięci. Była to ostatnia czynność tamego dnia, gdy zamieniliśmy się ubraniami i wybiegłeś z zamku, żeby ukarać żołnierza, który mnie tak brutalnie potraktował...

Zapadła głęboka cisza, której nie przerywał ani ruch, ani najlżejszy szept. Oczy wszystkich były skierowane na obdartego chłopca, który pochylił głowę i marszcząc czoło starał się z pośród mało wartościowych wspomnień wygrzebać ten jeden decydujący fakt, który – jeśli go sobie przypomni – miał mu przywrócić tron. Ale gdyby nie mógł sobie przypomnieć, skazywał się na wieczną nędzę i potępienie. Mijały sekundy, potem minuty, a chłopiec ciągle myślał w milczeniu, nie czyniąc najmniejszego ruchu. Wreszcie głęboko westchnął i bezbarwnym głosem, drżącymi wargami wyszeptał:

– Dokładnie przypominam sobie przebieg tego zdarzenia, ale pieczęć państwowa nie ma z tym nic wspólnego.

Urwał, podniósł wzrok i rzekł ze spokojną godnością:

– Moi panowie, jeśli chcecie pozbawić swego króla należnych mu praw, ponieważ nie może dostarczyć wam tego dowodu, to jestem wobec was bezsilny. Ale...

– Ale to szaleństwo! To niemożliwe, królu! – zawołał Tomek Canty przerażony. – Poczekaj! Przypomnij sobie! Nie dawaj za wygraną! Jeszcze nie wszystko stracone. Nie może być stracone! Uważaj co ci teraz powiem. Przypomnę ci tamten ranek, każdy szczegół, wszystko, co się wydarzyło. Rozmawialiśmy, opowiadałem ci o moich siostrach, Bet i Nan. Widzę, że teraz zaczynasz sobie przypominać. Mówiłem też o mojej babci i naszych wesołych zabawach w Offal Court. Tak, widzę, że i to sobie przypominasz. To doskonale, idź dalej za moimi słowami, wszystko ci przypomnę. Dałeś mi jeść i pić, i z prawdziwie książęcym taktem odprawiłeś służbę, żebym nie musiał wstydzić się swojej niezręczności. To wszystko jeszcze pamiętasz? Tomek opowiadał o wszystkich szczegółach z zupełną swobodą, a drugi chłopiec kiwał potakująco głową. Tłum zebranych i dostojnicy przysłuchiwali się temu milcząc. Opowiadanie miało cechy wiarygodności, ale w jaki sposób książę i żebrak mogli się spotkać? Jeszcze nigdy tak dostojne towarzystwo nie było do tego stopnia bezradne, zakłopotane i tak zaintrygowane.

– Potem dla żartu zamieniliśmy się ubraniami i stanęliśmy przed lustrem. Byliśmy do siebie tak podobni, że obaj zawołaliśmy, iż wyglądamy, jakbyśmy się nie poprzebierali. To sobie też przypominasz. Potem zauważyłeś, że żołnierz skaleczył mnie w rękę. Widzisz, to ten ślad. Jeszcze dziś nie mogę tą ręką pisać, palce mam trochę zesztywniałe. Wtedy wasza królewska mość zerwał się i poprzysiągł, że pomści mnie na żołnierzu. Z tymi słowami pobiegłeś, panie, w kierunku drzwi. Ale ten przedmiot, który nazywacie pieczęcią państwową, leżał na stole. Zatrzymałeś się, wziąłeś go do ręki, rozejrzałeś się, jakbyś szukał miejsca, gdzie go schować, i twoje oko padło na...

– Stój! Już wiem! Bogu wszechmogącemu niechaj będą dzięki! – zawołał obdarty pretendent do tronu w najwyższym podnieceniu.

– Idź, mój dobry panie St. John. Pieczęć ukryta jest w naramienniku mediolańskiej zbroi, która wisi na ścianie. Tam ją znajdziesz.

– Racja, królu, racja! – zawołał Tomek. – Teraz berło Anglii znowu jest we właściwym ręku, a kto by się odważył temu zaprzeczyć, lepiej, żeby się nigdy nie urodził. Pędź, lordzie St. John! Leć jak na skrzydłach!

Wszyscy zebrani powstali w gorączkowym podnieceniu, miotani niepokojem, trwogą i napięciem. Zarówno w nawie katedry jak i na podwyższeniu z ożywieniem rozmawiano, a nikt nie zwracał uwagi na nic innego jak tylko na to, co sąsiad jego wołał donośnym głosem albo co on swemu sąsiadowi równie głośno odpowiadał. Nikt nie spostrzegł, ile upłynęło czasu. Nagle całe zgromadzenie umilkło jak na komendę, gdyż na podwyższeniu ukazał się lord St. John trzymając w wysoko uniesionej prawicy wielką pieczęć państwową.

Jeden okrzyk zagrzmiał teraz w całej katedrze:

– Niech żyje prawdziwy król!

Przynajmniej pięć minut trwały okrzyki, donośna muzyka i powiewanie chustkami, a pośrodku tego zamętu stał obdarty chłopiec, promieniejąc dumą, podczas gdy potężni wasale państwa przyklękali dokoła niego.

W końcu wszyscy powstali, a Tomek Canty zawołał:

– A teraz, królu, weź swoje szaty koronacyjne i oddaj twemu słudze, Tomkowi, jego łachmany.

Lord protektor zerwał się:

– Zedrzyjcie je temu łotrzykowi i wtrąćcie go do Tower!

Ale król, król prawdziwy, przemówił:

– Nie pozwalam na to. Gdyby nie on, nie odzyskałbym korony królewskiej. Niechaj nikt nie podnosi na niego ręki, niechaj mu nikt nic złego nie czyni! A co do ciebie, mój szlachetny wuju, lordzie protektorze, twoje zachowanie wobec tego chłopca bynajmniej nie odznacza się wdzięcznością. Słyszałem, że uczynił cię księciem.

Lord protektor zarumienił się ze wstydu.

– A ponieważ nie był królem, twój tytuł jest niewiele wart. Jutro zwrócisz się do mnie za jego pośrednictwem z prośbą o zatwierdzenie twojej godności, inaczej nie będziesz księciem lecz zwykłym hrabią.

Pod ciężarem tej nagany jego wysokość książę Somerset cofnął się zawstydzony.

Król zwrócił się do Tomka i zapytał uprzejmie:
– Jak to się stało, że zapamiętałeś, gdzie schowałem wtedy pieczęć, kiedy ja nie mogłem sobie tego przypomnieć?
– Królu, to bardzo proste, gdyż często jej używałem.
– Używałeś, a mimo to nie mogłeś powiedzieć, gdzie ona jest?
– Nie wiedziałem, że to właśnie się tak nazywa. Nigdy mi nie opisano jak wygląda pieczęć, wasza królewska mość.
– A ty jej używałeś?
Tomek pokrył się ciemnym rumieńcem, spuścił powieki ku ziemi i milczał.
– Odpowiedz mi, niczego się nie bój – powiedział król. – Do czego używałeś wielkiej pieczęci państwowej Anglii?
Tomek zawahał się w najwyższym zmieszaniu, wreszcie cicho wyszeptał:
– Tłukłem nią orzechy!
Biedny chłopak! Na dźwięk grzmiącego śmiechu, którym powitano jego słowa, Tomek najchętniej zapadłby się pod ziemię.
Gdyby mimo wszystko ktoś jeszcze myślał, że Tomek Canty jest prawdziwym królem angielskim, to już ta nieznajomość atrybutów królewskich musiała rozwiać wszelkie wątpliwości.
Tomkowi zdjęto wspaniały płaszcz koronacyjny i ubrano w niego króla, którego łachmany zupełnie znikły pod tym strojem. Potem uroczystości koronacyjne rozpoczęły się od nowa. Prawdziwego króla namaszczono, włożono mu na głowę koronę, a huk dział obwieścił ten fakt miastu. Zdawało się, że cały Londyn drży od nieustannych okrzyków i wiwatów ludu.

ROZDZIAŁ XXXIII

Edward jako król

Miles Hendon przed bójką na London Bridge wyglądał dość malowniczo, ale teraz gdy wydostał się z tumultu, przedstawiał się jeszcze bardziej osobliwie. Gdy wciągnął go tłum, miał niewiele pieniędzy, ale kiedy się z niego wyswobodził, nie miał już ani grosza. Złodzieje kieszonkowi oskubali go z całego majątku. Ale niewiele się tym przejął, najważniejsze było odszukanie chłopca. Jako żołnierz, w poszukiwaniach nie zdawał się na przypadek, lecz zaplanował sobie rodzaj kampanii. Co przede wszystkim mógł zrobić chłopiec? Dokąd by poszedł? Najpierw, rozumował Miles, postarałby się o jakiś nocleg. Zarówno chorzy na umyśle jak i zdrowi tak robią, gdy czują się sami i opuszczeni. Ale gdzie mieszkał przedtem? Sądząc z nędznego ubrania jak i wyglądu człowieka, który podawał się za jego ojca, musiał pochodzić z najbiedniejszej dzielnicy Londynu. Miles sądził, że z łatwością go odnajdzie. Postanowił nie tyle rozglądać się za chłopcem, ile zwracać uwagę na zbiegowiska lub tłum. Wśród takiej ciżby musi prędzej czy później odszukać swojego małego przyjaciela. Odrażająca zgraja na pewno będzie się zabawiała drażnieniem i wyszydzaniem chłopca, który jak zwykle będzie się podawać za króla. Miles Hendon już sobie da radę z taką hałastrą, zaopiekuje się swoim przyjacielem, pocieszy go i doda mu otuchy.

Miles wyruszył więc na poszukiwanie. Całymi godzinami włóczył się po podejrzanych uliczkach i zaułkach, szukając zbiegowisk, których nawet sporo znajdował, ale nigdzie nie było śladu chłopca. Bardzo go to dziwiło, ale nie odbierało mu zapału. Swój plan uważał za rozsądny i celowy. Pomylił się tylko o tyle, iż był pewny, że doprowadzi go szybciej do celu.

O świcie Hendon ciągle jeszcze chodził, mieszając się z tłumem, ale poza głodem, zmęczeniem i sennością nie osiągnął nic więcej. Chętnie zjadłby śniadanie, ale skąd je wziąć? O tym, aby żebrać, w ogóle nie myślał, ale również nie przyszłoby mu do głowy zastawić swój miecz. Ubranie przedstawiało się na tyle żałośnie, że też nie znalazłby na nie chętnego.

W południe ciągle jeszcze był na nogach mieszając się z tłumem, który szedł za pochodem koronacyjnym. Sądził, że ten uroczysty pochód najmocniej będzie pociągał obłąkanego malca. Szedł więc za pochodem przez cały Londyn w kierunku Westminster i aż do opactwa. Od czasu do czasu zchodził z drogi i wkręcał się w masy ludzi, którzy stali po obu stronach pochodu. Tracił na to wiele czasu, ale nic nie osiągnął, tak że w końcu ruszył przed siebie, zastanawiając się jakby tu najłatwiej dopiąć celu. Gdy wreszcie ocknął się z zamyślenia i rozejrzał dokoła, przekonał się, że miasto pozostawił daleko za sobą, a dzień miał się ku końcowi. Znalazł się w pobliżu rzeki, w podmiejskiej okolicy. Dokoła znajdowały się same eleganckie wille, i zapewne człowieka o tak nędznym wyglądzie jak on wcale by tam nie wpuszczono.

Ponieważ nie było zimno, położył się pod osłoną płotu na ziemi, wypoczywając i zastanawiając się nad sytuacją. Ale zmęczenie zmogło go. Dalekie odgłosy wystrzałów armatnich niesione tu przez wiatr podpowiadały mu, że król został już ukoronowany. Zaraz potem zasnął. Od trzydziestu godzin nie spał, ani nawet nie leżał, toteż obudził się dopiero późnym rankiem.

Wstał wpółżywy, ze zdrętwiałymi rękami, nogami i do tego głodny. Umył się w rzece i napił się wody aby oszukać żołądek. Potem swoje kroki skierował z powrotem ku Westminsterowi, zły, że stracił tyle czasu. Głód podsunął mu teraz inny plan: postanowił spróbować dostać się do sir Humphrey'a Marlowa i pożyczyć od niego trochę pieniędzy, a potem... Chwilowo nie miał żadnych konkretnych planów. Dopiero gdy tego dokona, zastanowi się, co robić dalej.

Około jedenastej Miles zbliżył się do zamku, i chociaż sporo ludzi odświętnie ubranych zmierzało w tym samym kierunku, to jednak dzięki swemu strojowi nie był niezauważalny. Uważnie obserwował twarze ludzi mając nadzieję, że znajdzie kogoś życzliwego, kto zgodzi się przekazać wiadomość dla starego dworzanina. O tym, żeby samemu spróbować dostać się do zamku, nie mogło być w ogóle mowy.

W pewnym momencie przez drogę przechodził znany nam chłopiec do bicia, odwrócił się i przez chwilę obserwował rycerza o smutnym wyglądzie, myśląc w duchu:

– Jeżeli to nie jest ten włóczęga, o którego jego królewska mość tak się niepokoił, to jestem skończonym głupkiem; chociaż kiedyś mi już to mówiono. Podobny jest do opisu jak kropla wody do drugiej, a trudno podejrzewać, żeby Bóg stworzył dwa takie dziwolągi. Tylko nie wiem, pod jakim pretekstem go zaczepić...

Ale Miles Hendon wybawił go z tego kłopotu. Jak ludzie, którzy czują wlepiony w nich wzrok, odwrócił się, a widząc, że chłopiec wgapia się w niego bez przerwy, podszedł do niego i zagadnął:

– Właśnie wyszedłeś z zamku? Czy pracujesz tam?

– Tak jest, panie.

– A znasz może sir Humphrey'a Marlowa?

Chłopiec drgnął i pomyślał: – Wielki Boże! On pyta o mojego zmarłego ojca! Głośno zaś powiedział:

– Bardzo dobrze, panie.

– To świetnie! Czy zastanę go teraz?

– Owszem – odpowiedział chłopiec, dodając w duchu: – w grobie.

– Czy mógłbym cię prosić o przekazanie mu mojej prośby o krótką rozmowę?

– Natychmiast zameldują o waszym przybyciu, panie.

– Więc powiedz, że Miles Hendon, syn sir Richarda, czeka tutaj. Będę ci za to niezmiernie wdzięczny, drogi młodzieńcze.

Chłopiec wyglądał, jakby doznał rozczarowania.

– Król nie nazywał go w ten sposób – pomyślał – ale nic nie szkodzi, pewno jest bliźniakiem tamtego i będzie mógł jego królewskiej mości powiedzieć, co się dzieje z jego bratem.

A do Milesa powiedział:

– Wejdźcie tutaj i zaczekajcie chwilkę, łaskawy panie, zaraz wrócę z odpowiedzią.

Hendon skierował się na wskazane miejsce. Był to rodzaj niszy w murze z kamienną ławeczką wewnątrz – miejsce schronienia dla wartownika w czasie deszczu. Zaledwie Hendon usiadł, obok niego przeszło kilku halabardzistów z oficerem na czele. Oficer spostrzegł go, zatrzymał swoich ludzi i kazał Hendonowi wstać. Nasz rycerz zrobił to i został natychmiast pochwycony, gdyż uznano go za włóczęgę, który w podejrzany sposób zakradł się w bezpośrednie otoczenie zamku. Sprawa zaczynała przyjmować nieciekawy obrót. Biedny Miles chciał się wytłumaczyć, ale oficer ostro go zbeształ, kazał milczeć i polecił żołnierzom zrewidować go.

– Oby miłosierny Bóg sprawił, żeby coś znaleźli – pomyślał biedny Miles. – Ja przeszukałem wszystkie kieszenie i nic, a pieniądze bardziej by mi się przydały niż im.

Nie znaleźli nic prócz kawałka papieru. Oficer rozprostował go, a Hendon uśmiechnął się, gdy poznał kulfony swojego zaginionego przyjaciela. Był to list, który chłopiec napisał w Hendon Hall. Ale twarz wojskowego spoważniała, gdy go przeczytał, zaś Miles słuchając treści listu zbladł.

– Znalazł się jeszcze jeden pretendent do tronu! – zawołał oficer. – Do diaska, mnożą się jak króliki. Bierzcie tego łotra chłopcy i trzymajcie mocno, a ja pójdę do zamku i pokażę to pismo królowi! Oddalił się szybko, pozostawiając schwytanego pod strażą halabardzistów.

– Przynajmniej skończą się teraz wszystkie moje troski – mruknął Hendon pod nosem – z powodu tego niewinnego listu na pewno zawisnę na szubienicy. A co się stanie z tym biednym chłopcem? Tylko Bóg to jeden wie!

Po pewnym czasie ujrzał oficera szybko wracającego, skupił więc całą swą odwagę, żeby po męsku znieść oczekujące go przeznaczenie. Oficer rozkazał żołnierzom natychmiast wypuścić więźnia i zwrócić mu szpadę. Potem skłonił się przed nim z szacunkiem i zapytał:

– Czy raczycie pójść za mną, panie?

Hendon poszedł za nim myśląc:

– Gdybym nie szedł pod sąd i na pewną śmierć i gdybym nie musiał z tego powodu unikać wszelkiego grzechu, najchętniej udusiłbym tego łotra za tę fałszywą uprzejmość, którą chce tylko zadrwić sobie ze mnie!

Minęli wypełniony ludźmi dziedziniec i stanęli przy głównym wejściu do pałacu, gdzie oficer, ponownie kłaniając się, przekazał Hendona kapiącemu od złota dworzaninowi. Ten powitał go z wyszukaną grzecznością i poprowadził przez olbrzymią salę, gdzie znajdował się spory tłum wytwornie odzianych panów, którzy z szacunkiem ustępowali im z drogi i nisko kłaniali się przechodzącym. Zaledwie jednak Hendon, podobny do stracha na wróble, ich mijał, omal nie pękali ze śmiechu. Następnie poprzez szerokie schody, na których również roiło się od wytwornych panów, dotarli do wielkiej sali.

Dworzanin utorował Hendonowi drogę przez gromadę gęsto stłoczonych przedstawicieli szlachty angielskiej, następnie ukłonił się jeszcze raz, przypomniał mu, aby zdjął kapelusz i pozostawił na środku komnaty jakby cel dla wszystkich spojrzeń. Obecni obserwowali go marszcząc niechętnie brwi, bądź uśmiechając się drwiąco. Miles Hendon był kompletnie oszołomiony. Pod baldachimem, na podwyższeniu, do którego prowadziło pięć stopni, siedział młody król. Głowę miał pochyloną i rozmawiał z jakimś panem, który wyglądał jak pozłacany rajski ptak i był księciem. Hendon pomyślał sobie, że wystarczającym pechem jest, gdy się zostaje w kwiecie wieku skazanym na śmierć i wcale nie trzeba, aby się to odbywało tak publicznie, żeby jeszcze powiększać upokorzenie. Pragnął tylko, żeby przynajmniej król krótko załatwił wydanie wyroku. Bezwstyd wystrojonych ludzi, którzy go otaczali, wydawał mu się nieznośny. W tej chwili król uniósł nieco głowę i... Hendon mógł wyraźnie przyjrzeć się jego twarzy. Oddech zamarł mu w piersi! Jak obłąkany wlepił wzrok w chłopięce oblicze władcy. W końcu wyszeptał do siebie:

– Na Boga, przecież to mój król z Królestwa Snów i Cieni!

Zdezorientowany wpatrywał się to w twarz króla, to na wystrojonych dworaków, to na wspaniałą komnatę i szeptał do siebie:

– Ale ci ludzie i cała reszta... przecież to wszystko jest prawdziwe... na pewno prawdziwe... przecież to nie sen.

Potem spojrzał znowu na króla i pomyślał:

– Czy ten biedny, pomylony włóczęga, za jakiego go uważałem jest rzeczywiście królem Anglii? Czy to tylko sen? Kto mi pomoże rozwiązać tę zagadkę?

Nagle przyszedł mu do głowy zbawczy pomysł. Podszedł do ściany, wziął stołek, przeniósł go na środek sali i usiadł na nim.

Natychmiast rozległ się szmer zgorszenia. Pochwycono go brutalnie za ramiona, a jakiś głos zawołał:
– Wstań bezczelny człowieku, jak śmiesz siadać w obecności króla?
Zdarzenie to przyciągnęło uwagę króla, który uniósł rękę i rozkazał:
– Nie ruszajcie go. To jego przywilej!
Tłum cofnął się zmieszany, zaś król ciągnął:
– Słuchajcie wszyscy, dostojni panowie i panie! Ten, którego tu widzicie, to mój wierny i kochany sługa Miles Hendon. Swoim mieczem obronił swego władcę przed ranami i śmiercią, i którego król pasował za to na rycerza. Dowiedzcie się też, że za jeszcze większą zasługę, mianowicie, za uratowanie swego króla od hańby i plag, przyjmując je na siebie, nadano mu tytuł para Anglii i hrabiego Kentu, a nadto otrzyma sumy i posiadłości potrzebne do godnego reprezentowania tego tytułu. Poza tym przywilej, z którego przed chwilą skorzystał, przyznany mu został za zgodą królewską. Zarządziliśmy, aby najstarszy przedstawiciel jego rodu miał stale przywilej siadania w obecności króla Anglii, od dzisiaj po wszystkie czasy, póki istnieć będzie królestwo. Nie brońcie mu więc korzystać z przysługującego mu prawa.

Dwie osoby, które na skutek perturbacji w drodze do Londynu przybyły dopiero tego ranka i od zaledwie pięciu minut znajdowały się w sali, w niemym zdumieniu przysłuchiwały się ze szczególnym napięciem tym słowom i spoglądały to na króla, to na „stracha na wróble", to znowu na króla. Byli to sir Hugh i jego małżonka, lady Edith. Ale nowy hrabia nie zauważył ich. Ciągle wlepiał zdziwiony wzrok w króla i szeptał do siebie:
– Boże, bądź mi miłościw! Więc to jest mój żebrak? To jest ten obłąkany, któremu chciałem zaimponować wytwornością swego domu o siedemdziesięciu pokojach z dwudziestoma siedmioma służącymi! Myślałem, że

całe życie chodził w łachmanach i szturchańce były jego chlebem codziennym! To jest ten, którego chciałem usynowić, aby go wykierować na porządnego człowieka!

Wreszcie opanował się, padł na kolana i chwyciwszy króla za ręce złożył mu przysięgę wierności dziękując za nadane mu tytuły i włości. Potem wstał i z szacunkiem przesunął na bok, ciągle stanowiąc cel wszystkich spojrzeń, ale również przedmiot powszechnej zazdrości.

Teraz król dostrzegł sir Hugha i zawołał głosem gniewnym, z płonącymi oczami:

– Brać tego rabusia! Odebrać mu wszystkie kradzione bogactwa i podstępem zdobyte godności! Wtrącić do więzienia i trzymać tam, aż o niego nie zapytam.

Spóźnionego Hugha wyprowadzono z sali.

Na drugim końcu sali powstało zamieszanie. Strojny tłum rozsunął się, a środkiem szpaleru szedł Tomek Canty ubrany w osobliwy, ale bogaty strój w towarzystwie marszałka. Gdy Tomek ukłęknął, król rzekł do niego:

– Dowiedziałem się o wszystkim, co się wydarzyło podczas ostatnich tygodni i jestem z ciebie zadowolony. Rządziłeś państwem z prawdziwie królewską pobłażliwością i miłosierdziem. Czy odnalazłeś już swoją matkę i siostry? Dobrze, cieszy mnie to. Zatroszczę się o nie, a twój ojciec pójdzie na szubienicę jak każe prawo, chyba że ty poprosisz o łaskę dla niego. Uważajcie wszyscy, którzy mnie słuchacie. Od dzisiaj dzieci, znajdujące się w Przytułku Chrystusa i żyjące tam z łaski króla, otrzymywać będą strawę nie tylko dla ciała, ale także dla serca i duszy. Zaś ten chłopiec będzie tam mieszkał do końca życia jako honorowy członek zarządu tego zakładu. A że był królem, przystoi mu większy od zwykłego szacunek. Dlatego zwróćcie uwagę na jego strój. Będzie jego znakiem charakterystycznym i niechaj nikt nie śmie ubierać się w ten sposób. Gdziekolwiek się pojawi, ten strój będzie przypominać, że niegdyś zażywał godności królewskiej. I niechaj nikt nie odmówi mu oznak czci lub nie zaniedba powitać go z szacunkiem. Cieszy się on opieką tronu. Cieszy się łaską korony, niechaj go wszyscy znają i nazywają zaszczytnym mianem Podopiecznego Króla.

Tomek Canty powstał dumny i szczęśliwy, z wdzięcznością i oddaniem ucałował królewską dłoń, po czym marszałek wyprowadził go z sali. Nie tracąc ani chwili chłopiec pośpieszył zanieść szczęśliwą nowinę matce i siostrom, Bet i Nan*.

Patrz przypis 15. na str. 250.

ZAKOŃCZENIE

Sprawiedliwość i odwet

Gdy już wszystkie tajemnice zostały wyjaśnione, z zeznań sir Hugha okazało się, że lady Edith na jego rozkaz wyparła się Milesa. Zagroził jej, że jeśli nie będzie uparcie i stale zaprzeczała tożsamości jego brata, zabije ją. Odpowiedziała na to, że może ją zabić, nie zależy jej wcale na życiu, a Milesa się nie wyprze. Wówczas Hugh zagroził, że ją pozostawi przy życiu, natomiast zabije Milesa. To oczywiście zmieniało postać rzeczy i biedna Edith dała słowo, którego musiała dotrzymać.

Mimo to nie oskarżono Hugona z powodu tych gróźb, ani też, że samowolnie przywłaszczył sobie majątek i tytuł brata, gdyż ani żona ani brat nie chcieli składać przeciwko niemu zeznań, a prawo nie pozwalało zmuszać żony do tego. Hugh opuścił lady Edith i wyjechał za granicę, gdzie wkrótce potem umarł, zaś hrabia Kent po pewnym czasie poślubił wdowę. Wielka była radość i podniosły nastrój w dobrach Hendona, gdy nowożeńcy po raz pierwszy wjeżdżali do Hendon Hall.

O ojcu Tomka Canty nie słyszano już nigdy więcej.

Król kazał odszukać dzierżawcę, który kiedyś został napiętnowany i sprzedany w niewolę, teraz skłonił go do porzucenia nędznego życia wśród włóczęgów i zapewnił mu znośne warunki zarobkowania.

Ułaskawił też starego prawnika i uwolnił go od grzywny. Zaopiekował się córkami dwóch spalonych baptystek i ukarał urzędnika, który niesprawiedliwie skazał Milesa Hendona na karę pręgierza.

Uratował od szubienicy czeladnika, który złapał zaginionego sokoła, a także kobietę, która skradła sukno tkaczowi, ale człowieka, który upolował jelenia w lesie królewskim, niestety nie zdążył już ustrzec przed śmiercią, gdyż wyrok na nim już wykonano. Obdarzył królewską łaską sędziego, który się nad nim ulitował, gdy był oskarżony o kradzież prosięcia. Doznał wielkiego zadowolenia widząc, iż sędzia ten zyskał sobie powszechny szacunek i stał się człowiekiem lubianym i poważanym.

Do końca życia król lubił opowiadać o swoich przygodach, od chwili, gdy wartownik wyrzucił go z bramy pałacowej, aż do ostatniej północy, gdy wmieszał się w tłum robotników, śpieszących do opactwa, i w ten sposób dostał się do środka. Potem ukrył się za grobowcem Edwarda Wyznawcy i zasnął tam tak mocno, że obudził się dopiero następnego ranka i omal nie przespałby koronacji.

Uważał, że częste powtarzanie tych wydarzeń, które stanowiły dla niego wspaniałą lekcję życia, umacnia go w postanowieniu wyciągnięcia z nich korzyści dla dobra swoich poddanych. Postanowił opowiadać tę historię do końca życia, aby zawsze zachować w pamięci te smutne wydarzenia, i aby źródło łagodności zawsze żywo biło w jego duszy.

Miles Hendon i Tomek Canty pozostali ulubieńcami króla podczas jego krótkotrwałych rządów i gorąco go opłakiwali, kiedy umarł. Dzielny hrabia Kent był dość rozsądny, aby nie nadużywać swego osobliwego przywileju. Jednak skorzystał z niego oprócz opisanego wyżej przypadku jeszcze dwa razy; przy wstąpieniu na tron królowej Marii, a potem przy wstąpieniu na tron królowej Elizabeth. Jeden z jego potomków skorzystał ze swego przywileju podczas koronacji króla Jakuba I. Zanim następny potomek rodu ponownie skorzystał z tego przywileju, minęło dwadzieścia pięć lat i to dziwne prawo wyszło zupełnie z pamięci współczesnych. Gdy więc ówczesny hrabia Kent zjawił się przed Karolem I i jego dworem siadając w obecności monarchy, aby przywrócić przywilej swego rodu i odnowić go w pamięci ludzkiej, powstało wielkie zamieszanie. Sprawa jednak wyjaśniła się szybko i przywilej został potwierdzony.

Ostatni hrabia tej linii zginął podczas wieloletnich wojen domowych walcząc za swego króla, a wraz z nim wygasł też dawny przywilej.

Tomek Canty dożył późnej starości i stał się przystojnym, siwowłosym starcem o poważnym i czcigodnym wyglądzie. Czczono go powszechnie i lubiano, gdyż już sam jego osobliwy strój przypominał ludziom, że piastował kiedyś godność królewską. Gdziekolwiek się pojawił, tłum rozstępował się przed nim, a zewsząd rozlegały się szepty:

– Uchylcie kapeluszy! Idzie Podopieczny Króla!

I wszyscy witali go, a on odpowiadał przyjaznym uśmiechem, który ludzie bardzo cenili ze względu na jego zaszczytną przeszłość.

Biedny, młody król Edward VI żył krótko. Ale podczas tych niewielu lat rozwinął dobroczynną działalność. Niejednokrotnie, gdy któryś z wyższych dostojników, wyrzucał mu zbytnią pobłażliwość lub twierdził, że jakieś prawo, które król chciał ulepszyć, jest już samo przez się dość łagodne i nie nakłada na nikogo zbyt wielkich ciężarów, młody król rzucał na mówiącego melancholijne spojrzenie wielkich, współczujących oczu i odpowiadał:

– Cóż ty możesz wiedzieć o cierpieniach i ucisku? Ja i mój lud wiemy o tym, ale nie ty.

Panowanie Edwarda VI było jak na owe okrutne czasy niezmiernie łagodne. Pamiętajmy o tym, a rozstając się z nim teraz, zachowajmy o nim dobre wspomnienie.

PRZYPISY AUTORA

Przypis 1
Ubiór dzieci z Przytułku Chrystusa.

Najprawdopodobniej ubiór ten odpowiadał strojowi mieszczan londyńskich z tamtych czasów, gdy rzemieślnicy i służba nosili zazwyczaj długie, niebieskie suknie, zaś żółte pończochy były w powszechnym użyciu. Suknia ta przylegała ściśle do ciała i miała szerokie rękawy. Noszono pod nią żółtą koszulę bez rękawów. W stanie opasywano się czerwonym skórzanym pasem, na szyi noszono rodzaj zakonnego kołnierza. Płaska, czarna czapeczka, nie większa od spodka, uzupełniała ten ubiór. – Timbs, *Curiosities of London* (*Osobliwości Londynu*).

Przypis 2
Przytułek Chrystusa najprawdopodobniej początkowo nie był zakładem naukowym, lecz miał na celu jedynie dawać bezdomnym dzieciom schronienie, pożywienie, ubranie itp. – Timbs, *Osobliwości Londynu*.

Przypis 3
Rozkaz stracenia księcia Norfolk.
Śmierć króla szybko się zbliżała. Król obawiając się, że Norfolk może mu się wymknąć, skierował do Izby Gmin żądanie przyśpieszenia werdyktu, pod pozorem, że Norfolk piastuje godność wielkiego marszałka, trzeba więc mianować na jego miejsce kogoś innego, kto wziąłby udział w mającej nastąpić ceremonii mianowania jego syna księciem Walii. – Hume, *History of England* (*Historia Anglii*), tom III, str. 307.

Przypis 4
Dopiero pod koniec panowania Henryka VIII zaczęto w Anglii uprawiać sałatę, marchew, brukiew i inne ja-

dalne jarzyny. Do tego czasu sprowadzano niewielkie ilości tych jarzyn z Holandii i Flandrii. Gdy królowa Katarzyna chciała jeść sałatę, musiała ją sobie sprowadzać przez umyślnego posłańca. – Hume, *Historia Anglii*, tom III, str. 314.

Przypis 5
Skazanie Norfolka.
Izba Parów, nie przesłuchawszy więźnia, bez prowadzenia śledztwa, nie wysłuchując świadków, skazała go i przesłała wyrok Izbie Gmin. ...Pokorna Izba Gmin usłuchała jego (króla) rozkazu. Zaś król, zatwierdziwszy wyrok przez specjalną komisję, wydał rozkaz, aby stracenie Norfolka odbyło się 29 stycznia, czyli następnego dnia rano. – Hume, *Historia Anglii*, tom III, str. 306.

Przypis 6
Czara miłości.
Czara miłości i osobliwy ceremoniał przestrzegany przy jej używaniu, starsze są niż dzieje Anglii. Jest to prawdopodobnie zwyczaj przywieziony z Danii. Jak daleko sięgają zapiski historyczne, czara miłości wychylana była zawsze w czasie uczt angielskich. Tradycja następująco tłumaczy zachowany przy tym ceremoniał: w owych dawnych, dzikich czasach było rozumną przezornością, aby podczas picia obie ręce obu pijących były zajęte, a ten, który wznosi czarę ślubując w ten sposób miłość i wierność, nie dał temu, którego pragnął w ten sposób uczcić, sposobności do wbicia mu sztyletu w pierś!

Przypis 7
Niespodziewane wybawienie księcia Norfolk.
Gdyby Henryk VIII żył kilka godzin dłużej, jego rozkaz dotyczący stracenia księcia Norfolk musiałby być

wykonany. Gdy jednak do Tower nadeszła wiadomość, że król zmarł tej nocy, naczelnik więzienia nie odważył się wykonać wyroku. Rada Stanu również nie uważała za właściwe rozpoczynać nowego panowania od stracenia jednego z najwybitniejszych dostojników państwa, skazanego tak niesprawiedliwym i tyrańskim aktem przemocy. – Hume, *Historia Anglii*, tom III, str. 307.

Przypis 8
Chłopiec do bicia.

Jakub I i Karol II mieli w dzieciństwie takich „chłopców do bicia", których karano, gdy książęta nie robili dostatecznych postępów w nauce. Dlatego dla ułatwienia sobie zadania zaopatrzyłem i swego małego księcia w takiego chłopca.

Przypis 9
Charakter Hertforda.

Młody król okazywał najwyższe przywiązanie do swojego wuja Hertforda, który był człowiekiem nader umiarkowanym i uczciwym. – Hume, *Historia Anglii*, tom III, str. 324.

Jeżeli oburzające mogło być z jego (protektora) strony, że nadał sobie tyle godności, to jednak zasłużył sobie na wielką pochwałę przez prawa przeprowadzone na tej sesji, a niezmiernie łagodzące poprzednie ustawy karne i dające niejaką rękojmię swobód konstytucyjnych. Zniesiono wszelkie prawa, które definiowały zbrodnie zdrady stanu szerzej niż statut wydany na dwudziestopięciolecie panowania Edwarda III. Zniesiono też wszelkie przepisy o zbrodni buntu wydane wczasie poprzedniego panowania, wszelkie dawniejsze prawa, skierowane przeciwko lollardom* i innym

---

* Lollardowie – tak nazywano w Anglii zwolenników Johna Wycliffa, prekursora Wielkiej Reformacji, reformatora kościoła katolickiego w XIV w. (przyp. red.).

heretykom wraz z ustawą Sześciu Artykułów. Nikt nie mógł już być oskarżony za słowa, o ile od ich wypowiedzenia minął miesiąc. Postanowienia te unieważniły wiele z najokrutniejszych praw, jakie posiadała Anglia, stając się dla ludu zwiastunami pierwszej jutrzenki wolności zarówno obywatelskiej jak i religijnej. Unieważniono też prawo, które stoi w sprzeczności z wszelkimi zasadami prawnym, że edykty królewskie mają moc równą ustawie. – Tamże, tom III, str. 339.

Przypis 10
Kara śmierci przez gotowanie w oleju.

Za panowania Henryka VIII, mocą postanowienia parlamentu, truciciele byli skazywani na karę śmierci przez ugotowanie. W czasie następnego panowania prawo to zostało zniesione.

W Niemczech jeszcze w siedemnastym wieku stosowano tę nieludzką karę w stosunku do fałszerzy pieniędzy i oszustów. Wielki poeta Taylor opisuje stracenie, które widział w 1616 roku w Hamburgu. Wyrok przeciwko fałszerzowi pieniędzy głosił, że ma „zostać ugotowany w oleju, ale nie od razu wrzucony do kotła, lecz zawieszonego na sznurze, przeciągniętym pod pachami, spuszczać, tak aby zanurzał się w oleju stopniowo". Dr J. Hammond Trumbull, *Blue Laws, True and False (Okrutne prawa, prawdziwe i zmyślone)*, str. 13.

Przypis 11
Niezwykły wypadek z pończochami.

W Huntington powieszono pewną kobietę i jej dziewięcioletnią córeczkę, ponieważ oskarżono je, że zaprzedały dusze diabłu i sprowadzały burze przez zdejmowanie pończoch! – Dr J. Hammond Trumbull, *Okrutne prawa, prawdziwe i zmyślone*, str. 20.

Przypis 12
Niewolnictwo.
Młody król i nieokrzesany wieśniak mogli się pomylić. Jest to zupełnie zrozumiałe. Wieśniak doświadczył okrucieństwa tego prawa przedwcześnie, a król oburzał się na nieistniejące jeszcze prawo. Bowiem ta haniebna ustawa została wydana dopiero podczas jego własnego panowania. Znając więc jego charakter możemy się domyślać, że nie on był jej twórcą.

Przypis 13
Kara śmierci za drobne kradzieże.
Gdy w Connecticut i New Haven (Stany Zjednoczone) ustanawiano pierwsze kodeksy prawne, w Anglii kradzież przedmiotów o wartości ponad dwanaście pensów była jeszcze za Henryka I zbrodnią główną. – Dr J. Hammond Trumbull. *Okrutne prawa, prawdziwe i zmyślone*, str. 17.
Stara, ciekawa książka „Włóczęga angielski" podaje tę sumę na trzynaście i pół pensa. Kara śmierci groziła więc każdemu, kto ukradł przedmiot o wartości większej niż trzynaście i pół pensa.

Przypis 14
Przy wielu rodzajach kradzieży prawo wyraźnie odmawiało pociechy religijnej. Kto ukradł konia, sokoła lub wełniany materiał tkaczowi, był wieszany. Podobnie ten, kto zastrzelił jelenia w lesie królewskim albo wywoził owce z państwa. – Dr J. Hammond Trumbull, *Okrutne prawa...*, str. 13.
Uczony prawnik William Pryne został (na długo po panowaniu Edwarda VI) skazany na obcięcie obu uszu pod pręgierzem, grzywnę 3000 funtów i dożywotnie zamknięcie w więzieniu. Trzy lata później dał on znowu powód do skargi, gdyż opublikował ulotkę skierowaną przeciwko władzom kościelnym. Znowu stanął

przed sądem, który skazał go na obcięcie tego co pozostało z jego uszu, grzywnę 5000 funtów szterlingów, napiętnowanie na obu policzkach literami S. L. (*Seditious Lebeller* – buntowniczy oszczerca) i dożywotnie zamknięcie w więzieniu. Surowości tego wyroku odpowiadało okrucieństwo jego wykonania. – Tamże, str. 12.

Przypis 15
Przytułek Chrystusa czyli Szkoła Niebieskich Sukien – „najszlachetniejsza instytucja na świecie".

Grunty, na których znajdował się klasztor Szarych Braci, Henryk VIII podarował zarządowi miasta Londynu, który założył tam schronisko dla ubogich chłopców i dziewcząt. Edward VI kazał potem odpowiednio odrestaurować dawne budynki klasztorne i założył ową błogosławioną instytucję, która otrzymała nazwę Szkoły Niebieskich Sukien lub Przytułku Chrystusa i miała na celu kształcenie i żywienie sierot oraz dzieci ubogich rodziców. ...Edward nie pozwolił mu (biskupowi Ridley'owi) odejść wcześniej, dopóki nie został napisany list (do lorda majora), i osobiście mu polecił oddać to pismo i obwieścić wolę i życzenie króla, aby bez najmniejszej zwłoki poczyniono odpowiednie projekty i powiadomiono go o przedsięwziętych środkach. Dzieło posuwało się szybko naprzód. Ridley sam zajął się tym gorliwie. Rezultatem tych zabiegów było założenie Przytułku Chrystusa w celu wychowywania ubogiej dziatwy. (Król równocześnie obdarował wiele innych zakładów dobroczynnych). „Panie Boże" mawiał „dziękuję Ci z całego serca, że użyczyłeś mi dość życia, aby dokonać tego dzieła, które oby pomnożyło Twoją chwałę!" Jego czyste i niewinne życie zmierzało szybko ku końcowi, a niewiele dni później oddał z powrotem duszę Stwórcy błagając Go, aby uchronił państwo przed papiestwem. – J. Heneage Jesse, *London: its Celebrated Characters and Places* (*Londyn: jego wybitne osobistości i miejsca*).

W wielkiej sali znajduje się duży obraz, który przedstawia zasiadającego na tronie króla Edwarda VI w szkarłacie królewskim i gronostajach, z berłem w lewej ręce, podczas gdy drugą ręką wręcza klęczącemu przed nim lordowi majorowi akt założenia przytułku. Obok króla stoi kanclerz, który trzyma pieczęć, zaś dalej inni wysocy dostojnicy państwowi. Biskup Ridley klęczy przed królem ze wzniesionymi rękami, jakby błagał niebo o błogosławieństwo dla jego dzieła, zaś miejscy rajcy klęczący obok lorda majora zajmują środkową część obrazu. Wreszcie na pierwszym planie stoi po jednej stronie podwójny szereg chłopców, po drugiej dziewcząt. Wszyscy, poczynając od nauczyciela i przełożonej, aż do chłopca i dziewczynki, którzy wyszli z szeregu, klęczą ze wzniesionymi rękami przed królem. – Timbs, *Osobliwości Londynu*, str. 98.

Przytułek Chrystusa, w oparciu o dawne tradycje, posiada przywilej zwracania się z przemówieniem do króla lub królowej, gdy przybywają oni do miasta i korzystają z gościnności mieszczaństwa londyńskiego. – Tamże.

Sala jadalna z przedsionkiem oraz chór z organami zajmują całe piętro długości 187 stóp, szerokości 51 stóp i wysokości 47 stóp. Oświetla je dziewięć wielkich okien ozdobionych witrażami i wychodzących na południe. Obok sali Westminsterskiej jest to najwspanialsza sala w stolicy. Tutaj spożywają posiłki chłopcy, których jest tam obecnie 800. Tutaj odbywają się też owe „wieczerze publiczne", na które goście wpuszczani są tylko za zaproszeniami wydawanymi przez skarbnika i zarządzających Przytułku Chrystusa. Na stole w drewnianych misach leżą kawałki sera, drewniane kufle napełnia się piwem ze skórzanych bukłaków, zaś chleb wnosi się w wielkich koszach. Gdy wchodzą zaproszone władze, to lord major czyli burmistrz miasta zajmuje honorowe miejsce na krześle, sporządzonym z dębowego drzewa z kościoła św. Katarzyny w pobliżu Tower. Następnie odśpiewany zostaje hymn przy akompaniamencie organów. Jeden z „Greków", czyli starszych chłopców, odczytuje rozdział z książki do nabożeństwa, żądając przedtem ciszy, trzykrotnie uderzając drewnianym młotkiem. Po modlitwie rozpoczyna się wieczerza, zaś goście przechadzają się między stołami. Po skończonym posiłku dyżurujący chłopcy zabierają kosze, miski, bukłaki, kufle i lichtarze i w uroczystym pochodzie mijają zarządzających, kłaniając się im głęboko. W roku 1845 królowa Wiktoria i książę Albert asystowali przy tym widowisku.

Do najbardziej znanych Błękitnych Sukien należeli Joshua Barnes, wydawca Anakreonta i Eurypidesa. Jeremiah Markland, słynny krytyk, szczególnie literatury greckiej. Badacz starożytności Camden. Biskup Stillingfleet. Powieściopisarz Samuel Richardson. Thomas Mitchell, tłumacz Arystofanesa. Thomas Barnes, wieloletni wydawca „Times'a". Coleridge, Charles Lamb i Leigh Hunt.

Nie przyjmuje się chłopców poniżej siedmiu i powyżej dziewięciu lat. Nie mogą też oni pozostawać w przytułku dłużej niż do piętnastego roku życia, z wyjątkiem tak zwanych wychowanków królewskich i „Greków". Zarządzających jest około 500, z królem i księciem Walii na czele. Aby zostać zarządzającym trzeba wpłacić 500 funtów. – Tamże.

UWAGA OGÓLNA

Słyszy się wiele o „Okrutnych Prawach z Connecticut" i jest się przyzwyczajonym do zbożnego wzdrygania się na samo ich wspomnienie. Wielu ludzi w Ameryce, a nawet w Anglii, wyobrażają sobie, że były one prawdziwym pomnikiem okrucieństwa, bezlitosności i nieludzkości. W istocie stanowiły one niemal pierwszy OBJAW KOŃCA OKRUCIEŃSTWA W SĄDOWNICTWIE, jaki ujrzał „cywilizowany" świat. Ten ludzki i łagodny Kodeks Okrutnych Praw sprzed dwustu czterdziestu lat mówi sam za siebie, jeżeli wziąć pod uwagę poprzedzające go wieki krwawych praw oraz jeden i trzy czwarte wieku krwawych praw angielskich następujących po NIM.

Nie było takiego wypadku, ani za czasów Okrutnych Praw, ani kiedy indziej, żeby w Connecticut ukarano śmiercią więcej jak CZTERNAŚCIE przestępstw. Natomiast w Anglii za pamięci ludzi, którzy dziś jeszcze są rześcy na ciele i umyśle, śmiercią karano DWIEŚCIE DWADZIEŚCIA TRZY przestępstwa*! Warto się zapoznać z tymi faktami i zastanowić się nad nimi.

---

* Por. dr J. Hoummond Trumbull: *Okrutne prawa, prawdziwe i zmyślone* str. 11.

Spis rozdziałów

W serii KLASYKA dotychczas ukazały się następujące pozycje:

FRANCES HODGSON BURNETT

Frances Eliza Hodgson Burnett (1849–1924), powieściopisarka angielska, w 1865 r. osiadła w USA, napisała około 40 powieści, głównie dla dzieci i młodzieży.

Mała Księżniczka

Wzruszająca opowieść o losach małej Sary, „księżniczki" otoczonej blaskiem i bogactwem, która po bankructwie i śmierci ojca staje się posługaczką, traktowaną w sposób okrutny i nieludzki. Ale Sara nawet wtedy, kiedy jest głodna i przemarznięta, w swojej wyobraźni wciąż pozostaje „księżniczką". Historia Sary, intrygująca i niezwykła, pokazuje, że dobro tkwi we wnętrzu człowieka, który może uczynić ten świat naprawdę pięknym.

Mały Lord

Siedmioletni Cedryk niespodziewanie staje się dziedzicem olbrzymiej fortuny, której właścicielem jest jego dziadek, angielski arystokrata – oschły zgorzkniały, odpychający starzec. Dziecięca ufność Cedryka, jego wrażliwość na krzywdę i wiara w dobro czynią cuda – hrabia wraca do świata ludzi kochających i kochanych.

Tajemniczy ogród

Opowieść o serdecznej przyjaźni, dobroci i wielkiej tajemnicy. Ulubiona książka dzieciństwa naszych dziadków i rodziców. Zafascynowała też Agnieszkę Holland, która, zachowując wierność powieści, stworzyła urzekający film.

DANIEL DEFOE

Daniel Defoe (1660–1731), pisarz angielski, twórca nowoczesnej powieści, która powstawała z publicystyki, reportażu, kronik – obyczajowej i kryminalnej. Prowadził bardzo czynne i burzliwe życie; był kupcem, fabrykantem, buntownikiem, agentem rządowym, dwukrotnie siedział w więzieniu za pamflety – złośliwe i szydercze utwory polityczne i religijne. Napisał wiele książek: siedem z nich, powstałych w latach 1719–1724, uczyniły znanym nazwi-

sko pisarza. Największą sławę zyskał dzięki przygodom
Robinsona Cruzoe.

Robinson Cruzoe

Jest to autentyczna historia szkockiego marynarza – rozbitka, który na początku XVIII wieku spędził kilka lat na bezludnej wyspie, walcząc samotnie z naturą i przeciwnościami. Jego determinacja, zaradność, umiejętność dawania sobie rady w zupełnie nieznanych warunkach, niewiarygodne przygody zostały opisane żywo i plastycznie, z zachowaniem klimatu epoki.

ARTHUR CONAN DOYLE

Arthur Conan Doyle (1859–1930), pisarz angielski pochodzenia irlandzkiego. Ukończył studia medyczne w Edynburgu. Pracując jako lekarz, publikował anonimowo krótkie opowiadania. Sukces i sławę zdobył stwarzając postaci detektywa-amatora Sherlocka Holmesa i jego przyjaciela, doktora Watsona. Wiele opowiadań napisał pod presją czytelników, którzy domagali się dalszych przygód ulubionego detektywa.

Pies Baskerville'ów

Jedna z najsłynniejszych powieści z Sherlockiem Holmesem w roli głównej, wydana w 1902 roku. Akcja książki dzieje się na ponurych bagnach hrabstwa Devon. W tajemniczych okolicznościach giną kolejni spadkobiercy majątku Baskerville'ów. Miejscowa ludność przypisuje te zagadkowe zgony pradawnej klątwie prześladującej rodzinę Baskerville'ów od dwustu lat. Sherlock Holmes błyskotliwie rozwiązuje tajemnicę kolejnych śmierci.

Przygody Sherlocka Holmesa

Opowiadania o genialnym detektywie-amatorze, który potrafił rozwikłać najbardziej skomplikowane zagadki kryminalne. Gdy już nikt nie był w stanie wykryć przestępcy, on, posługując się sztuką dedukcji, rozwiązywał tajemnice. W rozszyfrowywaniu problemów pomagała Sherlockowi Holmesowi znajomość psychologii, chemii, prawa, literatury sensacyjnej, policyjne kroniki wypadków oraz nieodłączna fajka, a czasami gra na skrzypcach. Mając nieprzeciętną sprawność fizyczną wychodził cało z najgorszych opresji. Perypetie detektywa poznajemy dzięki pamiętnikom „pisanym" przez jego przyjaciela, doktora Watsona.

Zagadki Sherlocka Holmesa

Dwanaście opowiadań o znakomitym detektywie-amatorze Sherlocku Holmesie. Posługując się sztuką dedukcji, logicznym myśleniem oraz szeroką wiedzą naukową z przeróżnych dziedzin, skutecznie ściga on nawet najgroźniejszych przestępców, których brytyjska policja nie jest w stanie ująć. Książka zawiera opowiadania, które w Polsce były publikowane tylko raz – przed II wojną światową.

KENNETH GRAHAME

Kenneth Grahame (1859–1932), pisarz angielski, z zawodu urzędnik bankowy, który o sobie mówił, że jest „pisarzem niedzielnym". Książka „O czym szumią wierzby" powstała na podstawie listów od syna, który występuje w książce jako Mysz, i bajek opowiadanych mu do snu. Syn zginął w katastrofie. Jego ojciec nigdy nie otrząsnął się z tej straty i nic już więcej nie napisał...

O czym szumią wierzby

Rozumny i dobroduszny Szczur Wodny, naiwny i ciekawy Krecik, pyszałkowaty i niemądry Ropuch, zacny Borsuk, szacowna Wydra i nieśmiała Mysz – to główni bohaterowie tej pełnej uroku opowieści. Wspólnie przeżywają wiele zabawnych przygód i stawiają czoła niespodziewanym sytuacjom. Zwierzęta obdarzone ludzkimi cechami mają charaktery tak samo różne jak ludzie. I uczucia ich też są bardzo ludzkie. A wszystkich łączy prawdziwa, serdeczna przyjaźń, często o wiele głębsza niż ta, z którą mamy do czynienia wśród ludzi.

L. M. MONTGOMERY

Lucy Maud Montgomery (1874–1942), powieściopisarka kanadyjska, z zawodu nauczycielka, zajmowała się również dziennikarstwem. Znana głównie z cyklu powieściowego „Ania z Zielonego Wzgórza" (razem 7 tomów). Powieści o Ani zawierają wiele akcentów autobiograficznych. Pierwsza książka z cyklu, pisana od wiosny 1904 r. do jesieni 1905 r., wydana została w Bostonie w 1908 r.

Ania z Zielonego Wzgórza

Pierwszy tom głośnego cyklu powieściowego o losach rudowłosej Ani Shirley, wychowanki domu sierot, która pewnego dnia – dzięki szczęśliwej pomyłce – trafia na Zielone Wzgórze, gdzie znajduje ciepło, miłość i prawdziwy dom.

Ania z Avonlea

Dalsze dzieje bohaterki najsłynniejszego cyklu powieściowego dla dziewcząt. Ania, dziewczyna wrażliwa, inteligentna, o dużej wyobraźni, sentymentalna, ale z poczuciem humoru i nieco zwariowanymi pomysłami, wychodzi zawsze zwycięsko ze wszystkich opresji. Po ukończeniu szkoły rozpoczyna pracę jako nauczycielka w Avonlea. Przeżywa pierwsze, nieuświadomione w pełni, uczucie miłości.

Ania na uniwersytecie

Kolejna część cyklu powieściowego, którego bohaterka, sympatyczna Ania, rozpoczyna życie w nowym środowisku, z dala od Avonlea. Z zapałem studiuje na uniwersytecie, nawiązuje przyjaźnie, ulega urokowi pewnego przystojnego studenta. Wkrótce jednak przekonuje się, że nie było to prawdziwe uczucie, a jej przeznaczeniem jest zupełnie ktoś inny...

Wymarzony dom Ani

W kolejnej części cyklu powieściowego Ania jest już mężatką. Poślubiła towarzysza z lat dziecinnych Gilberta i zamieszkała z nim w prześlicznym starym domku nad morzem. Szczęśliwe chwile w życiu Ani i jej męża przeplatane są niekiedy smutkiem, a nawet rozpaczą po śmierci pierwszego dziecka. Z pomocą bohaterce powieści przychodzą nowi, oddani przyjaciele, których losy tajemnicze i często pogmatwane sprawiają, że czytelnicy z głębokim zainteresowaniem śledzą przebieg akcji.

Błękitny zamek

Romantyczna i pełna wdzięku opowieść o 29-letniej dziewczynie, która dowiedziawszy się o swojej śmiertelnej chorobie, postanawia wyzwolić się z więzów tradycyjnej rodziny i przeżyć resztę życia zgodnie z własnymi pragnieniami. Piękna historia o namiętności i narodzinach miłości.

EDITH NESBIT

Edith Nesbit (1858–1924), pisarka angielska, autorka popularnych opowieści dla dzieci, w których codzienne życie mieszczańskiej Anglii przeplata ze światem magii i baśni.

Poszukiwacze skarbów

Młodzi Bastablowie, dwie siostry i czterej bracia w wieku od kilku do kilkunastu lat, zostają osieroceni przez matkę, a także popadają w ubóstwo na skutek niekorzystnego obrotu interesów ojca. Szóstka sympatycznych psotników, oddanych sobie na śmierć i życie, skłonnych do niedorzecznych pomysłów i działań, ale zawsze uczciwych, szlachetnych i wrażliwych na ludzkie niedole, nie ustaje w poszukiwaniu skarbu, który mógłby poprawić byt ich rodziny. Odnajdują wreszcie skarb... zaskakujący i nieoczekiwany.

Złota Księga Bastablów

Do grupy sympatycznych bohaterów „Poszukiwaczy skarbu", spędzających wakacje w starodawnym wiejskim domu, dołącza dwójka przyjaciół. W ich głowach lęgną się szaleńcze pomysły, które szybko wprowadzają w czyn. Chociaż przyświecają im najszlachetniejsze intencje, skutki działań całej grupy bywają nieoczekiwane. A Złota Księga dobrych uczynków wygląda dość ubogo w porównaniu z bogactwem wakacyjnych przygód.

Przygody młodych Bastablów

Dawni poszukiwacze skarbu i autorzy Złotej Księgi dobrych uczynków i tym razem wykazują właściwą sobie, niezwykłą wprost pomysłowość w trosce o polepszenie losu bliźnich, dotkniętych rzeczywistym, bądź wyimaginowanym nieszczęściem. Ich szlachetne intencje owocują nieprzewidzialnymi, zaskakującymi i niekoniecznie zamierzonymi skutkami.

ELEANOR H. PORTER

Eleanor H. Porter z domu Hodgman (1868–1920), pisarka amerykańska, studiowała w konserwatorium, chciała zostać muzykiem. Debiutowała dość późno – w 1907 r. Jej powieść „Pollyanna" stała się szybko światowym bestsellerem.

Pollyanna

Pollyanna po śmierci ojca przybywa do domu oschłej, surowej ciotki. Uśmiechem, wewnętrzną pogodą, nie-zwykłą umiejętnością dostrzegania we wszystkim jasnych stron zdobywa powszechną sympatię, a jej słynna „gra w zadowolenie" odmienia los wielu ludzi w miasteczku. „Być dobrym i dostrzegać dobro w innych" – to program życiowy Pollyanny.

Pollyanna dorasta

Mijają lata i Pollyanna z pogodnego dziecka zmienia się w uroczą dziewczynę. Jednocześnie musi radzić sobie z problemami, które niesie los. Przynosi on również niespodzianki, a największą z nich okazuje się miłość...

ANNA SEWELL

Anna Sewell (1820–1878), pisarka angielska, autorka jednej, ale niezwykle popularnej powieści, która została uznana za wybitną pozycję w literaturze dziecięcej.

Mój Kary

Opowieść o kolejach losu źrebaczka, potem pięknego konia. Kary, bo takie imię nosi bohater książki, trafia w ręce różnych właścicieli. Raz są nimi ludzie dobrzy i troskliwi, rozumiejący potrzeby swego zwierzęcia, kiedy indziej nieczuli, traktujący zwierzę jak maszynę.

ROBERT LOUIS STEVENSON

Robert Louis Steuenson (1850–1894), szkocko-angielski pisarz, twórca angielskiej powieści neoromantycznej: przygodowej o fantastyczno-egzotycznej tematyce („Wyspa skarbów") i sensacyjnej, nawiązującej do makabrycznej groteski E. A. Poego.

Doktor Jekyll i pan Hyde
Pawilon na wydmach

Doktor Jekyll i pan Hyde to fascynująca opowieść o dwoistości ludzkiej natury. Doktor Jekyll – wybitny naukowiec – jest przeświadczony, że każdy człowiek nosi w sobie dwa przeciwstawne charaktery: jawną prawość i dobroć oraz skrywane zło, agresję i dążenie do destrukcji. Prowadzi doświadczenia chemiczne, doprowadzające do wynalezienia mikstury, po wypiciu której człowiek skrajnie zmienia swoją osobowość. *Pawilon na wydmach* jest znakomicie skonstruowanym, trzymającym w napięciu drugim opowiadaniem. Jego sensacyjna akcja toczy się w mrocznej i tajemniczej scenerii wschodniego wybrzeża XIX-wiecznej Anglii.

NOEL STREATFEILD

Noel Streatfeild (1895–1986), studiowała w Akademii Teatralnej w Londynie. W latach 20. XX wieku występowała jako aktorka.

Złota Jabłoń

Rodzice odkrywają wielki talent u swego synka, Sebastiana. Wspaniale gra na skrzypcach. I wtedy zaczynają się kłopoty. Sebastian musi kształcić się u największych mistrzów, rozpoczyna tournée koncertowe. Mama Sebastiana nie wyobraża sobie rozłąki z synem. Rodzice podejmują odważną decyzję: sprzedają dom i wraz z Sebastianem, i trojgiem jego rodzeństwa, ruszają w podróż artystyczną po świecie. Początkowo taki sposób życia wydaje się wszystkim ciekawy i zabawny. Z czasem okazuje się, że dzieci poczynają tęsknić do dawnych czasów, do wspólnego, własnego domu. Podejmują wielką tajną akcję, aby przywrócić dawny stan rzeczy.

Zaczarowane baletki

Starszy pan, naukowiec, wielki oryginał, który podróżuje po świecie w poszukiwaniu skamielin, tym razem przywozi z podróży... maleńką dziewczynkę, ocalałą z katastrofy morskiej. Kolejne wyprawy kończą się przywiezieniem jeszcze dwóch dziewczynek. W niecodzienny sposób trzy osierocone dziewczynki zyskują przybranego ojca, który znowu wyjeżdża na kolejną, tym razem wieloletnią wyprawę. Cały dom pozostaje na głowie wnuczki, jej brata oraz niani. Dziewczynki wcześnie zrozumiały, że muszą pomóc w utrzymaniu domu i starają się jak tylko mogą. Ich szlachetność, ambicja i wola w połączeniu z pracowitością zostają nagrodzone. Każdą z nich bowiem czeka niezwykły los. Przedtem jednak przeżywają mnóstwo perypetii.

ETHEL TURNER

Ethel Turner (1872–1958) urodziła się w Anglii, do Australii przeniosła się w 1881 roku.

Siedmioro Australijczyków

Uważa się, że dzieci są do siebie podobne pod każdą szerokością geograficzną. Z wyjątkiem Australii, gdzie są... szczególnie niegrzeczne. Czy to za sprawą słońca, którego jest tam w nadmiarze? Powieść o przygodach siedmiorga rodzeństwa: krnąbrnych, niesfornych, nieutemperowanych przynosi odpowiedź na to pytanie. Jej bohaterowie mieszkają wraz z ojcem-oficerem i młodą macochą w dużym domu, w pobliżu rzeki, otoczonym wspaniałym, zdziczałym ogrodem. Taka sceneria sprzyja psotom, figlom, niezwykłym zabawom, a także – szczególnie wtedy, gdy ma się szesnaście lat – romantycznym rojeniom. Życie przecież nie może być jednym pasmem zabaw; radosną scenerię burzą dramatyczne zdarzenia, przynosząc smutek, łzy, rozpacz...

MARK TWAIN

Mark Twain, właściwie Samuel Langhorne Clemens (1835–1910), pisarz amerykański. Dzieciństwo spędził w miasteczku Hannibal nad Missisipi. W młodości był m.in. uczniem drukarskim, dziennikarzem i poszukiwaczem złota i srebra. Znany był z opowiadania zabawnych anegdot z życia codziennego. Wprowadził do amerykańskiej literatury gwarę – język potoczny.

Przygody Tomka Sawyera

Autor, opierając się na wspomnieniach z własnego dzieciństwa, opisuje niezwykłe przygody dwóch chłopców, którzy, udawszy się w nocy na cmentarz, stają się mimowolnymi świadkami zbrodni, a następnie przyczyniają się do wykrycia jej sprawców. Oglądamy również barwny i realistyczny obraz Ameryki sprzed wojny secesyjnej.

Przygody Hucka

Huck i jego towarzysz niedoli, Murzyn Jim, uciekają przed łowcami niewolników. Żeglując tratwą po wodach Illinois i Missisipi, przeżywają dziesiątki przygód, pełnych napięć, wstrząsów i niebezpieczeństw.

Mimo dotychczasowej przychylności losu, Murzyn Jim zostaje schwytany przez nieustępliwych łowców. Na szczęście, w odpowiednim momencie, pojawia się niezawodny Tomek Sawyer, który pomaga przyjacielowi w ucieczce. Po wielu trudach bohaterowie książki osiągają – dosłownie i w przenośni – upragniony cel: wolność i swobodę.

JULES VERNE

Jules Verne (1828–1905), pisarz francuski, od młodości marzący o dalekich podróżach. Mając jedenaście lat, w tajemnicy przed rodziną, wsiadł na żaglowiec „Coralie", płynący do Indii. Uznawany jest za twórcę gatunku science fiction, chociaż termin ten w jego czasach jeszcze nie istniał. Napisał ponad 60 powieści, przełożonych na niemal wszystkie języki świata.

Piętnastoletni kapitan

Postać bohatera Dicka Sanda Jules Verne stworzył z myślą o własnym synu, który kończył właśnie 15 lat. Dick, wychowanek zakładu dobroczynnego, zawsze interesował się żeglowaniem. Od ósmego roku życia jako chłopiec okrętowy odbywał rejsy po morzach. Lubiany i ceniony przez wszystkich, miał duże wiadomości z geografii i zoologii, doskonale pływał i świetnie strzelał z pistoletu. Książka o niewiarygodnych przygodach odważnego młodego kapitana, który potrafił obronić swoich przyjaciół przed śmiertelnymi niebezpieczeństwami.

W 80 dni dookoła świata

Najsłynniejsza powieść Juliusza Verne'a, pełna przygód, niespodzianek i napięć. Jej akcja toczy się w scenerii XIX wieku. Londyński dżentelmen wiódł samotne, monotonne i uporządkowane życie. Tak było do czasu, gdy założył się z kolegami z ekskluzywnego klubu o to, że w osiemdziesiąt dni objedzie dookoła świat.

Bohater książki przemierzał lądy i oceany nie tylko po to, żeby wygrać zakład. Podjął wyścig z czasem również dlatego, aby obronić swoją cześć i honor; padło nań bowiem podejrzenie, że opuszczając Londyn, dokonał kradzieży na dużą skalę. Humanistyczne przesłanie powieści jest aktualne do dziś, w epoce rakiet, odrzutowców i internetu.

JEAN WEBSTER

Jean Webster (1876–1916), pisarka amerykańska, cioteczna wnuczka Marka Twaina, córka wydawcy. W1901 r. ukończyła filologię i ekonomię na uniwersytecie w Binghamton. Wizytując zakłady dla sierot i domy poprawcze zebrała materiały do swoich książek.

Patty

Patty, pełna życia i zarazem wyjątkowo niesforna wychowanka pensji dla dobrze ułożonych panien, przysparza swoim surowym opiekunom nieustannych kłopotów. A jednak jej wszystkie, choćby najbardziej szalone i niewiarygodne przedsięwzięcia, są nie tylko zabawne, ale – co najważniejsze – wielu ludziom niosą pociechę, spokój, a nawet szczęście.

Tajemniczy opiekun

Historia siedemnastoletniej Agaty Abbott, wychowanki domu sierot, którą spotyka niespodziewany uśmiech losu. Jeden ze stałych opiekunów ochronki postanawia sfinansować dalszą naukę Agaty, zastrzegając sobie pełną anonimowość. Aga ma tylko regularnie pisać do niego listy. Książka stanowi właśnie zbiór owych listów – pełnych humoru, pogodnych i serdecznych. Rozwiązanie zagadki tajemniczego opiekuna jest zaskakujące i niespodziewane.